P9-BJG-275

ZAMACH

TADEUSZ A. KISIELEWSKI

ZAMACH

TROPEM ZABÓJCÓW
GENERAŁA SIKORSKIEGO

DOM WYDAWNICZY REBIS
Poznań 2005

Redaktor merytoryczny
prof. dr hab. Zbigniew Pilarczyk

Redaktor
Grzegorz Dziamski

Opracowanie graficzne okładki
Zbigniew Mielnik

Fotografie na okładce
zefa Polska

Fotografie na wklejce
s. 1 PAP, s. 2 USAF Museum Photo Archives,
s. 3 zefa Polska (góra), PAP (dół), s. 4 PAP

Wydanie I

ISBN 83-7301-767-4

Dom Wydawniczy REBIS Sp. z o.o.
ul. Żmigrodzka 41/49, 60-171 Poznań
tel. (0-61) 867-47-08, 867-81-40; fax (0-61) 867-37-74
e-mail: rebis@rebis.com.pl
www.rebis.com.pl
Fotoskład: *Akapit*, Poznań, ul. Czernichowska 50B, tel. (0-61) 879-38-88

SPIS TREŚCI

Rozdział 1

Długa droga do Gibraltaru

4 lipca 1943 roku zginął generał broni Władysław Sikorski, premier Rzeczypospolitej Polskiej i Naczelny Wódz Polskich Sił Zbrojnych. Wraz z nim zginęło kilkanaście innych osób znajdujących się w samolocie B-24 *Liberator* Mk II nr AL 523, pasażerów i członków załogi, obywateli polskich i brytyjskich.

Śmierć Sikorskiego wciąż jest największą i najważniejszą zagadką najnowszej historii Polski. W pewnym sensie ta sprawa jest podobna do katyńskiej, to znaczy od początku wszyscy „wiedzieli" (w potocznym rozumieniu tego słowa), że w Gibraltarze nie było wypadku, a w 1940 roku w Katyniu, Charkowie i Twerze do polskich oficerów nie strzelali Niemcy. Jednak na tym podobieństwo obu spraw się kończy. W 1990 roku strona rosyjska przyznała się do zamordowania prawie 22 tysięcy polskich wojskowych, policjantów i przedstawicieli inteligencji, a w roku 1992 przekazała rządowi polskiemu dokumenty związane z tą zbrodnią. Natomiast zabójstwo Sikorskiego wciąż jest jedną z najbardziej delikatnych i najpilniej strzeżonych tajemnic mocarstwowych. Należy się liczyć z tym, że polskie władze nigdy nie zostaną oficjalnie poinformowane o politycznym podłożu, rozkazodawcach, bezpośrednich wykonawcach i przebiegu zamachu w Gibraltarze.

Aby jednak dojść do tego tragicznego wydarzenia, trzeba zarysować polityczne tło wydarzeń, które do niego doprowadziły. Wydaje się to tym bardziej konieczne, że prawdopodobnie niewielu czytelników posiada wystarczającą orientację w tej materii, a być może są i tacy, którym niewiele mówi samo nazwisko Sikorski.

1 września 1939 roku hitlerowskie Niemcy zaatakowały Polskę. Przewaga sił była po stronie agresora. Niemieckie siły zbrojne liczyły 1,85 miliona żołnierzy, wyposażone były między innymi w 2,7 tysiąca czołgów, mniej więcej 10 tysięcy dział i moździerzy oraz około 2 tysięcy samolotów. Polska mogła im przeciwstawić około miliona żołnierzy, 670 czołgów (przeważnie lekkich i rozpoznawczych) oraz samochodów pancernych, 4,3 tysiąca dział i 400 w większości przestarzałych samolotów bojowych. Ponadto słaby system łączności właściwie uniemożliwił utrzymywanie kontaktu zarówno między polskimi oddziałami, jak i pomiędzy nimi a naczelnym dowództwem. Dysproporcja w sile żywej, uzbrojeniu i wyposażeniu była więc ogromna, a pogłębił ją skrajnie niekorzystny dla Polski jej ówczesny kształt geograficzny, który skłonił polskie dowództwo naczelne do rozciągnięcia linii obrony na 1600 kilometrów, a zarazem umożliwił Niemcom atak z trzech stron — od zachodu, północnego wschodu (z Prus Wschodnich) i południa (po zajęciu Czech i wejściu części niemieckich wojsk na Słowację). Mimo tej dysproporcji ostatnie większe polskie oddziały złożyły broń dopiero 6 października, czyli po trwających pięć tygodni walkach, a samodzielny oddział kawalerii pod dowództwem majora Henryka Dobrzańskiego „Hubala" walczył w lesistych Górach Świętokrzyskich, w samym centrum kraju, do maja 1940 roku, licząc na odsiecz zachodnich aliantów, która

umożliwiłaby stawienie przez Polaków masowego oporu agresorom. Walki we wrześniu 1939 roku były tak zaciekłe, że — jak stwierdził podczas procesu w Norymberdze generał Alfred Jodl — gdyby potrwały jeszcze dziesięć dni, wojskom niemieckim zabrakłoby amunicji. Uzupełnienie uzbrojenia i odbudowanie zapasów zajęło agresorom pół roku — o tyle Polska opóźniła inwazję Trzeciej Rzeszy na swoich zachodnich sojuszników.

Pomimo że Niemcy zajęli zachodnią i środkową Polskę, opór jej armii niewątpliwie trwałby dłużej niż owe pięć tygodni i dziesięć dni, o których wspomniał Jodl, gdyby 17 września 1939 roku na całej długości liczącej 1412 kilometrów wschodniej granicy Rzeczypospolitej nie zaatakowała jej Armia Czerwona (obszar wolny od wojsk niemieckich liczył wówczas około 140 tysięcy kilometrów kwadratowych, czyli ponad jedną trzecią terytorium Polski). Użyte w tej operacji siły radzieckie liczyły prawie milion żołnierzy, ponad cztery tysiące czołgów oraz samochodów pancernych i co najmniej tysiąc samolotów. Naprzeciw nich stały — i podjęły z nimi walkę — jedynie znakomicie wyszkolone w działaniach pozycyjnych, lecz nieliczne jednostki Korpusu Ochrony Pogranicza oraz słabo uzbrojone oddziały tyłowe i zapasowe, ochraniające liczne na wschodnich terenach Rzeczypospolitej składy i magazyny wojskowe. W tej sytuacji radzieckie oddziały pancerne i kawaleryjskie błyskawicznie posuwały się na zachód.

Stworzyło to bezpośrednie zagrożenie dla polskich najwyższych władz państwowych i wojskowych, które ulokowały się nad granicą rumuńską. Polski plan awaryjny zakładał bowiem utworzenie silnego ośrodka oporu przeciw wojskom niemieckim na liczącym około piętnastu tysięcy kilometrów kwadratowych obszarze przylegającym do tej granicy, jednoczesną obronę

przed Niemcami wschodniej części kraju i prowadzenie walki
partyzanckiej na terenach, które już zajęli. Oparcie się o granicę
Rumunii (która była formalnie sojusznikiem Polski) pozwala-
ło utrzymać łączność telefoniczną i telegraficzną z Zachodem,
odbierać spodziewaną pomoc materiałową od aliantów zachodnich, a nawet — jak się wówczas wydawało polskim politykom
i wojskowym — dawało szansę doczekania się angielsko-francu-
skiego korpusu ekspedycyjnego, który włączyłby się do walki po
podjęciu przez Francję i Wielką Brytanię ofensywy na froncie
zachodnim. I choć te daleko idące nadzieje zapewne by się nie
ziściły, inwazja radziecka rozwiała je ostatecznie. W nocy z 17
na 18 września prezydent, rząd i najwyższe dowództwo ewaku-
owały się do Rumunii, gdyż chodziło o zachowanie w całości
władz cywilnych i wojskowych, jednego z trzech atrybutów
suwerennego państwa.

Inwazja radziecka była konsekwencją postanowień tajnego
protokołu do układu o nieagresji, który 23 sierpnia 1939 roku
podpisali na Kremlu, w obecności Józefa Stalina, minister spraw
zagranicznych Rzeszy Joachim von Ribbentrop i komisarz spraw
zagranicznych Wiaczesław Mołotow.

Do listopada 1940 roku Adolf Hitler pilnie przestrzegał zasady, że „Niemiec nie stać na wojnę na dwa fronty". Dopiero
gdy podczas wizyty Mołotowa w Berlinie przekonał się, że eks-
pansjonizm Moskwy jest niemal nieograniczony i długofalowe
geostrategiczne ułożenie się ze Związkiem Radzieckim jest niemożliwe, podjął decyzję marszu na Moskwę (18 grudnia 1940
roku nakazał opracować „Plan Barbarossa"), mimo że na skutek
niezłomnego oporu Wielkiej Brytanii ciągle miał otwarty front
zachodni. Jednak latem 1939 roku nie zamierzał jeszcze ryzy-
kować. Jego początkowym zamiarem było uderzenie na zachód

po zapewnieniu sobie neutralności Polski, chociaż jednocześnie domagał się od niej koncesji terytorialnych. Wielka Brytania była wówczas (i jeszcze długo później) słaba militarnie, dlatego jej rząd uznał, że aby zyskać na czasie, należy skierować niemiecką agresję na wschód. W tym celu 31 marca 1939 roku udzielił rządowi polskiemu gwarancji wsparcia na wypadek niemieckiego uderzenia. W Londynie zapewne uważano to posunięcie za niezwykle chytre i wyrafinowane, lecz było ono zbędne, ponieważ Polska nie potrzebowała zachęty do obrony (chociaż Brytyjczycy obawiali się, że bez owych gwarancji politycznie podporządkuje się Niemcom), a w razie uderzenia Niemiec na Francję Warszawa nie uchyliłaby się od wykonania postanowień układu sojuszniczego, który zawarła z Paryżem. Berlin również nie powinien był mieć co do tego żadnych złudzeń. Jednak gwarancje Wielkiej Brytanii rzeczywiście spowodowały pożądany przez nią zwrot w polityce Hitlera. Dopiero wtedy uświadomił on sobie, że kierując swoje wojska na zachód, z całą pewnością będzie zmuszony toczyć wojnę na dwa fronty, zatem postanowił odwrócić kolejność uderzeń: zdecydował, że najpierw szybko upora się z Polską, utrzymując pozycje obronne na zachodzie, a dopiero później, prawdopodobnie na przełomie września i października, ruszy na Francję. Führer miał bowiem poważne wątpliwości, których zasadność potwierdził bieg wydarzeń, czy zachodni alianci Polski w ogóle wywiążą się wobec niej ze swoich zobowiązań. Aby wykonać ten nowy plan, Hitler musiał jednak uzupełnić go o jeszcze jeden element — Związek Radziecki. Wielka Brytania i Francja prowadziły bowiem latem 1939 roku nieszczere i raczej pozorowane pertraktacje z Kremlem, których cel wciąż trudno określić. Być może chodziło im o szachowanie Niemiec do nadejścia jesieni

i zimy, kiedy inwazja nie tylko na Polskę, ale i na Francję byłaby niezwykle utrudniona; być może usiłowały pchnąć Hitlera
jeszcze bardziej na wschód, by opanowawszy Polskę, ruszył na
Moskwę, co zapowiadał już kilkanaście lat wcześniej w *Mein
Kampf*; być może Zachód rzeczywiście zamierzał zmontować
antyhitlerowską koalicję z udziałem ZSRR.

Stalin od marca 1939 roku prowadził podwójną grę. Z jednej
strony coraz wyraźniej dążył do zbliżenia z Niemcami, z drugiej zaś nie uchylał się od skierowanych przeciw nim rozmów
z Zachodem. Wynik tej gry był kwestią ceny. W drugiej połowie
sierpnia na Kremlu uznano, że więcej zapłaci Hitler. Pierwsza
rata została sprecyzowana m.in. we wspomnianym tajnym pro-
tokole: ZSRR miała przypaść połowa terytorium Polski, prawie
cała Litwa (okręg Kłajpedy Niemcy zajęli już w marcu), cała
Łotwa i Estonia oraz część terytorium Finlandii i Rumunii.
Nakazawszy Mołotowowi, żeby podpisał ten protokół, Stalin
sprawił, że Hitler odważył się wszcząć drugą wojnę światową.
Nie zabezpieczony od strony ZSRR Hitler by tego nie zrobił.

Kiedy polskie władze cywilne i wojskowe znalazły się na
terytorium Rumunii, zostały tam — wbrew wcześniejszym
dwustronnym uzgodnieniom — internowane. Rząd rumuński
postąpił tak, znalazł się bowiem pod podwójnym naciskiem:
niemieckim, co zrozumiałe, oraz francuskim. Ten ostatni ściśle
wiązał się z generałem Sikorskim.

Władysław Sikorski był przeciwnikiem politycznym marszałka Józefa Piłsudskiego. Wkrótce po zamachu 12 maja 1926 roku
i przejęciu przez Piłsudskiego władzy w Polsce został odsunięty
nie tylko od polityki (w latach 1922–1923 był premierem i ministrem spraw wewnętrznych, a w latach 1924–1925 ministrem
spraw wojskowych), ale i od czynnej służby w armii. W 1928

roku Sikorski, który wówczas miał zaledwie czterdzieści siedem lat, został przydzielony do dyspozycji ministra spraw wojskowych i przez jedenaście lat nie pełnił żadnej funkcji. Zawsze był zwolennikiem ścisłego sojuszu politycznego i wojskowego z Francją, w którego niezawodność — w przeciwieństwie do sceptycznego Piłsudskiego — wierzył niezachwianie. W latach trzydziestych zaangażował się w tworzenie opozycji politycznej przeciw rządzącemu obozowi zwolenników Piłsudskiego, zwanych sanatorami (od propagowanego przez nich hasła sanacji, czyli uzdrowienia systemu politycznego Polski) i jeszcze ściślej związał się z Francją.

Klęska w kampanii wrześniowej 1939 roku była dla Polaków wstrząsem, tym większym, że do wybuchu wojny władze cywilne i wojskowe podtrzymywały mit mocarstwowej Polski. Oskarżano je o nieudolność, która ściągnęła hańbę na kraj, a nawet o zdradę interesów narodowych. Zarzucano im również tchórzostwo, którego dowodem miało być opuszczenie przez nie granic Rzeczypospolitej. Władze nie miały już prawie żadnego poparcia obywateli.

Do września 1939 roku stosunki polsko-francuskie były nacechowane wzajemną rezerwą, mimo utrzymywania kontaktów opartych na układzie sojuszniczym. Dlatego Francja postanowiła wywrzeć nacisk na rząd Rumunii, żeby internował członków polskich władz, umożliwiając objęcie rządów sympatykowi Francji, Władysławowi Sikorskiemu. Dotąd nie zostało wyjaśnione, czy tych działań Paryża nie inspirował również sam generał.

Zdając sobie sprawę, że internowany nie może prowadzić jakiejkolwiek polityki, 23 września prezydent Ignacy Mościcki mianował swoim następcą generała Bolesława Wieniawę-Długoszowskiego, ambasadora Polski w Rzymie. Ponieważ rząd francuski oświadczył, że „nie ma zaufania do tej osoby", 29 września, na wniosek ambasadorów Polski w Paryżu i Londynie, Mościcki wyznaczył na swojego następcę Władysława Raczkiewicza, drugorzędnego polityka przebywającego właśnie we Francji. Ten uzyskał uznanie władz francuskich (i brytyjskich), po czym mianował przybyłego do Paryża przez Rumunię Władysława Sikorskiego premierem polskiego rządu emigracyjnego, a następnie Naczelnym Wodzem. W ten sposób Sikorski skupił w swoim ręku całą władzę, jaką mógł realnie dysponować. Notabene powołanie władz państwowych na uchodźstwie było nawiązaniem do precedensu belgijskiego rządu emigracyjnego z czasów pierwszej wojny światowej.

Priorytetem Sikorskiego było zorganizowanie we Francji jak najliczniejszych sił zbrojnych spośród polskich żołnierzy, którzy przez Rumunię i Węgry, Jugosławię, Włochy, a także Bliski Wschód wydostali się z Polski, by kontynuować walkę u boku sprzymierzonych, a także spośród polskich emigrantów. (Trzy polskie niszczyciele już pod koniec sierpnia 1939 roku wypłynęły do Wielkiej Brytanii, by dołączyć do Royal Navy, a po zakończeniu działań wojennych na Bałtyku przedarły się tam dwa polskie okręty podwodne.) Liczna i dobrze wyszkolona polska armia miała zapewnić rządowi polskiemu pozycję partnera w stosunkach z aliantami, a jej wkład w przyszłe zwycięstwo — oprócz racji strategicznych, historycznych i moralnych — powinien, jak uważano, uzasadnić stanowisko Polski w kwestii jej spodziewanych nabytków terytorialnych kosztem Niemiec.

Jednak z mianowania Sikorskiego ucieszyli się prawie wyłącznie zwykli żołnierze, którzy chcieli udowodnić, że porażka w kampanii wrześniowej nie była ich winą. Natomiast znaczna część korpusu oficerskiego składała się z piłsudczyków, zwolenników minionych rządów sanacji, którzy nie ukrywali, że po zwycięskiej wojnie zamierzają znów objąć rządy i nie zmienią niczego w polityce wewnętrznej, Sikorski zatem wciąż był ich politycznym przeciwnikiem, „wrogiem marszałka" (zmarłego w 1935 roku). Również władze francuskie były do niego nastawione sceptycznie. Z jednej strony wynikało to z ich niechęci do przekształcenia trwającej od 3 września pozorowanej wojny z Niemcami (*drôle de guerre*, *funny war*, w Polsce zwana śmieszną lub siedzącą wojną) w rzeczywiste działania zbrojne na pełną skalę. Francuski defetyzm był niewątpliwie w dużej mierze pokłosiem straszliwych ofiar ludzkich, jakie Francja poniosła podczas pierwszej wojny światowej. Z drugiej strony francuscy wojskowi patrzyli z wyższością na polskich żołnierzy, uważając, że wartość bojowa ludzi, którzy w ciągu pięciu tygodni przegrali wojnę, nie może być wysoka.

Ostatecznie Sikorskiemu udało się zmobilizować armię liczącą około 83 tysięcy ludzi. Ponadto w Wielkiej Brytanii znalazło się 2316 lotników i 1424 marynarzy.

10 maja Niemcy uderzyły na Francję. 17 czerwca premier marszałek Philippe Pétain poprosił o zawieszenie broni. 25 czerwca wszedł w życie akt kapitulacji. Potężna francuska armia, chroniona frontalnie przez linię Maginota (którą Niemcy obeszli przez Holandię i Belgię), wspomagana przez brytyjski korpus ekspedycyjny i siły polskie, została pokonana praktycznie w ciągu sześciu tygodni. Francja stawiała opór Hitlerowi zaledwie tydzień dłużej niż Polska, osamotniona i zaatakowana ze wszystkich stron przez dwóch wrogów.

Katastrofa Francji była katastrofą politycznych planów Sikorskiego. Jego podstawowym błędem, prawdopodobnie jednak nieuniknionym z uwagi na słabą pozycję przetargową Polski, było to, że zgodził się na rozproszenie polskich oddziałów wśród jednostek francuskich. W rezultacie Polacy nie tylko wielekroć walczyli w osamotnieniu, wbrew woli ogarniętych defetyzmem dowódców francuskich, dążących nie tyle do zwycięstwa, ile do zminimalizowania własnych strat, ale musieli także wytężyć wszelkie siły, żeby uniknąć wydania ich wojskom niemieckim. Część polskich oddziałów przebiła się na własną rękę przez pozycje niemieckie, niektóre zostały rozwiązane, ich żołnierze zaś pojedynczo i grupkami podążali na południe i na zachód, a kilka jednostek 2. Dywizji Strzelców Pieszych po wyczerpaniu amunicji w zwartym szyku przeszło do Szwajcarii, gdzie żołnierze zostali internowani. Podniosły się oskarżenia, że Sikorski zmarnował z takim trudem sformowane oddziały, jedyny polski atut polityczny.

18 czerwca Władysław Sikorski udał się do Londynu na zaproszenie premiera Winstona S. Churchilla. Wielka Brytania nie zamierzała paktować z Hitlerem, ale samą marynarką nie wygrywa się wojen. Po olbrzymich stratach, jakie brytyjski korpus ekspedycyjny poniósł w kampanii francuskiej i podczas ewakuacji z Dunkierki, Wielka Brytania nie miała sił lądowych, a Royal Air Forces również potrzebowały wzmocnienia. Dwa dni później Sikorski powrócił do Francji i w porozumieniu z Brytyjczykami rozpoczął morską ewakuację polskich żołnierzy (i niewielkiej liczby cywilów) do Wielkiej Brytanii. Udało mu się uratować z francuskiej pułapki około 27 tysięcy żołnierzy, czyli 37 procent pierwotnego stanu osobowego. Jedynym pozytywnym aspektem kampanii francuskiej było przełamanie ukształtowanego po wrześniu 1939 roku i rozpowszechnionego

na Zachodzie stereotypu, że polscy żołnierze słabo się biją. Teraz doceniono nie tylko ich postawę we Francji, ale i siłę oporu we wrześniu i październiku 1939 roku.

W sierpniu i wrześniu 1940 roku polscy piloci myśliwscy w znacznej mierze przyczynili się do odparcia bombowej ofensywy Luftwaffe, której powodzenie otworzyłoby Niemcom drogę do inwazji na Wyspy Brytyjskie*. Nie zmieniało to jednak faktu, że Polska, najsilniejszy walczący sojusznik Wielkiej Brytanii, była sojusznikiem słabym, niezdolnym do przechylenia szali zwycięstwa na stronę swojej koalicji.

Władysław Sikorski zdawał sobie z tego sprawę i próbował wzmocnić pozycję polityczną Polski za pomocą działań dyplomatycznych, jednak skuteczność czystej dyplomacji jest ograniczona. Premier i Naczelny Wódz popełniał też błędy, wynikające przede wszystkim z przeceniania międzynarodowej roli Polski i przywiązywania nadmiernej wagi do komplementów, których nie szczędzono zarówno jemu, jak i jego krajowi. Zbyt długo nie dostrzegał, że karmiono go pustymi deklaracjami. Trzeba przyznać, że zmiany tego nastawienia nie ułatwiali mu jego polscy przeciwnicy, wysuwający przeciwko niemu różnego rodzaju przesadne i krzywdzące zarzuty. Niedługo po klęsce we Francji doprowadzili nawet do przejściowego, trwającego sześć dni, usunięcia Sikorskiego ze stanowiska premiera. Prezydent Raczkiewicz był jednak zmuszony anulować swoją decyzję, która zresztą spotkała się z niezadowoleniem rządu brytyjskiego, pod naciskiem wiernych Sikorskiemu oficerów.

---

* Vide m.in.: Stanley Cloud, Lynne Olson, *Sprawa honoru. Dywizjon 303 Kościuszkowski. Zapomniani bohaterowie II wojny światowej*, wyd. Andrzej Findeisen — A.M.F., przy udziale Albatros, Andrzej Kuryłowicz, Warszawa 2004.

Tymczasem Hitler przekroczył swój Rubikon i 22 czerwca 1941 roku zaatakował Związek Radziecki. Churchill, który już rok wcześniej przepowiedział, że do tego dojdzie, jeżeli Wielka Brytania nie dopuści do niemieckiej inwazji na Wyspy, natychmiast przejął inicjatywę. Jeszcze tego samego dnia zaproponował Moskwie wszelką pomoc w walce z nazistami. Odtąd główny ciężar walki z nimi miał ponosić ZSRR, a zatem to on stawał się obiektywnie najważniejszym sojusznikiem Zachodu. Rola Polski niezwykle zmalała. ZSRR dla Polski i Polska dla ZSRR były zaledwie „sojusznikiem naszego sojusznika", czyli Wielkiej Brytanii. Już 12 lipca został zawarty radziecko-brytyjski układ o współpracy wojennej, a 18 lipca radziecko-czechosłowacki układ o nawiązaniu stosunków dyplomatycznych, wzajemnej pomocy i utworzeniu czechosłowackich jednostek na terenie ZSRR.

Sikorski, ponaglany przez Churchilla, 23 czerwca wystąpił z przemówieniem radiowym. Poruszył w nim między innymi trzy kwestie, od których zadowalającego uregulowania uzależnił nawiązanie poprawnych stosunków z Kremlem: powrót do granic z 1 września 1939 roku, zwolnienie wszystkich obywateli polskich pozbawionych wolności na terytorium ZSRR (więźniów w obozach GUŁagu, osób deportowanych na daleką północ i kazachskie stepy oraz internowanych żołnierzy), a także utworzenie w Związku Radzieckim polskiej armii, która wzięłaby udział w działaniach przeciwko Niemcom. Kreml odpowiedział, za pośrednictwem swojego ambasadora w Londynie, Iwana Majskiego, że stoi na stanowisku granic etnograficznych (co oznaczało gotowość zwrócenia Polsce jedynie Białostocczyzny i rejonu przemyskiego, bez Lwowa i Wilna), zgadza się na udzielenie „amnestii" „byłym" obywatelom polskim i „ponowne" przyjęcie przez nich polskiego obywatelstwa, a także na utworzenie polskiej armii w ZSRR.

Pierwszy warunek był dla Sikorskiego nie do przyjęcia, ale jego priorytetem było uwolnienie — praktycznie ocalenie od śmierci — około półtora miliona obywateli polskich znajdujących się w Związku Radzieckim oraz utworzenie armii. Dlatego ostatecznie zgodził się na następującą formułę dotyczącą granicy polsko-radzieckiej, zawartą w artykule pierwszym układu podpisanego 30 lipca 1941 roku wraz z Majskim: „Rząd ZSRR uznaje, że traktaty radziecko-niemieckie z 1939 roku, dotyczące zmian terytorialnych w Polsce, utraciły swą moc". Z jednej strony było to pustosłowie, ponieważ w świetle prawa międzynarodowego traktat wiążący strony wygasa w chwili wybuchu wojny między nimi, zatem artykuł pierwszy układu Sikorski–Majski stwierdzał jedynie oczywistość. Z drugiej strony można było interpretować ten truizm — i tak zrobił Sikorski — jako powrót do *status quo ante*, czyli do granicy polsko--radzieckiej ustalonej w traktacie ryskim z 1921 roku. W pewnej mierze taka interpretacja była dopuszczalna, gdyż Polska nigdy nie stwierdziła, że znajduje się w stanie wojny z ZSRR (i *vice versa*), można było zatem domniemywać, że traktaty zawarte przez obie strony przed 1 września (a raczej przed 17 września, czyli datą radzieckiej inwazji) 1939 roku wciąż obowiązują.

Jednak Moskwa interpretowała artykuł pierwszy jako pozostawienie otwartej sprawy wspólnej granicy, natomiast polscy przeciwnicy Sikorskiego w Wielkiej Brytanii i Stanach Zjednoczonych posunęli się jeszcze dalej, gardłując, że premier sprzedał Sowietom pół Polski. Prezydent Raczkiewicz stwierdził, że nie upoważnił Sikorskiego do podpisania układu, a trzej ministrowie na znak protestu ustąpili z rządu. Decyzję Sikorskiego poparli natomiast Polacy w kraju, cierpiący ucisk i prześladowania ze strony Niemców, Polacy w Związku Radzieckim, których los się poprawił, znaczna część Amerykanów polskiego pochodzenia oraz — oczywiście — rządy Wielkiej Brytanii, Stanów Zjednoczonych i innych państw koalicji antyhitlerowskiej.

W sierpniu 1941 roku zaczęto organizować polską ambasadę w Moskwie i armię polską w ZSRR, której dowódcą został mianowany generał Władysław Anders, właśnie zwolniony z radzieckiego więzienia. W grudniu Sikorski złożył Stalinowi wizytę, podczas której uskarżał się na trudności, z jakimi spotykało się zarówno zwalnianie Polaków z więzień i łagrów, jak i tworzenie polskich oddziałów w ZSRR. Sikorskiego niepokoił zwłaszcza los wielu tysięcy polskich oficerów wziętych do niewoli radzieckiej w 1939 roku, którzy — w ogromnej większości — ciągle nie zgłaszali się do armii. Stalin wyraził przypuszczenie, że być może... uciekli oni do Mandżurii. Aby nie psuć dobrej atmosfery rozmów, Sikorski nie zareplikował tak, jak na to zasługiwała groteskowa uwaga Stalina.

Chociaż akurat w czasie wizyty Sikorskiego w ZSRR Armia Czerwona przeprowadziła pierwszą udaną kontrofensywę, odrzucając niemiecką armię spod Moskwy, z nastaniem wiosny 1942 roku położenie wojsk radzieckich ponownie stało się dramatyczne. Większość polskich wojskowych przewidywała rychłe zwycięstwo Hitlera, a nawet upadek reżimu Stalina. Generał Anders postanowił wyprowadzić formowaną polską armię z ZSRR. Sikorski początkowo był temu przeciwny (chociaż już jesienią 1941 roku jego rząd rozważał możliwość ewakuacji polskich jednostek z ZSRR z uwagi na radzieckie trudności w ich aprowizacji*), nie zapatrywał się bowiem tak pesymistycznie jak większość jego podwładnych na szanse Związku Radzieckiego w wojnie z Trzecią Rzeszą, a ponadto słusznie uważał, że udział Polaków w walce z Niemcami u boku Armii Czerwonej może stanowić najsilniejszy atut polityczny w dalszych rozmowach z Kremlem. Jednak mimowolnymi sprzymierzeńcami przeciwników Sikorskiego stali się Hitler i Churchill. Latem armie niemieckie dotarły do Wołgi w rejonie Stalingradu, na przedpola Kaukazu i w pobliże Kanału Sueskiego. Z jednej strony proroctwo generała Andersa dotyczące nadchodzącego upadku ZSRR wydawało się spełniać, a z drugiej strony Churchilla dręczyła obawa, że formalnie neutralna Turcja będzie zmuszona opowiedzieć się po stronie Niemiec, co pogorszy strategiczne położenie aliantów, oraz że jeśli nawet bliskowschodnie pola naftowe nie dostaną się w ręce Niemców, to będą przez nich nękane bombardowaniami. W Iranie i w Iraku silne były ponadto nastroje antybrytyjskie i proniemieckie, podobnie jak w Egipcie, a był to okres największych sukcesów Afrika Korps generała Erwina Rommla (zwycięska dla Brytyjczyków bitwa pod Al-Alamajn odbyła się dopiero w październiku 1942 roku), które spowodowały bezpośrednie zagrożenie Kanału Sueskiego. Po dwóch latach znów doszło do sytuacji, w której każdy polski żołnierz był na wagę złota. Brytyjczycy postanowili ściągnąć prawie wszystkie siły, którymi dysponowali na Bliskim Wschodzie, do kontrofensywy przeciwko Rommlowi, a na opuszczone tereny wprowadzić Polaków. Było to po myśli Andersa, który

---

* *Sprawa polska w czasie drugiej wojny światowej na arenie międzynarodowej. Zbiór dokumentów* (pod red. Tadeusza Cieślaka), Polski Instytut Spraw Międzynarodowych, Warszawa 1965 (na prawach rękopisu), s. 250–251.

w dwóch fazach przeprowadził ewakuację polskiej armii z ZSRR (łącznie ewakuowano 115 742 osoby — 78 470 żołnierzy oraz 37 272 osoby cywilne, w tym kobiety i dzieci). Pierwsza ewakuacja odbyła się w marcu i kwietniu, a druga w sierpniu 1942 roku. Sikorski ostatecznie latem zaaprobował wycofanie jednostek polskich ze Związku Radzieckiego, gdyż w połowie zostało już ono przeprowadzone.

Stanowisko Andersa i innych nieprzychylnych Sikorskiemu Polaków nie miałoby wielkiego znaczenia dla tej sprawy, gdyby nie potrzeby wojenne Wielkiej Brytanii oraz postawa Moskwy. Brytyjczycy już w październiku i listopadzie 1941 roku sondowali możliwość ściągnięcia pod swoją komendę polskich jednostek formowanych w ZSRR, a następnie nie wywiązywali się z zobowiązania, że uzbroją te oddziały, argumentując, że łatwiej będzie im to zrobić gdzieś na południu, na przykład w Iranie. Stalin nie sprzeciwiał się zakusom Brytyjczyków, przeciwnie: już w lutym 1942 roku powstała radziecko-brytyjska komisja do sprawy ewakuacji wojsk polskich z ZSRR, w której strona polska nie była reprezentowana. Co więcej, Związek Radziecki robił wszystko, by zniechęcić rząd Sikorskiego do szerokiej współpracy, między innymi znacznie utrudniał poszukiwania polskich obywateli (w tym „zaginionych" oficerów) przedstawicielom ambasady polskiej i odmówił zgody na ewakuowanie 50 tysięcy polskich dzieci. Sikorski poniewczasie zorientował się w podwójnej grze Brytyjczyków i Stalina, co ujawnił w kwietniu 1943 roku. Generał Anders i jego zwolennicy zostali wykorzystani jako pionki w grze Londynu i Moskwy. Stalin stwierdził, że Anders jest „głupi jak kawaleryjski koń", co jednak dowodziło, że radziecki dyktator nie znał się ani na koniach, ani na kawalerii.

Po wyjściu z ZSRR armii Andersa stosunki polsko-radzieckie, zwłaszcza „w marcu i w pierwszej dekadzie kwietnia 1943 roku" — jak to ujął polski historyk — „tak się zaostrzyły, że w każdej chwili mogły ulec zerwaniu"*. I wówczas wybuchła sprawa Katynia. Postawiła ona rząd polski i osobiście generała Sikorskiego w skrajnie trudnej sytuacji, z której prawdopodobnie nie było dobrego wyjścia. Dlatego należy tej sprawie poświęcić tu nieco więcej uwagi, częściowo nawet kosztem chronologii, ponieważ jej konsekwencją były dramatyczne wydarzenia omówione w następnych rozdziałach.

Latem 1942 roku polscy robotnicy przymusowi pracujący w okolicach Smoleńska, na pograniczu rosyjsko-białoruskim, dla specjalizującej się w robotach budowlanych niemieckiej Organisation Todt, odkryli w rosnących tuż nad wysokim brzegiem Dniepru lasach masowe groby osób ubranych w polskie mundury oficerskie. Owi robotnicy (kierowcy ciężarówek) dokonali tego odkrycia dzięki informacjom miejscowej ludności rosyjskiej. W październiku polscy kolejarze odkopali kilka ciał ofiar, a następnie pogrzebali je i oznaczyli mogiły brzozowymi krzyżami. Wieść o tym dotarła do niemieckich władz wojskowych, które od lutego 1943 roku wszczęły własne badania w terenie pod kierunkiem porucznika Ludwiga Vossa z Geheime Feldpolizei, Tajnej Żandarmerii Polowej Wehrmachtu. W ich wyniku 13 kwietnia 1943 roku o 15.15 czasu środkowoeuropejskiego radio berlińskiej nadało długi, szczegółowy komunikat informujący, że w pobliżu miejscowości Kosogory w lesie pod

---

* Piotr Żaroń, *Kierunek wschodni w strategii wojskowo-politycznej gen. Władysława Sikorskiego 1940–1943*, Państwowe Wydawnictwo Naukowe, Warszawa 1988, s. 216.

Katyniem odkopano masowe groby polskich oficerów wziętych do niewoli przez Armię Czerwoną we wrześniu oraz w październiku 1939 roku i zamordowanych strzałem z rewolweru w tył głowy. Oficerowie ci do wiosny 1940 roku byli internowani w obozie jenieckim w Kozielsku, a następnie zostali przewiezieni do Katynia, gdzie zabili ich funkcjonariusze radzieckiej policji politycznej, NKWD*. Z tego i z następnych komunikatów Radia Berlin wynikało, że zeznania okolicznych mieszkańców (wielu pamiętało przychodzące wiosną 1940 roku transporty kolejowe z polskimi jeńcami i słyszało strzały w lesie) zostały potwierdzone przez badania dendrologiczne, które wykazały, że wiek młodych drzewek rosnących na zbiorowych mogiłach wynosi dokładnie trzy lata, oraz przez autopsję losowo wybranych zmumifikowanych zwłok, przeprowadzaną zarówno przez patologów niemieckich, jak i zaproszonych z zagranicy, a także należących do misji Polskiego Czerwonego Krzyża. Również żadna z gazet radzieckich znalezionych przy zwłokach nie została wydana później niż na wiosnę 1940 roku. Niemcy określili liczbę zwłok na około dziesięciu tysięcy.

Ta liczba wzbudziła wśród Polaków pewne wątpliwości, ponieważ była albo za mała, albo za duża. W obozie w Kozielsku przebywało wiosną 1940 roku około 4,4 tysiąca jeńców polskich (z czego ocalało 249 przewiezionych do obozu w Griazowcu), w obozie w Starobielsku około 3,9 tysiąca osób (z czego ocalało 79 oficerów), a w obozie w Ostaszkowie około 6,5 tysięcy, z któ-

* NKWD, Narodnyj komissariat wnutriennich dieł — Ludowy Komisariat (Ministerstwo) Spraw Wewnętrznych, w różnych okresach grupujący między innymi milicję (policję), służbę bezpieczeństwa, zarząd obozów pracy (GUŁag — Gławnoje uprawlenije łagieriej), wojska wewnętrzne i inne jednostki. Więcej na ten temat w aneksie 3A.

rych większość stanowili polscy policjanci, żołnierze Korpusu Ochrony Pogranicza, funkcjonariusze wywiadu oraz duchowni (ocalały 124 osoby). W sumie około 14,8 tysięca polskich oficerów jeńców wojennych, z których wielu należało do elity intelektualnej społeczeństwa (lekarze, prawnicy, nauczyciele, uczeni), a więc prawie o pięć tysięcy więcej, niż wynosiła podawana przez Niemców liczba ofiar Katynia. Z drugiej strony ta niemiecka liczba była ponad dwa razy większa niż liczba jeńców z obozu w Kozielsku. (W latach dziewięćdziesiątych okazało się, że NKWD w 1940 roku wymordował w różnych miejscach 21 857 polskich oficerów, policjantów, ziemian, intelektualistów i innych osób uznanych za szczególnie niebezpieczne dla władzy radzieckiej.)

Po jakimś czasie stało się oczywiste, że Niemcy — jedynie w dużym przybliżeniu orientujący się, ilu polskich oficerów więził NKWD — uznali, że wszyscy oni zostali zamordowani właśnie w lesie katyńskim. Dziś wiemy, że tych z obozu w Starobielsku zabito w Charkowie, a jeńców z obozu w Ostaszkowie — w Twerze.

W gruncie rzeczy Polacy spodziewali się takiego odkrycia. Przybyli do armii generała Andersa polscy oficerowie z obozu w Griazowcu (byli jeńcy Kozielska, Starobielska i Ostaszkowa) potwierdzali już od końca 1941 roku, że większość ich kolegów, podobnie jak oni, została wiosną 1940 roku dokądś wywieziona, z tą różnicą, że po tej większości zaginął wszelki ślad. Mimo to generał Anders nakazał swoim podwładnym, żeby odnaleźli zaginionych oficerów, jednak poszukiwania okazały się bezowocne.

Chociaż informacje podawane przez Niemców wydawały się wiarygodne, początkowo Polacy, zarówno czynniki oficjalne,

jak i — szczególnie — społeczeństwo, cierpiące prześladowania pod okupacją niemiecką, podeszli do nich z wielką ostrożnością i sceptycyzmem. Krajowe władze polskiego Państwa
Podziemnego i dowództwo Armii Krajowej wydały poufną
zgodę na organizowane przez Niemców wyjazdy przedstawicieli
polskich organizacji humanitarnych do Katynia, a gdy wrócili,
odebrały od nich relacje. Wszystkie one nie pozostawiały wątpliwości co do winy ZSRR.

Natomiast w następnych dziesięcioleciach wątpliwości badaczy budziło jedynie zapewnienie Niemców, że odkrycie mogił
katyńskich było dla nich niespodzianką. Wątpliwości te brały
się stąd, że niemieckie władze wojskowe długo, bo od lata roku
1942 do wiosny 1943, ignorowały pogłoski o tych mogiłach.
Sprawiało to wrażenie, że Niemcy zdecydowali się ujawnić tajemnice lasu katyńskiego dopiero wtedy, gdy doszli do wniosku,
że okolica ta wkrótce przejdzie w ręce wojsk radzieckich. Można
było z tego wnosić, że mieli jakiś związek z zamordowaniem
polskich oficerów przez NKWD i ujawnili tę zbrodnię dopiero
wtedy, gdy nie mieli już wiele do stracenia. Ostatnio dowiedzie-
liśmy się więcej o charakterze tego związku.

Współpraca między NKWD i Gestapo* była sprawą oczywistą i udokumentowaną od dawna. Jeden z tajnych protokołów załączonych do niemiecko-radzieckiego układu o granicy i przyjaźni zawartego 28 września 1939 roku zawierał
postanowienie, że „Obie strony nie będą tolerować na swoich
terytoriach żadnej polskiej agitacji, która dotyczyłaby teryto-
riów drugiej strony. Będą tłumiły w zarodku taką agitację na

---

[5] Gestapo, Geheime Staatspolizei, Tajna Policja Państwowa — policja polityczna w hitlerowskich Niemczech. Więcej na ten temat w aneksie 3B.

swoich terytoriach i informowały się wzajemnie odnośnie do odpowiednich środków podjętych w tym celu"*. Wykonaniem postanowień tego protokołu zajęły się organy bezpieczeństwa ZSRR i Trzeciej Rzeszy. W latach 1939–1940 funkcjonariusze NKWD i Gestapo odbyli szereg spotkań, między innymi w Krakowie, Lwowie, Zakopanem (z tego ostatniego zachowały się fotografie). Do tej pory sądzono jednak, że ta współpraca ograniczała się do wymiany informacji i uzgadniania wspólnej polityki wobec polskich środowisk opiniotwórczych i polskiego zbrojnego oporu. Brak było wskazówek, że współdziałanie NKWD i Gestapo wyszło poza sale konferencyjne i restauracje.

Dopiero w kwietniu 2005 roku historyk Maciej Kozłowski opublikował artykuł**, w którym przytoczył relację, według której mieszkańcy okolic lasu katyńskiego widzieli w maju 1940 roku — a więc w okresie, gdy odbywały się tam egzekucje Polaków — niemieckich oficerów kwaterujących w willi NKWD nieopodal miejsca egzekucji. Wynikałoby z tego, że byli oni naocznymi świadkami radzieckiej zbrodni i jak się zdaje, był to jedyny kompromitujący dla nich jej aspekt. Niemcy wiedzieli więc o zbrodni katyńskiej od samego początku, lecz nie zamierzali przyznawać się do swojego (biernego) w niej udziału, tym bardziej że w tym samym czasie, gdy w Katyniu, Charkowie i Twerze ginęli polscy oficerowie, Niemcy na terenie swojej strefy okupacyjnej rozstrzeliwali przedstawicieli polskich elit politycznych, społecznych i intelektualnych w ramach tak zwanej akcji AB (Ausserordentliche Befriedungsaktion, Nadzwyczajnej

---

* *Documents on Polish-Soviet Relations 1939–1945*, vol. I 1939–1943, General Sikorski Historical Institute, Heinemann, London–Melbourne–Toronto, 1961, doc. 55, s. 54.
** Maciej Kozłowski, *Świadek specjalnego znaczenia*, „Polityka", nr 16, 2005.

Akcji Pacyfikacyjnej). Jak przypomina Maciej Kozłowski, „Jesienią 1990 r. w rosyjskim tygodniku «Nowoje Wriemia» ukazał się artykuł Siergieja Kuratowa i Aleksandra Poliakowa, którzy przedstawili hipotezę, że mord dokonany na polskich oficerach wiosną 1940 r. był z góry zaplanowaną i skoordynowaną wspólną akcją gestapo i NKWD". Mimo braku dokumentów ze wspólnych narad NKWD i Gestapo, hipoteza ta wydaje się bardzo prawdopodobna, ponieważ przemawiają za tym bliskie kontakty obu tajnych policji, zbieżność dat i podobieństwo zastosowanych metod*. W rezultacie w 1943 roku i później obie strony obawiały się kompromitacji: Niemcy — ujawnienia, że od samego początku wiedzieli o mordzie katyńskim, a teraz udają święte oburzenie, Sowieci — że nie tylko popełnili tę zbrodnię, ale i zaplanowali ją w pełnej zgodzie z Niemcami w okresie, gdy byli „najlepszym sojusznikiem Hitlera", jak brzmi tytuł książki Aleksandra Bregmana**.

W sierpniu 2005 roku „Gazeta Wyborcza" podała informację pozornie podważającą tezę, że Niemcy od samego początku wiedzieli o zbrodni katyńskiej, a nawet byli jej świadkami. W aktach hitlerowskiego ministerstwa spraw zagranicznych odkryto bowiem dwadzieścia sześć teczek związanych z mało dotąd zbadaną sprawą szukania pomocy u władz niemieckich przez rodziny niektórych polskich oficerów próbujące uwolnić ich z radzieckich obozów. Rodziny te powoływały się na niemieckie pochodzenie swoich uwięzionych bliskich, ale nie jest pewne, czy oni wyrazili zgodę na podjęcie tych starań. Wpłynę-

---

* Vide aneks 3C.
** Aleksander Bregman, *Najlepszy sojusznik Hitlera. Studium o współpracy niemiecko-sowieckiej 1939–1941*, Londyn 1958.

ło około tysiąca takich próśb, ale ministerstwo zajęło się tylko ponad połową. Prawdopodobnie wstrzemięźliwość tę spowodowało to, że wielu spośród owego tysiąca polskich oficerów w rzeczywistości nie było z pochodzenia Niemcami, lecz jedynie urodzili się oni w Niemczech albo się tam uczyli, bądź po prostu doskonale znali język niemiecki. Niektóre rodziny motywowały swoje wnioski również tym, że ich przetrzymywani w radzieckich obozach bliscy są lekarzami lub farmaceutami i mogą być przydatni w czasie wojny. W rzeczywistości oficerów tych łączyło jedynie to, że przed wojną mieszkali oni na terenach, które po agresji niemiecko-radzieckiej zostały przyłączone do Trzeciej Rzeszy lub ogłoszone Generalnym Gubernatorstwem, toteż władze niemieckie stały się właściwe do wystąpienia w tej sprawie do władz radzieckich. Auswärtige Amt podjął dość energiczne starania w sprawie uwolnienia wspomnianych ponad pół tysiąca oficerów, lecz obecnie wiadomo, że przyniosły one skutek w nie więcej niż 71 przypadkach. Co do pozostałych kilkuset oficerów, władze radzieckie do czerwca 1941 roku (czyli do agresji niemieckiej na ZSRR, gdy oficerowie ci nie żyli już od ponad roku) odpowiadały, że „niemieckie pochodzenie danej osoby nie zostało wystarczająco udokumentowane", a zatem nie można jej uwolnić. Kontrast między podejmowanymi w dobrej wierze działaniami niemieckiego MSZ a kłamliwymi odpowiedziami radzieckich władz zdaje się wskazywać, że charakter i bliskość współpracy między Gestapo a NKWD były w Niemczech tak wielką tajemnicą, że po prostu Auswärtiges Amt nie został o niej poinformowany przez RSHA.

Ostatni raz, jak nam wiadomo, do tego rodzaju współpracy między Związkiem Radzieckim a Trzecią Rzeszą doszło podczas powstania warszawskiego, które wybuchło 1 sierpnia 1944 roku i trwało do początku października. Była to współpraca zgodna, chociaż nie zaplanowana, można by rzec — spontaniczna. Wyczerpane długą ofensywą i narastającym oporem Wehrmachtu wojska radzieckie zatrzymały się na prawym brzegu Wisły i pozostały tam do stycznia 1945 roku, chociaż marszałek Konstanty Rokossowski przedstawił realistyczny plan uderzenia na główną, lewobrzeżną część Warszawy już w pierwszej połowie sierpnia. Stalin nie tylko odrzucił plan Rokossowskiego, ale i długo uniemożliwiał dokonywanie zrzutów broni dla walczących powstańców, nie zgadzając się, by samoloty alianckie lądowały na radzieckich lotniskach na Ukrainie w celu uzupełnienia paliwa. W tym samym czasie ogromne, doskonale zaopatrzone siły radzieckie uderzyły na Rumunię i Bułgarię; liczebność tych armii nie wynikała ze względów natury militarnej, lecz z dążenia Kremla do zajęcia i zwasalizowania Bałkanów. Tymczasem w Warszawie doszło do sytuacji odwrotnej niż w Katyniu: teraz strona radziecka była biernym świadkiem zbrodni niemieckiej, której przyglądała się przez Wisłę. W powstaniu warszawskim zginęło około osiemnastu tysięcy żołnierzy podziemnej Armii Krajowej oraz mniej więcej sto osiemdziesiąt tysięcy cywilów. Po Katyniu i akcji AB stłumienie powstania warszawskiego dopełniło radziecko-niemieckiego dzieła zniszczenia polskich elit. Zginęło też wielu polskich żołnierzy, którzy nie zdążyli wstąpić do armii generała Andersa i ewakuować się wraz z nią z ZSRR, lecz wstąpili do podporządkowanej Stalinowi armii generała Zygmunta Berlinga. We wrześniu części tych właśnie żołnierzy, nie przeszkolonych w walkach miejskich, rozkazano udzielić pomocy powstańcom. Wielu zginęło już podczas przeprawy przez Wisłę, inni polegli w walkach na lewym brzegu. Ich akcja była spóźniona i nieskuteczna.

Niemcy sukcesywnie publikowali w kontrolowanych przez siebie gazetach i na słupach ogłoszeniowych listy ofiar Katynia, w miarę jak je identyfikowano. Polskie władze podziemne spróbowały jeszcze jednej metody weryfikacji prawdomówności Niemców, często używanej w procedurach wywiadowczych. Wiele lat po wojnie autor miał zaszczyt poznać profesora Remigiusza Bierzanka, wybitnego specjalistę od prawa międzynarodowego oraz politologa, i studiować pod jego kierunkiem stosunki międzynarodowe. Profesor Bierzanek, w 1943 roku trzydziestoletni doktor, znalazł się na jednej z list katyńskich, chociaż nigdy nie był w obozie w Kozielsku ani w Katyniu. Jego nazwisko umieścili na liście polscy drukarze na polecenie polskich władz podziemnych. Niemcy natychmiast zdementowali tę informację, przypisując zamieszczenie na liście nazwiska Bierzanka niewytłumaczalnej pomyłce drukarskiej. Konspiracyjne władze polskie otrzymały zatem kolejny, nie najmniej ważny, dowód wiarygodności wersji niemieckiej, według której zbrodni dokonano na rozkaz Kremla. (Wiemy tylko o kilku przypadkach ewidentnej pomyłki niemieckiej oraz o zatajeniu nazwiska jednej z ofiar*.)

Kreml zareagował na rewelacje Berlina komunikatem Radia Moskwa, nadanym 15 kwietnia 1943 roku o 7.15, w którym stwierdzono, że polscy jeńcy wojenni byli zatrudnieni latem 1941 roku przy robotach budowlanych na zachód od Smoleńska i wówczas wpadli w ręce żołnierzy niemieckich, którzy następnie popełnili na nich zbrodnię przypisywaną obecnie stronie radzieckiej.

---

* Mowa o Janinie Lewandowskiej, córce gen. Józefa Dowbora-Muśnickiego — patrz aneks 3D.

Wszystkie rządy, zarówno alianckie, jak i państw Osi oraz ich sprzymierzeńców, zdawały sobie sprawę, że Berlin zdobył broń propagandową zdolną rozsadzić koalicję antyhitlerowską. Niemcy były już wprawdzie po klęsce stalingradzkiej, ale w marcu 1943 roku feldmarszałek Erich von Manstein ustabilizował front wschodni, a ostateczny przełom na tym froncie jeszcze nie nastąpił — doszło do niego dopiero latem, podczas bitwy na Łuku Kurskim. W kwietniu 1943 roku nikt nie mógł przewidzieć ani daty, ani wyniku tego starcia. Zachód obawiał się niemal do samego końca wojny, że Stalin może zawrzeć separatystyczny pokój z Niemcami, tym bardziej że lądowanie w Normandii miało nastąpić dopiero za rok. Cały ciężar walk lądowych z Trzecią Rzeszą spoczywał ciągle na Związku Radzieckim, toteż głównym celem Londynu i Waszyngtonu w kontekście sprawy katyńskiej stało się powstrzymanie Polaków przed działaniami politycznymi, które mogłyby skłonić Moskwę do zerwania sojuszu z Zachodem.

Ogłoszenie wiadomości o masakrze w Katyniu nie przysporzyło Niemcom zwolenników wśród Polaków. Hitlerowski terror wobec ludności cywilnej trwał, a 19 kwietnia 1943 roku Niemcy przystąpili do likwidacji getta warszawskiego. W polskich oddziałach stacjonujących w Wielkiej Brytanii i na Bliskim Wschodzie, w dużej części złożonych z byłych więźniów radzieckich łagrów, nastroje antyradzieckie sięgnęły wprawdzie granicy buntu przeciw polskiemu rządowi emigracyjnemu, żołnierze uważali bowiem, że powinien on jak najostrzej zareagować na zamordowanie kilkunastu tysięcy ich towarzyszy broni, ale Władysław Sikorski starał się działać rozważnie, uwzględniając nie tylko aspekt moralny, ale i polityczny interes Polski oraz jej zachodnich sojuszników. Jednak splot okoliczności doprowadził do kryzysu.

16 kwietnia Niemiecki Czerwony Krzyż zwrócił się do Międzynarodowego Komitetu Czerwonego Krzyża w Genewie z wnioskiem, by wziął on udział w badaniu mogił katyńskich. 17 kwietnia rząd polski wydał oświadczenie, w którym (odmawiając „Niemcom prawa do czerpania ze zbrodni, które zarzuca innym — argumentów w obronie własnej" i do występowania w roli obrońców „chrześcijańskiej i europejskiej kultury") ujawnił, że już 15 kwietnia polecił swojemu przedstawicielowi w Genewie zwrócić się do Międzynarodowego Czerwonego Krzyża z prośbą o wysłanie do Katynia delegacji, która zweryfikowałaby niemiecką wersję wydarzeń. Również 17 kwietnia rząd Władysława Sikorskiego wystosował do rządu radzieckiego notę z prośbą o udzielenie wyjaśnień w sprawie niemieckiego odkrycia. (W sumie od lata 1941 roku władze polskie skierowały do władz radzieckich ponad dwieście oficjalnych i półoficjalnych dokumentów dotyczących losu oficerów internowanych w 1939 roku na terytorium ZSRR.) Owa nota została złożona w radzieckiej ambasadzie przy polskim rządzie w Londynie jeszcze tego samego dnia, lecz ambasador radziecki otrzymał ją dopiero 20 kwietnia. Trzecim dokumentem, wydanym także 17 kwietnia przez stronę polską, był komunikat Ministerstwa Spraw Wojskowych, które streściło w nim historię bezskutecznych poszukiwań zaginionych oficerów polskich i równie bezskutecznych polskich interwencji w tej sprawie u władz radzieckich, a następnie konkludowało:

Jesteśmy przyzwyczajeni do kłamstw propagandy niemieckiej i zdajemy sobie sprawę z celu jej ostatnich relacji. Jednakowoż z uwagi na dokładne informacje dostarczone przez Niemców w sprawie znalezienia zwłok szeregu tysięcy

oficerów polskich w pobliżu Smoleńska i w świetle kate-
gorycznego oświadczenia, że zostali oni zamordowani przez
Sowiety na wiosnę 1940 r. — powstaje konieczność, aby
zbadane zostały odkryte zbiorowe mogiły i aby fakty zostały
ustalone przez odpowiednie czynniki międzynarodowe, tego
rodzaju jak Międzynarodowy Czerwony Krzyż. Rząd polski
zwraca się do powyższej instytucji, prosząc ją o wysłanie delegacji na miejsce, w którym polscy jeńcy wojenni mieli być
zamordowani.*

Do dziś nie jest całkowicie jasne, czy ostatnie zacytowane
zdanie zapowiadało, że to rząd polski oficjalnie, we własnym
imieniu, zwróci się do MKCK o przeprowadzenie badań w Katyniu, czy też miało jedynie sugerować, że rząd polski popiera
wniosek, który — na jego polecenie — został złożony przez
polskiego przedstawiciela przy MKCK właśnie 17 kwietnia
o 16.30. Jedno i drugie świadczyłoby, że minister obrony generał Marian Kukiel, profesor historii specjalizujący się w okresie
wojen napoleońskich, popełnił kardynalny błąd polityczny.
Generał Sikorski tłumaczył się później w rozmowie z brytyjskim ministrem spraw zagranicznych, sir Anthonym Edenem,
że czytając komunikat ministerstwa obrony, był zmęczony i nie
dostrzegł błędu ministra Kukiela.

Ów błąd polegał na tym, że oba wnioski — niemiecki i polski — zbiegły się w czasie. Co prawda Polacy postanowili zgło-
sić swój wcześniej, bo 15 kwietnia, a Niemcy wysłali swój dzień
później, lecz dla Kremla takie niuanse nie były istotne. Liczyło

_____

* *Polish-Soviet Relations 1918–1943. Official Documents*, Issued by the Polish
Embassy in Washington, Washington, The Polish Embassy, 1943, s. 231.

się tylko to, że polski rząd postanowił zbadać zasadność niemieckiego oskarżenia, nie przyjmując na wiarę, bez zastrzeżeń, komunikatu radzieckiej agencji TASS, który obciążał winą Niemców. Międzynarodowy Czerwony Krzyż zapowiedział, że już do 20 kwietnia ustali skład komisji do zbadania mogił katyńskich (jej członkami mieli być eksperci z państw neutralnych — Szwecji, Szwajcarii i Portugalii — działający pod przewodnictwem Szwajcara). Jednak 20 kwietnia zarząd MCK wydał tylko oświadczenie, że z powodu braku zgody jednej z zainteresowanych stron komisja nie zostanie wysłana do Katynia. Ponieważ pozostające ze sobą w stanie wojny Niemcy i Polska opowiadały się za powołaniem misji Czerwonego Krzyża, zatem zgody odmówił Związek Radziecki, który również był stroną zainteresowaną, choćby z formalnego punktu widzenia, ponieważ Katyń znajdował się na jego terytorium. Kreml oskarżył Polskę o współpracę z Hitlerem, a niektórych członków jej rządu o prohitlerowskie sympatie.

W nocy z 25 na 26 kwietnia Związek Radziecki zerwał („przerwał") stosunki dyplomatyczne z Polską. Polski ambasador w Moskwie, Tadeusz Romer, odmówił przyjęcia odczytanej mu noty (tak samo postąpił ambasador Wacław Grzybowski 17 września 1939 roku), ponieważ jej ton urągał powszechnie przyjętym obyczajom dyplomatycznym. Mimo to została ona później podrzucona do mieszkania ambasadora. Owa nota, oprócz zarzutu o kolaborację polskiego rządu z Hitlerem i insynuacji, że Polska szantażuje Związek Radziecki „celem wydarcia odeń terytorialnych koncesji", zawierała niezwykle ciekawy passus zdradzający kulisy radzieckiej intrygi. Brzmiał on następująco: „Daleki od dania odprawy podłemu faszystowskiemu oszczerstwu w stosunku do ZSRR, Rząd Polski nie uznał nawet za potrzebne zwrócić się do Rządu Sowieckiego z zapytaniem albo żądaniem wyjaśnień w tej sprawie [Katynia]"*. To zdanie tłumaczy, dlaczego ambasador radziecki przy polskim rządzie na wychodźstwie dopiero 20 kwietnia przyjął polską notę „z zapytaniem albo żądaniem wyjaśnień", złożoną w ambasadzie 17 kwietnia. Trzeba jednak dodać, że gdyby nota polska została złożona wcześniej, nie zaś w tym samym dniu co komunikat ministerstwa obrony, dający Moskwie okazję do kłamliwych oskarżeń i pretekst do zerwania stosunków dyplomatycznych, to Stalinowi ubyłby tylko jeden z tych pretekstów. Nie znaczy to jednak, że do zerwania by nie doszło, ponieważ Stalin bardzo go potrzebował.

Jak wyżej wspomniałem, utrzymanie militarnej zwartości (bo o polityczną było coraz trudniej) koalicji antyhitlerowskiej było priorytetem zachodnich aliantów, w tym oczywiście również Polski, choć jej rząd nieudolnie rozegrał z Moskwą sprawę Katynia. Niemniej trzeba stwierdzić, że chwilowe poświęcenie moralności na rzecz wyższej konieczności, co niekiedy zdarza się w polityce, to jedno, a czymś zupełnie innym jest uporczywe obstawanie przy kłamstwie w sytuacji, która tego nie usprawiedliwia, kiedy przykra konieczność już przeminęła, oraz prześladowanie przeciwników takiego odrażającego postępowania. Takie zaś było postępowanie rządów amerykańskiego i brytyjskiego. Warto je poznać, gdyż niemal identycznie zachowują się one do tej pory w sprawie śmierci generała Sikorskiego.

Amerykanie już od lutego 1942 roku byli informowani przez Polaków o domniemanym losie większości polskich oficerów,

---

* *Armia Krajowa w dokumentach 1939–1945*, Londyn 1973, t. II, s. 505. Zarówno w tym cytacie, jak i w innych dopiski ujęte w nawiasy kwadratowe pochodzą ode mnie — T.A.K.

którzy dostali się do radzieckiej niewoli. Od wiosny 1942 roku Amerykanie i Brytyjczycy mieli w armii generała Andersa, ewakuowanej z ZSRR na Bliski Wschód, swoich agentów wywiadu i oficerów łącznikowych. Na czele tych misji stali Amerykanin podpułkownik Szymanski i Brytyjczyk podpułkownik Hulls, którzy wymieniali się informacjami i następnie przekazywali je swoim zwierzchnikom. Wiosną 1943 roku pracujący wyłącznie dla prezydenta Franklina Delano Roosevelta mały zespół śledczy, w którym znajdowali się również eksperci od spraw niemieckich, doszedł do wniosku, że Niemcy nie kłamali na temat zbrodni katyńskiej. John F. Carter, szef tego zespołu, złożył prezydentowi ustny raport w tej sprawie*. Roosevelt znał więc prawdę, tym bardziej gorszące było jego późniejsze postępowanie. Kiedy w maju 1944 roku jego przyjaciel i osobisty wysłannik w różnych poufnych misjach, oficer US Navy George Howard Earle, przedstawił mu dowody radzieckiej zbrodni w Katyniu, które zebrał podczas pobytu w Turcji, Roosevelt odparł: „George, to wszystko niemiecka propaganda i niemiecki spisek"**. Prezydent nie zdobył się na uczciwość i nie powiedział przyjacielowi, że zna prawdę, lecz względy geostrategiczne wymagają, by przymknął na nią oczy. Earle zapewne zrozumiałby, jak ważki to argument, i nie wysłałby do Roosevelta listu z 22 marca 1945 roku, w którym zapowiedział, że opublikuje artykuł ujawniający prawdę o Katyniu, chyba że prezydent mu

---

* US House of Representatives. Select Committee on the Katyn Forest Massacre. The Katyn Forest Massacre, US Government Printing Office, Washington 1952, cz. V, ss. 2246–2250 (zeznanie Cartera). Cyt. za: Janusz K. Zawodny, Katyń, Wydawnictwo Towarzystwa Naukowego Katolickiego Uniwersytetu Lubelskiego — Editions Spotkania, Lublin–Paryż 1989, s. 146.

** Ibidem, cz. VII, s. 2204 (zeznanie Earle'a), za: J. K. Zawodny, op. cit., s. 148–149.

tego zabroni. Prezydent nie tylko mu tego zabronił, ale na dodatek — widocznie przykładając do uczciwości przyjaciela własną miarę — zesłał go na Samoa, skąd został on odwołany natychmiast po śmierci Roosevelta (zmarł on 12 kwietnia 1945 roku) i przeproszony. W maju 1945 roku podpułkownik John H. Van Vliet jr, który jako jeniec został w 1943 roku wraz z kilkoma innymi kolegami przewieziony przez Niemców do Katynia, gdzie pokazano mu groby, złożył raport z tych oględzin generałowi majorowi Claytonowi Bissellowi, zastępcy szefa wywiadu Wydziału Wojny (G-2) amerykańskiego Sztabu Generalnego. Van Vliet jednoznacznie przypisał winę Moskwie, a Bissell natychmiast utajnił raport. Pytany na początku lat pięćdziesiątych przez komisję Kongresu, dlaczego to zrobił, Bissell odparł jasno i szczerze, że „Polska nie mogła brać udziału w wojnie z Japonią. Rosjanie mogli. To zdecydowało". (Zachodni alianci najwyraźniej nie doceniali swojej ówczesnej potęgi militarnej. Stany Zjednoczone nie potrzebowały pomocy Armii Czerwonej, żeby pokonać Japonię. Histeryczna prośba Churchilla w grudniu 1944 roku, by Stalin przyspieszył ofensywę na froncie wschodnim i odciążył w ten sposób front zachodni, przełamany przez niemieckie dywizje pancerne w Ardenach, była zbędna, gdyż niemieckim czołgom właśnie kończyło się paliwo.) Dla Roosevelta nie mniej ważne było powołanie do życia Organizacji Narodów Zjednoczonych, a właśnie wiosną 1945 roku negocjowano jej kartę. Wyłamanie się ZSRR spowodowałoby fiasko tej inicjatywy.

Wydaje się pewne, że premier Winston Churchill nie miał wątpliwości, iż to Sowieci dokonali masowego mordu w lesie katyńskim. Brytyjskie czynniki oficjalne milczały o tym podczas wojny z tego samego powodu co Amerykanie — rzecz całkowicie zrozumiała z politycznego punktu widzenia. Janusz K. Zawodny pisze jednak, że nie może zrozumieć powodów milczenia aliantów po wojnie, zwłaszcza — można dodać — po oszukaniu Zachodu przez Kreml w kwestii porozumień jałtańskich (przewidywały one przeprowadzenie wolnych wyborów w państwach wyzwolonych przez Armię Czerwoną spod okupacji niemieckiej) i po rozpadnięciu się wojennego sojuszu z ZSRR. Być może chodziło o obawę Waszyngtonu i Londynu przed kompromitacją w oczach własnej opinii publicznej, być może — w wypadku Stanów Zjednoczonych — w elicie władzy było zbyt wielu ludzi zafascynowanych Związkiem Radzieckim, a być może — gdy chodzi o Wielką Brytanię — powód był jeszcze inny, o czym za chwilę. W każdym razie w Stanach Zjednoczonych już w 1949 roku powstał społeczny komitet, złożony ze znanych i szanowanych osobistości, który wszczął własne śledztwo w sprawie katyńskiej. Natomiast w 1951 roku, pod wpływem informacji o nieludzkim traktowaniu amerykańskich jeńców wojennych wziętych do niewoli podczas trwającej właśnie wojny koreańskiej, powołano specjalną komisję kongresową, która przeprowadziwszy drobiazgowe śledztwo, ustaliła, że zbrodni na polskich oficerach dopuścili się Sowieci. („Katyń był wzorem dla Korei" — napisali amerykańscy kongresmani.)

Rząd brytyjski nie poszedł śladem Amerykanów. W 1972 roku została jedynie opublikowana korespondencja sir Owena O'Maleya, brytyjskiego ambasadora przy polskim rządzie emigracyjnym w czasie wojny, który niedwuznacznie obarczał winą Moskwę. W połowie lat siedemdziesiątych władze brytyjskie, będące pod silnym naciskiem ZSRR i Międzynarodówki Socjalistycznej, wzbraniały się wydać zgodę polskim organizacjom emigracyjnym na postawienie pomnika ofiar Katynia na skwerze w South Kensington. Ostatecznie 18 września 1976 roku pomnik ten odsłonięto na peryferyjnym londyńskim cmentarzu. Jeszcze w 1990 roku, dwa tygodnie przed tym, jak prezydent Gorbaczow przekazał prezydentowi Jaruzelskiemu pierwsze „dokumenty katyńskie", i przed ukazaniem się 13 kwietnia 1990 roku oświadczenia agencji TASS potwierdzającego winę Związku Radzieckiego, Foreign Office, indagowane przez profesora Normana Daviesa, utrzymywało, że „wciąż nie ma bezpośrednich dowodów sowieckiej winy, są tylko poszlaki", chociaż najpóźniej w 1945 roku Brytyjczycy otrzymali raport Polskiego Czerwonego Krzyża obiektywnie dokumentujący winę ZSRR. 14 października 1992 roku profesor Rudolf Pichoja, szef archiwów poradzieckich, w imieniu prezydenta Borysa Jelcyna przekazał prezydentowi Lechowi Wałęsie podstawowe akta sprawy katyńskiej. I wreszcie dopiero zimą 2003 roku został wydany zbiór brytyjskich dokumentów dotyczących Katynia. „Do niedawna należały one do najbardziej strzeżonych dokumentów rządu Jej Królewskiej Mości. Być może dlatego, że dokumenty te są wymownym świadectwem, iż kolejne rządy brytyjskie, znając prawdę, milczały wobec sowieckich prób przerzucenia odpowiedzialności za zbrodnię na Niemców"*. O ile można zrozumieć milczenie Brytyjczyków podczas wojny, gdy chodziło o zachowanie jednolitego frontu wobec Trzeciej Rzeszy, o tyle trudno pojąć, dlaczego milczeli o tym jeszcze przez sześćdziesiąt lat, a szczególnie po roku 1989. Postawa rządu brytyjskiego przypomina zachowanie człowieka, który milczy, obawiając się nie wypowiedzianej groźby. Trudno bowiem uwierzyć, że wy-

---

* Jan Nowak-Jeziorański, *Milczeli, bo się bali*, „Gazeta Wyborcza", 9 maja 2003, s. 21.

łącznym motywem tak uporczywej obrony przed opowiedzeniem się po stronie prawdy był lęk przed kompromitacją, im dłużej bowiem Brytyjczycy milczeli, tym bardziej się kompromitowali. Czego mogłaby dotyczyć owa domniemana groźba? Pewne poszlaki pojawią się w następnych rozdziałach.

W latach 1945–1946 na norymberskim procesie głównych hitlerowskich zbrodniarzy wojennych Związek Radziecki poniósł prawną, polityczną i propagandową klęskę w sprawie katyńskiej. Radziecki prokurator, opierając się wyłącznie na raporcie fasadowej komisji Nikołaja Burdenki ze stycznia roku 1944, oskarżył Niemców o zamordowanie latem 1941 roku 11 tysięcy polskich jeńców wojennych (! — Niemcy zawyżyli liczbę zwłok w mogiłach katyńskich, ponieważ byli przekonani, że znajdują się w nich jeńcy nie tylko z Kozielska, lecz również ze Starobielska i Ostaszkowa. Teraz strona radziecka zrobiła to samo, ponieważ miała nadzieję, że dzięki temu nikt nigdy się już nie upomni o polskich jeńców z tych dwóch ostatnich obozów. Polacy, którzy wiedzieli, ile zwłok odkopano w Katyniu, jeszcze kilkanaście lat później, już po śmierci Stalina i dojściu do władzy Nikity S. Chruszczowa, wierzyli, że jeńcy ze Starobielska i Ostaszkowa wciąż żyją i powrócą do kraju). Radziecki prokurator bezpośrednią odpowiedzialnością za tę zbrodnię ludobójstwa obciążył 537. pułk łączności Wehrmachtu i jego dowódcę, pułkownika Friedricha Ahrensa. Ahrens — być może wbrew przekonaniu Sowietów — przeżył wojnę i ku zaskoczeniu trybunału zgłosił się dobrowolnie. Udowodnił, że jego pułk nie był pierwszą jednostką niemiecką, która dotarła do Katynia, i że został jego dowódcą dopiero w listopadzie 1943 roku, a jego nazwisko nie brzmi Arnes, jak podawali Sowieci. Wersja Kremla legła w gruzach. Jeden z obrońców głównych oskarżonych, doktor Hans Laternser, zapytał wówczas złośliwie: „Czy mogę zadać oskarżeniu pytanie, kto ma być odpowiedzialny w sprawie Katynia?" Sędzia Geoffrey Lawrence, szanowany za bezstronne prowadzenie rozpraw, usiłował ratować i tak już wątpliwą reputację trybunału: „Proponuję nie odpowiadać na tego rodzaju pytania". (Reputacji trybunału w tym wypadku nie sposób jednak było obronić, ponieważ złamana została zasada, że nikt nie może być sędzią we własnej sprawie, a przecież rząd radziecki tak czy inaczej był stroną — albo oskarżoną, albo poszkodowaną w wyniku fałszywego oskarżenia, albo oskarżającą; poza tym nie wysłuchano wszystkich zainteresowanych stron, w tym przede wszystkim polskiej. Ponadto moralne prawo Moskwy, nawet gdyby to Niemcy popełnili zbrodnię katyńską, do współosądzania zbrodni ludobójstwa było bardzo wątpliwe po tym, jak w latach trzydziestych Stalin z premedytacją uśmiercił prawdopodobnie ponad dziesięć milionów obywateli ZSRR podczas sztucznie wywołanego głodu na Ukrainie w latach 1932–1933* i kolejne miliony w wyniku masowych „czystek", poczynając od 1936 roku. Ponadto, chociaż sędziowie trybunału norymberskiego z niewielkimi wyjątkami wykonywali swoje obowiązki, zachowując bezstronność, to z formalnego punktu widzenia byłoby lepiej, gdyby na ich miejscach zasiadali prawnicy z państw neutralnych.)

Od czasu procesu norymberskiego władze radzieckie kwalifikowały mord w lesie katyńskim jako zbrodnię przeciw ludzkości (choć właściwiej byłoby go zakwalifikować jako zbrodnię

---

* Robert Conquest, *Harvest of Sorrow: Soviet Collectivization of Agriculture and the Terror Famine*, University of Alberta Press, Edmonton 1986. Conquest oblicza, że w latach 1932–1933 w całym Związku Radzieckim zostało zagłodzonych na śmierć ponad 10 mln osób, z tego 7 mln na Ukrainie.

wojenną). Obstawały przy tej opinii nawet po 13 kwietnia 1990 roku, gdy przyznały się do winy, a po rozpadzie Związku Radzieckiego stanowisko to podtrzymała Rosja za prezydentury Borysa Jelcyna. Dopiero podczas drugiej kadencji prezydenta Władimira Putina, rozpoczętej w 2004 roku, Kreml zmienił zdanie i rosyjska prokuratura generalna oznajmiła polskiemu Instytutowi Pamięci Narodowej, że odtąd nie uznaje masowego mordu w Katyniu za zbrodnię przeciw ludzkości, która — zgodnie z prawem międzynarodowym publicznym — nie podlega przedawnieniu. Rosjanie nie podali motywów tej decyzji, zakończyli śledztwo, a dwie trzecie z ponad 180 tomów jego dokumentacji utajnili i odmówili przekazania Polakom. Można się domyślać, że do takiej zmiany postawy Rosjan przyczyniło się ogólne pogorszenie stosunków polsko-rosyjskich, a być może również obawa przed polskimi roszczeniami odszkodowawczymi i ujawnieniem współpracy z Gestapo w planowaniu zbrodni katyńskiej (jeśli takie informacje są w owych utajnionych dokumentach), ale przede wszystkim to, że rosyjską elitę władzy w dużej części stanowią osoby wywodzące się ze służb specjalnych. Osoby te, nie bacząc na to, że raz dokonanego oficjalnego przyznania się do winy nie sposób cofnąć i wymazać, postanowiły zakończyć procedurę prawną, która widocznie w ich odczuciu przynosiła im i ich instytucji większą hańbę niż sama zbrodnia popełniona przez ich poprzedników. Nie można jednak wykluczyć, że w utajnionych tomach akt znajdują się informacje wykraczające poza wąsko rozumianą sprawę masakry polskich oficerów i dotyczące kwestii, których ujawnienie mogłoby znacznie rozszerzyć ewentualny akt oskarżenia.

Zerwanie przez Moskwę stosunków dyplomatycznych z rządem polskim postawiło generała Sikorskiego w bardzo trudnej

sytuacji. Alianci zachodni obwiniali go o podkopywanie sojuszu wojennego ze Stalinem, opozycja zarzucała mu zbyt ła-
godną reakcję na radziecką zbrodnię, w wojsku — zwłaszcza
w armii Andersa — oskarżano go o kapitulanctwo, a sam Anders publicznie wezwał Sikorskiego do rozdzielenia stanowisk
premiera i Naczelnego Wodza, licząc na to, że sam obejmie
to drugie, wreszcie powstało niebezpieczeństwo, że Kreml po-
woła konkurencyjny wobec legalnego rządu polskiego twór,
z którym będzie „pertraktował" na temat żywotnych interesów
narodowych Polski. Wnioskując z zachowania Stanów Zjednoczonych i Wielkiej Brytanii w czasie kryzysu katyńskiego,
międzynarodowa pozycja rządu Sikorskiego byłaby w razie powstania takiego tworu skrajnie zagrożona, chociaż, z drugiej
strony, liczna armia podlegająca temu rządowi wciąż stanowiła
poważny — i właściwie jedyny — atut Polski na arenie międzynarodowej.

Sikorski wydał kilka oświadczeń, w których podkreślił, że
Polska wciąż dąży do unormowania stosunków ze Związkiem
Radzieckim, po czym zdecydował się udać na Bliski Wschód.
Już pod koniec kwietnia wyjechał tam generał Tadeusz Klimecki, szef sztabu Naczelnego Wodza, aby zapoznać się z organizacją i stanem wyszkolenia polskich jednostek, a także
z nastrojami wśród żołnierzy oraz przygotować wizytę Sikorskiego. Oficjalnie Naczelny Wódz wybierał się w tę podróż, aby
dokonać inspekcji armii dowodzonej przez generała Andersa,
faktycznie zaś — by uśmierzyć szerzące się tam antyradzieckie
i antyrządowe nastroje, czemu miało służyć wyjaśnienie żołnierzom celów polityki rządu. Niektórzy jednak uważają, chociaż
są to nie udokumentowane — ale dopuszczalne — spekulacje,
że Sikorski chciał przede wszystkim nawiązać poufne kontakty

ze stroną radziecką, co pozwoliłoby wznowić wzajemne stosunki dyplomatyczne.

25 maja 1943 roku dwadzieścia minut po północy generał Sikorski rozpoczął na lotnisku Lyneham swoją podróż na Bliski Wschód. O 9.30 tego dnia lądował w Gibraltarze, a 27 maja w Kairze. 1 czerwca znalazł się w Iraku. Dokonywał tam przeglądu polskich jednostek wojskowych, uczestniczył w ich ćwiczeniach, spotykał się z żołnierzami, prowadził narady z oficerami, uzgadniał z polskimi i brytyjskimi wojskowymi plany przeniesienia polskich oddziałów do Palestyny. 10 czerwca przewodniczył odprawie około sześciuset wyższych oficerów, podczas której — jak go wcześniej ostrzegano — miał nastąpić pucz i zamach na niego. Nic takiego jednak się nie wydarzyło; podobno grupa spiskowców liczyła zaledwie około czterdziestu osób i nie miała szerszego poparcia w armii. Stosunki Sikorskiego z Andersem zostały załagodzone już na początku podróży, w Kairze. 17 czerwca Naczelny Wódz przyleciał na krótki odpoczynek do Bejrutu, a 29 czerwca powrócił do Kairu. 3 lipca przed południem samolot z Sikorskim na pokładzie wystartował i wziął kurs na Gibraltar, gdzie wylądował o 18.37. 4 lipca późnym wieczorem, po pracowicie spędzonym dniu, Władysław Sikorski wraz z towarzyszącymi mu osobami zajął miejsce w liberatorze, którym miał polecieć do Londynu. Po szesnastu sekundach od startu samolot ten znalazł się w wodach Morza Śródziemnego.

Rozdział 2

Wypadek czy zamach?

Historia jest stekiem kłamstw na temat wydarzeń, które się nigdy nie wydarzyły, opowiedzianych przez osoby, które nigdy w nich nie uczestniczyły.

Martin Heidegger

Filozof pisał te słowa, myśląc o historykach, ale równie dobrze można je odnieść do tak zwanych świadków historii.

Powtórzmy: 4 lipca 1943 roku zginął generał broni Władysław Sikorski, premier Rzeczypospolitej Polskiej i Naczelny Wódz Polskich Sił Zbrojnych, oraz kilkanaście innych osób, pasażerów i członków załogi, obywateli polskich i brytyjskich, znajdujących się w samolocie Consolidated B-24C *Liberator* nr AL 523.

Nie znamy odpowiedzi na następujące pytania:

1. Ilu ludzi znajdowało się na pokładzie tego samolotu i kim byli niektórzy z nich?

2. Ile osób zginęło i kim były niektóre z nich?

3. Kiedy osoby te zginęły?

4. Co było bezpośrednią przyczyną ich śmierci?

5. Ilu ludzi przeżyło?

6. Dlaczego ci ludzie się uratowali i jak długo potem żyli?

U podstawy tych sześciu pytań, które rozwinę w kolejnych

rozdziałach, leży uzasadnione, bliskie pewności podejrzenie, że oficjalne wypowiedzi brytyjskich władz na temat tego, co się stało 4 lipca 1943 roku w Gibraltarze, nie są zgodne z prawdą. W tej książce zamierzam odkryć chociaż część tego, co rząd brytyjski ukrywa, i wyjaśnić, dlaczego to robi. Być może nigdy nie poznamy prawdy potwierdzonej przez dokumenty archiwalne. Jednak z historycznego punktu widzenia najważniejsze jest inne, siódme pytanie: czy samolot B-24 *Liberator*, w którym (lub w pobliżu którego) znaleziono zwłoki Sikorskiego i niektórych towarzyszących mu osób, znalazł się w wodach Morza Śródziemnego w wyniku wypadku, jak głosi oficjalna wersja, czy też w efekcie zaplanowanego działania? Udzielenie poprawnej odpowiedzi na to fundamentalne pytanie pozwoli znaleźć odpowiedzi lub sformułować logiczne hipotezy przynajmniej w odniesieniu do części postawionych wyżej pytań, a także jeszcze jednego: dlaczego generał Sikorski zginął?

Literatura przedmiotu liczy — nie uwzględniając materiałów źródłowych — co najmniej kilkaset pozycji, książek i artykułów. Prawdopodobnie większość ich autorów opowiadała się za wersją wypadku, chociaż wielu innych z przekonaniem twierdziło, że w Gibraltarze doszło do sabotażu/zamachu. Nie ma potrzeby dokonywać tu egzegezy większości z tych licznych publikacji (chociaż należy podkreślić, że niektóre zawierają bardzo cenny materiał źródłowy, który w niezbędnym zakresie został wykorzystany w tej pracy). Wystarczy stwierdzić, że autorzy uważający, iż liberator, którym leciał 4 lipca Sikorski, uległ wypadkowi, rzadko byli kompetentni w sprawach technicznych, a ponadto nader często kierowali się w swoich rozważaniach z góry przyjętą tezą i/lub własnymi albo narzuconymi im przez cenzurę preferencjami politycznymi.

Z kolei zwolennicy tezy o sabotażu/zamachu dzielili się, z grubsza, na dwie grupy.

Do pierwszej z nich należeli lotnicy, piloci i mechanicy, zatem ludzie znający się na rzeczy, wśród nich Air Chief Marshal (druga ranga w RAF, odpowiednik polskiego generała broni) John C. Slessor, wówczas dowódca Coastal Command, któremu podlegało lotnisko w Gibraltarze. Twierdzili oni, że to, co władze brytyjskie podały do wiadomości publicznej na temat przyczyny zakończenia krótkiego lotu liberatora AL 523, jest sprzeczne z ich wiedzą, doświadczeniem i zdrowym rozsądkiem. Niestety ich opinie albo zostały utajnione, albo znajdowały wyraz w niewielkich publikacjach prasowych, które nie miały większego oddźwięku. Odwrotnie było z drugą grupą autorów opowiadających się za hipotezą sabotażu/zamachu. Ich prace często stawały się przedmiotem publicznych rozważań i sporów, a nawet skandali politycznych o zasięgu międzynarodowym. Jednak autorzy ci, historycy (lub osoby uważające się za nich) i publicyści, zwykle albo w ogóle nie zajmowali się analizą technicznej strony katastrofy*, albo czynili to bardzo jednostronnie, selektywnie dobierając argumenty do swojej tezy, aby jak najprędzej przejść do argumentacji politycznej, w której to dziedzinie — jak sądzili — mieli wystarczające kompetencje. Głównym rezultatem ich poczynań było skompromitowanie hipotezy zamachu.

Przełom nastąpił w 1992 roku, gdy profesor Jerzy Maryniak z Zakładu Mechaniki Instytutu Techniki Lotniczej i Mechaniki Stosowanej, wchodzącego w skład Wydziału Mechanicz-

---

* Określenia „katastrofa" używam w tej książce rzadko, wyłącznie ze względów stylistycznych i wyłącznie w znaczeniu neutralnym, nie stanowi ono zatem synonimu albo „wypadku", albo „sabotażu/zamachu".

nego Energetyki i Lotnictwa Politechniki Warszawskiej, wraz z magistrem Tomaszem Goetzendorfem-Grabowskim, działając z inspiracji redaktora Dariusza Baliszewskiego z programu „Rewizja Nadzwyczajna" Telewizji Polskiej, publicznie przedstawił wyniki ekspertyzy technicznej numerycznie symulowanego lotu liberatora AL 523 oraz badań laboratoryjnych tonięcia przeprowadzonych na modelu tego samolotu*.

Za podstawę eksperymentu przyjęto powszechnie znane i niekwestionowane okoliczności. Według zeznania pierwszego pilota, służącego w RAF czechosłowackiego kapitana Eduarda (Maksa) Prchala, mechanik pokładowy zameldował, że sześciu pasażerów zajęło miejsca w przedziale pasażerskim, a pięciu w komorze bombowej, wyposażonej w fotele bez pasów bezpieczeństwa. Załoga liczyła sześć osób. Pogoda była dobra, wiatr słaby, niebo bezchmurne, widoczność dziesięć mil. B-24C(?) *Liberator* Mk II nr AL 523 był sprawny technicznie, włączając w to silniki i układy sterowania. Jego masa całkowita wynosiła 54 tysiące funtów.

Ta ostatnia informacja jest o tyle ważna, że maksymalna masa startowa B-24C wynosiła 65 tysięcy funtów, maszyna nie była więc przeciążona. Wbrew licznym plotkom i pomówieniom, członkowie załogi lub/i pasażerowie nie uprawiali też masowej kontrabandy. (Przemyt, zwłaszcza diamentów i cennych skórek zwierzęcych, był natomiast częstym zjawiskiem

---

* Ekspertyza ta została wydana drukiem w: Zeszyty Naukowe Politechniki Śląskiej, Gliwice 1993, seria Mechanika, z. 113, nr kol. 1198, s. 237–250, oraz (w wersji uzupełnionej o historyczne źródła drukowane i cytaty z prac publicystycznych) w: „Nauka–Innowacje–Technika" („NIT"), nr 1/2003 (*Ostatni lot generała Sikorskiego*) i nr 2/2003 (*Śmierć generała Władysława Sikorskiego — katastrofa czy sabotaż?*). Cytaty w tym rozdziale pochodzą z tych źródeł, chyba że zaznaczono inaczej.

wśród załóg Ferry Command — od 1943 roku Transport Command — przeprowadzających samoloty bojowe na trasie Takoradi–Kano–Chartum–Kair. Proceder ten, potwierdzany przez liczne źródła, wyszedł na jaw zarówno w efekcie badania samolotów, które miały wypadki na trasie, jak i kontroli załóg na lotniskach. Był on tępiony nie tylko ze względów fiskalnych i etycznych, lecz przede wszystkim z uwagi na racje natury strategicznej. Przemycane z Afryki Zachodniej diamenty były bowiem skupowane w Egipcie przez niemieckich agentów, przerzucane do Turcji i następnie zasilały gospodarkę Trzeciej Rzeszy, a zwłaszcza jej przemysł precyzyjny, pracujący na potrzeby wojenne.) W liberatorze AL 523 znajdował się jednak duży bagaż osobisty pasażerów i członków załogi. Podczas podróży po Bliskim Wschodzie większość z nich — jeśli nie wszyscy — korzystała z okazji, by zaopatrzyć się w dobra niedostępne w Wielkiej Brytanii lub atrakcyjne z uwagi na niską cenę albo unikatowy, lokalny charakter. Przypuszczalnie wszyscy, sądząc z liczby paczek, wieźli ze sobą duże ilości papierosów „Turkish Delight". Pułkownik Victor Cazalet, osobisty łącznik Churchilla z Sikorskim, kupił sobie między innymi brązowe zamszowe buty, które zresztą później umożliwiły identyfikację jego zwłok. Ukochana córka Sikorskiego, Zofia Leśniowska, niedługo przed odlotem z Kairu do Gibraltaru została ostro skrytykowana przez ojca za nieustanne robienie zakupów — notabene na przełomie czerwca i lipca był on w złej kondycji psychicznej, co dawało się we znaki jego najbliższemu otoczeniu. Prawdopodobnie właśnie do Zofii Leśniowskiej należała kasetka (*case*) z trzema przegródkami zawierająca sporo biżuterii. Podczas krótkiego pobytu w Gibraltarze niemal wszyscy zaopatrzyli się w skrzynki wolnocłowej whisky i sherry, co niewątpliwie znacznie zwiększyło ogólny ciężar samolotu. Trzy walizki z damską garderobą (w tym z lekkim futrem) należały do Angielki, która przed planowanym powrotem z Kairu do Wielkiej Brytanii poprosiła Eduarda Prchala (za pośrednictwem ich wspólnego znajomego, podpułkownika T. Smouhy'ego, szefa kairskiej stacji ADRU*), żeby je zabrał swoim samolotem. Pomimo niewielkiego ciężaru nie zostałyby one bowiem przyjęte na pokład samolotu pasażerskiego kursującego do Londynu przez Lizbonę z racji ówczesnych niezwykle ostrych limitów bagażowych. Wyłowioną z morza walizkę Prchal zwrócił już w Wielkiej Brytanii owej pani, a za rzeczy utracone otrzymała ona podobno odszkodowanie od Ministerstwa Lotnictwa. Być może klasyczną kontrabandą, w pełnym tego słowa znaczeniu, były jedynie fabrycznie nowe aparaty fotograficzne Leica w skórzanych futerałach, których kilka skrzynek znalazło się na pokładzie samolotu.

Natomiast tajemnicę wielkiej liczby banknotów jednofuntowych (w sumie 500–700**), unoszących się po katastrofie na powierzchni morza, luzem lub w zwitkach spiętych gumką, wyjaśnił po latach w liście do profesora Jarosłava Valenty były kapitan Leslie Swabey. Otóż latające via Gibraltar załogi samolotów kupowały w Afryce Północnej hiszpańskie pesety, których kurs wobec funta był bardzo niski. Następnie lotnicy wymieniali je na funty w Gibraltarze, gdzie parytet wymiany był sztywny i względnie wysoki, i tak zarabiali na różnicach

---

* Air Despatch and Reception Unit, Lotnicza Jednostka Odpraw i Przyjęć. Stacje ADRU zajmowały się odprawianiem i przyjmowaniem samolotów, ich załóg, pasażerów i ładunków, zaopatrzeniem ich, kontrolowaniem i poszukiwaniem kontrabandy.

** David Irving, *Accident. The Death of General Sikorski*, William Kimber and Co. Limited, London 1967, s. 72 (wydanie polskie: D. Irving, *Wypadek. Śmierć generała Sikorskiego*, Rachocki i S-ka, Pruszków 2000).

kursów. Wymiana ta była powszechna, ale nielegalna, zatem dokonywano jej w małych kantorach, sklepach i kawiarniach. Stąd brała się u lotników wielka liczba banknotów o małych nominałach*. Samolot wystartował 4 lipca 1943 roku kilka minut po 23.00. Widziały to liczne osoby obecne na pasie startowym, na wieży kontroli lotów, na pozostałym terenie lotniska i poza nim. Liberator oderwał się od ziemi mniej więcej po 1100 jardach, osiągnął wysokość około 150 stóp „i stopniowo ją tracąc" (ustalenie komisji, a także spostrzeżenie obserwującego start gubernatora Gibraltaru), zetknął się z powierzchnią morza 1200 jardów od punktu, w którym oderwał się od pasa startowego (637 metrów od brzegu). Lot trwał szesnaście sekund. Samolot utrzymywał się na falach od sześciu do ośmiu minut, po czym zanurzył się dziobem do dołu (czyli dopiero wtedy przewrócił się na plecy) i spoczął na dnie do góry kołami, na głębokości około trzydziestu stóp, równej mniej więcej połowie długości kadłuba maszyny.

Brytyjska komisja śledcza (Court of Inquiry or Investigation; w jego pracach uczestniczył polski obserwator, major lotnictwa inżynier Stanisław Dudziński), która miała ustalić przyczynę przerwania lotu, w swoim raporcie oparła się niemal wyłącznie na zeznaniach pierwszego pilota.

Zacznijmy od wyjaśnienia, że do zmiany wysokości lotu służył w liberatorach zakończony kołem sterowym wolant. Kiedy

* Jaroslav Valenta, *Morze pełne banknotów jednofuntowych*, sygn. gibpl-funty-dopłň platy, s. 5–8, w pośmiertnych papierach prof. Jaroslava Valenty, cyt. dalej jako Papiery Valenty. Większość tych tekstów, z wyjątkiem jednego, została napisana przez czeskiego historyka po polsku, ponieważ nosił się on z zamiarem wydania w Polsce książki o katastrofie w Gibraltarze.

wolant, inaczej zwany sterownicą, znajduje się w położeniu neutralnym, samolot leci poziomo. Gdy pilot chce zwiększyć pułap, przyciąga wolant do siebie, a jeśli zamierza obniżyć wysokość, odpycha wolant w stronę tablicy przyrządów. Kapitan Prchal oświadczył, że po osiągnięciu prędkości 130 mil na godzinę i wysokości 150 stóp oddał ster od siebie, w położenie neutralne, aby przejść w lot poziomy i nabrać większej prędkości. Po uzyskaniu prędkości 165 mil na godzinę zamierzał powrócić do lotu wznoszącego, jednak nie mógł ściągnąć wolantu, co sugerowałoby zablokowanie układu steru wysokości w pozycji neutralnej. Jak zeznał, „Nagle [podkr. T.A.K.] samolot począł zbliżać się do powierzchni morza". Prchal krzyknął przez intercom, co usłyszano w wieży kontroli lotów: „Kraksuję!" („*Crash-landing!*") i zamknął przepustnice gaźników, czyli przerwał dopływ paliwa do cylindrów (według jego oświadczenia do tego momentu silniki pracowały „jak najbardziej prawidłowo", co potwierdzili świadkowie), natomiast nie wyłączył — jak przewiduje procedura — iskrowników, ponieważ nie mógł dosięgnąć ich wyłączników. (Iskrowniki to w terminologii lotniczej świece zapłonowe w cylindrach silnika, takie jak w samochodach z silnikami benzynowymi.) Nie wykluczył jednak, że mógł to zrobić drugi pilot, ale dopiero po zamknięciu przepustnic.

Zeznania Prchala dotyczące fazy rozbiegu i wznoszenia budzą wątpliwości. Podał on komisji, że całkowity ciężar samolotu wynosił w przybliżeniu 52 tysiące funtów, tymczasem było to sprzeczne zarówno z dokumentami, jak i z techniką startu, którą przyjął. Liberator AL 523 po wylądowaniu w Gibraltarze ważył 54 600 funtów. Gdy startował do swego ostatniego lotu, był lżejszy o siedem piętnastofuntowych worków z pocztą, ale cięższy o zakupy poczynione w Gibraltarze, o dwunastego pasażera i jego bagaż osobisty, żelazne łóżko wstawione dla wygody generała Sikorskiego oraz o pocztę do Londynu. Z pewnych źródeł wynika, że ciężar maszyny przed startem wynosił 55 200 lub 55 400 funtów. Według prywatnych zapisków sierżanta Normana Johna Moore'a, szefa gibraltarskiej jednostki technicznej dywizjonu 511, AL 523 był „jednym z najcięższych liberatorów w tym okresie". David Irving zweryfikował tę uwagę, porównawszy dane sześciu innych liberatorów lecących z Kairu do Londynu via Gibraltar w okresie od 25 czerwca do 6 lipca 1943 roku. Okazało się, że AL 523 był cięższy od najcięższego z tych sześciu o 1170 funtów (55 200–43 500), a ciężar samego bagażu był większy o 1002 funty*. Wytwórnia zalecała nieprzekraczanie w odniesieniu do B-24 całkowitego ciężaru 56 tysięcy funtów, jednak nie był to absolutny limit, skoro w tych samych zaleceniach nakazywano zakładanie specjalnych opon i zwiększenie w nich ciśnienia, jeśli ciężar całkowity samolotu przekracza 58 tysięcy funtów. Nie wydaje się możliwe, by AL 523 mógł ważyć aż tyle, niemniej był niewątpliwie bardzo ciężki, o czym świadczy jego wysoka prędkość startowa — wzbił się w powietrze dopiero przy prędkości 130 mil na godzinę, jak zeznał Prchal, co podważa jego stwierdzenie, że masa startowa samolotu wynosiła zaledwie 52 tysiące funtów.

Wreszcie trzeba stwierdzić, że wbrew temu, co powtarza się chyba we wszystkich publikacjach, AL 523 nie był liberatorem B-24C, lecz B-24D. W 1938 roku jego producent, Consolidated Aircraft z San Diego w Kalifornii, zaprojektował ulepszonego boeinga B-17, czyli Model 32. Pierwsze, prototypowe maszyny miały oznaczenia XB-24, a następne YB-24. Ich kupnem

---

* D. Irving, op. cit., s. 222, przyp. 20.

zainteresowała się Francja, lecz kontrakt nie został zrealizowany wskutek klęski tego kraju wiosną 1940 roku. Sześć z siedmiu wyprodukowanych YB-24 (otrzymały one numery od AM 258 do AM 263) i pierwsze dwadzieścia z trzydziestu ośmiu B-24A (AM 910 do AM 929) zakupiła Wielka Brytania. Z pozostałych osiemnastu samolotów dziewięć dostarczono USAAC* jako B-24A, a dziewięć ostatnich „zostało zmodyfikowanych na linii produkcyjnej jako model B-24C [...]. Te maszyny były używane do testów i treningów, żadna nie wykonała lotu bojowego". Po kolejnych modyfikacjach prototypowy model XB-24B otrzymał symbol B-24D i wszedł do produkcji seryjnej, gdy armia amerykańska zamówiła w 1939 roku 56 tych samolotów. Prototyp B-24D został oblatany w grudniu 1939 roku**. Na ogólną liczbę 18 250 maszyn B-24 Model 32, 2738 wyprodukowano w wersji B-24D.

Żaden z dziewięciu B-24C nigdy nie znalazł się w służbie RAF — w tym przekonaniu utwierdza nas również to, że AL 523 został wyprodukowany w 1941 roku i choćby z tego jednego powodu musiał być jednym z B-24D. Różnica między B-24C a B-24D jest ważna, gdyż o ile maksymalny ciężar startowy B-24C określano na 65 000 funtów, o tyle w wypadku B-24D parametry wagowe były następujące: ciężar samej maszyny netto 32 605 funtów, operacyjny ciężar typowy 64 000 funtów, operacyjny ciężar maksymalny 71 200 funtów. Niezależnie więc od tego, czy B-24D AL 523 z generałem Sikorskim na pokładzie ważył 52 tysiące, 54 tysiące czy 55 tysięcy funtów, do limitu

---

* United States Army Air Corps — Korpus Powietrzny Wojsk Lądowych Stanów Zjednoczonych. Amerykańskie lotnictwo nie stanowiło jeszcze wtedy odrębnego rodzaju sił zbrojnych.

** Vide http://www.ctie.monash.edu/hargrave/duigan_terry_aircraft.html.

brakowało mu bardzo dużo. B-24D w wersji bojowej samych tylko bomb mógł przenosić 12 800 funtów: 8 800 funtów w komorze bombowej i 4000 pod skrzydłami*. Przeprowadźmy teraz porównanie. Przyjmuje się, że na pokładzie AL 523 podczas jego ostatniego lotu było siedemnastu członków załogi i pasażerów, a załoga B-24D w wersji bombowej liczyła dziesięć osób. Gdyby każda z siedmiu dodatkowych osób znajdujących się w AL 523 ważyła aż 200 funtów, dawałoby to 1400 funtów. Założywszy, że każda z tych siedemnastu osób miała aż 500 funtów bagażu, dawałoby to łącznie 8500 funtów. Trzydzieści piętnastofuntowych worków z pocztą czyni razem 450 funtów. Ogółem, przyjmując tak bardzo zawyżone wartości wagi ludzi i bagaży, otrzymujemy dopiero 10 350 funtów. Czyli do ciężaru bomb wciąż brakuje 2450 funtów. (Pomińmy takie niuanse, jak zmniejszenie ciężaru własnego samolotu w wersji pasażerskiej w wyniku zmian konstrukcyjnych, między innymi likwidacji stanowiska przedniego strzelca i wieżyczki strzelca na grzbiecie kadłuba, ponieważ zmiany te niwelowano wagowo, na przykład zabierając więcej butli z tlenem.) Można zatem przyjąć, że w najgorszym razie feralnego dnia ciężar ludzi i bagażu w AL 523 był co najmniej o 2500 funtów mniejszy od dopuszczalnego ciężaru ładunku bomb. W tym szacunku pominięto oczywiście ciężar paliwa, gdyż zarówno dla bombowca, jak i dla pasażerskiej wersji B-24D był on uwzględniany osobno.

Wartość powyższego obliczenia potwierdza przebieg startu AL 523. Pas startowy lotniska w Gibraltarze miał 1800 jardów

---

* Podwieszanie bomb pod skrzydłami B-24 było tak rzadkim przypadkiem, że weterani amerykańskiego lotnictwa do dziś sprzeczają się na forach internetowych (na przykład http://www.xs4all.nl/~fbonne/warbirds/ww2htmls/consb24.html#consb 24verstab), czy rzeczywiście tak robiono. Nieliczni zapewniają, że to widzieli.

długości, z czego ostatnie 270 jardów było w naprawie. Prchal wystartował po 1150 jardach, co oznacza — po pierwsze — że miał jeszcze 380 jardów zapasu, a po drugie — że rozbieg samolotu był względnie krótki; także wzlot odbył się gładko. Wszystko to świadczy, że samolot nie był przeładowany, gdyż silniki swobodnie uniosły go w powietrze. W swoim liście do Davida Irvinga z 7 sierpnia 1967 roku podpułkownik Roland J. Falk, ekspert komisji śledczej i wybitny pilot doświadczalny, napisał, że rozbieg liberatora AL 523 nie był nadmiernie długi, samolot prawidłowo wyszedł w powietrze, w locie poziomym nie przepadał, a zniżył pułap stopniowo. Ani nie był przeładowany, ani źle wyważony*. Nawet gdyby przyjąć, że podczas startu z Gibraltaru bagaż był rozmieszczony tak, jak oficjalnie stwierdzono przed startem z Kairu, co powodowałoby nadmierne obciążenie ogona, to przejście do lotu poziomego i kontynuowanie go zmuszałoby pilota do odepchnięcia i utrzymywania wolantu w położeniu „lekkie nurkowanie", a to ustawienie oczywiście wykluczałoby zablokowanie układu sterowniczego w pozycji neutralnej.

Pozycja Prchala przed komisją śledczą była nieco dziwna. Z jednej strony przysięgał mówić prawdę, całą prawdę i tylko prawdę, lecz z drugiej nie można go było zmusić, by odpowiadał na pytania, które w jego odczuciu mogłyby go obwiniać (zresztą nie odmówił odpowiedzi na żadne pytanie). Był więc kimś pośrednim między świadkiem a podejrzanym, a może nawet oskarżonym.

Powołana 7 lipca komisja badająca okoliczności katastrofy zakończyła działalność 23 lipca. Konkluzja jej raportu brzmia-

---

* D. Irving, op. cit., s. 174.

ła następująco: „Z uzyskanych zeznań oraz przeprowadzonych badań rozbitego samolotu absolutnie nie można ustalić, jaka konkretnie przyczyna mogła spowodować zacięcie się układu steru wysokości", a zarazem „uznaje się, że z kraksą liberatora AL 523 nie był związany sabotaż". Ten wewnętrznie sprzeczny wniosek stanowi obrazę nie tylko logiki formalnej, ale i zdrowego rozsądku. Takie też było widocznie odczucie marszałka Slessora, który 3 sierpnia 1943 roku powołał następną komisję śledczą. Jednak i jej ustalenia (a raczej ich brak) zaowocowały bardzo podobnymi wnioskami: przyczyną wypadku było to, że samolot stał się niesterowny z powodów, których nie sposób ustalić. „Kpt. Prchal nie został w żaden sposób obwiniony".

W opublikowanym 21 września komunikacie Ministerstwa Lotnictwa, którego strona polska nie zgodziła się podpisać, sprawę ujęto jeszcze kategoryczniej: „nie było można ustalić, jak doszło do zablokowania [steru wysokości], lecz stwierdzono, że nie było sabotażu"*. W efekcie wiele osób postawiło komisji — a raczej władzom, które ją powołały — słuszny zarzut, że jej zadaniem nie było wyjaśnienie przyczyn katastrofy w Gibraltarze, lecz ich ukrycie**.

Strona polska przystąpiła do sporządzania własnej dokumentacji katastrofy. Pierwszy raport złożył już kilka dni po kata-

---

* Ten i poprzednie cytaty za: ibidem, s. 118, 126, 130, 209, 210.

** Nikt ze znających prawdę o śmierci gen. Sikorskiego Brytyjczyków i Polaków nie wzniósł się dotąd choćby na etyczny poziom Nikołaja Burdenki, kierującego radziecką komisją, która oskarżyła Niemców o zbrodnię katyńską. Akademik Burdenko, chirurg i osobisty lekarz Stalina, niedługo przed śmiercią w 1946 roku wyznał synowi zmarłego przyjaciela, że masakry w lesie katyńskim dokonano na rozkaz Kremla. „Badanie było wyrywkowe i wszystkie zwłoki miały cztery lata [w 1944 roku]. Śmierć nastąpiła w 1940 roku (...). Prawdę mówiąc, dla mnie jako lekarza sprawa jest jasna i bezdyskusyjna" (za: J. K. Zawodny, op. cit., s. 131).

strofie porucznik Ludwik Łubieński. Kolejny napisali major inżynier Stanisław Dudziński, który ograniczył się do zrelacjonowania przebiegu wydarzeń z 4 lipca 1943 roku w Gibraltarze, oraz inżynier Tadeusz Ullman, ekspert Ministerstwa Spraw Wewnętrznych, który krytycznie przeanalizował pracę obu brytyjskich komisji, to znaczy przebieg śledztwa i ogłoszone przez komisje wnioski. Ullman zwrócił między innymi uwagę na to, że Polacy nie otrzymali od Brytyjczyków pełnego stenogramu kilkutygodniowego śledztwa, lecz jedynie dwudziestotrzystronicowy wyciąg czy streszczenie przesłuchań świadków. Raport Dudzińskiego i Ullmana został następnie przedłożony polskiemu Ministerstwu Sprawiedliwości, które na jego podstawie wszczęło własne śledztwo, jednak na początku 1944 roku utknęło ono w martwym punkcie, przede wszystkim z powodu braku współpracy ze strony Brytyjczyków. Ponadto Polacy powołali jeszcze dwie komisje lotnicze, 4 września i 27 listopada 1943 roku, obie pod przewodnictwem pułkownika pilota Piotra Dudzińskiego, które podważyły wiarygodność komisji powołanych przez marszałka Slessora i wartość przedstawionych przez nie wniosków.

Ewa Chapman z Gozdawa-Osuchowskich, podczas wojny sekretarz parlamentarny Adama Romera, dyrektora Biura Prezydialnego polskiego rządu w Londynie, ujawniła w 1998 roku, że jeszcze jedna komisja, polsko-brytyjska, badała, co doprowadziło do katastrofy gibraltarskiej. Współprzewodniczyli jej minister sprawiedliwości Wacław Komarnicki i marszałek John C. Slessor, a — cytując Ewę Chapman — „powołana została uchwałą Rządu RP na Obczyźnie, kilka dni po pogrzebie gen. Sikorskiego. Przewidywano, że jej prace potrwają około dwóch tygodni". W rzeczywistości komisja obradowała dwa dni. Trzeciego dnia „przyszłam do biura wcześniej niż zwykle, ale drzwi do sali obrad zastałam zamknięte na klucz, z przymocowaną za pomocą pinezki małą karteczką z odręcznie napisaną informacją:

«The meetings of the investigation commission
are adjourned until further notice»
(posiedzenia Komisji Dochodzeniowej są zawieszone
aż do odwołania).

Odwołanie to obowiązuje do dnia dzisiejszego i nikt z żyjących Polaków o tym nie wie!!! [...] Gdy chciałam zatelefonować do Polskiej Agencji Telegraficznej (PAT), by poinformować o tym niezwykłym wydarzeniu, wpadł mój zwierzchnik Adam Romer i wstrzymał na polecenie Slessora podanie tej szokującej wiadomości do prasy..."*

16 lipca generał Sikorski został pochowany na cmentarzu w Newark. „Kilka dni po pogrzebie" powstała wspomniana polsko-brytyjska komisja. 26 lipca raport pierwszego Court of Inquiry znalazł się w Londynie. Wywarł on na marszałka Slessorze takie wrażenie, że 3 sierpnia powołał następną komisję. Bez wątpienia ta sama lektura była też przyczyną „zawieszenia" działalności komisji polsko-brytyjskiej. Slessor najpewniej uznał, że jej dochodzenie może skompromitować Brytyjczyków lub/i że wyciągnie ona na światło dzienne fakty, które nie powinny być ujawnione.

---

* Ewa Chapman, *Londyn ukrywa prawdę*, „Nasz Dziennik", 5–6 września 1998; taż, *Tajemnica śmierci Władysława Sikorskiego — w obronie prawdy historycznej*, „Myśl Polska", 6 września 1998; taż, maszynopis nie publikowany, przekazany prof. Jerzemu Maryniakowi (J. Maryniak, *Śmierć gen. Władysława Sikorskiego — kontrowersje, znaki zapytania, skrywane dowody*, „NIT", nr 1/2005). E. Chapman już nie żyje. J. Maryniaka słusznie ciekawi, kto przejął dokumenty, które zgromadziła.

Minęło czterdzieści dziewięć lat i w 1992 roku najnowocześniejsza technika umożliwiła potwierdzenie tego, co wcześniej było jedynie spekulacjami opartymi na praktyce pilotażu, logice i zdrowym rozsądku.

Profesor Jerzy Maryniak sporządził trzy kilkuwariantowe wersje symulacji numerycznej tragicznie zakończonego startu liberatora nr AL 523. Jego obliczeń nikt nie zakwestionował. Są one dostępne w źródłach wymienionych w przypisie na początku tego rozdziału, wraz z odpowiednimi wykresami obrazującymi możliwe warianty przebiegu startu i trajektorii lotu. Ze względu na bardzo specjalistyczny charakter obliczeń, hermetyczny dla laików w dziedzinie nauk ścisłych, poniżej przedstawiam tylko ogólne założenia techniczne poszczególnych wersji i wariantów analizy oraz płynące z niej wnioski, a jej obszerny fragment, zawierający kompletne założenia i wnioski, zamieściłem w aneksie pierwszym. Opublikowane dotąd opinie specjalistów potwierdzają poprawność tej ekspertyzy, zatem laicy mogą przyjąć ustalenia profesora Maryniaka na wiarę, choć uważna lektura pozwoli zrozumieć założenia i wnioski każdej osobie po szkole średniej, która ma trochę wyobraźni przestrzennej. Poznanie obiektywnych, technicznych uwarunkowań związanych z katastrofą samolotu Sikorskiego jest niezwykle ważne, gdyż stanowi wstępny warunek wszelkich innych rozważań, w tym krytyki niektórych całkowicie nierealistycznych koncepcji sformułowanych dotąd przez różnych autorów, których wyobraźnia nie była skrępowana jakimikolwiek racjonalnymi przesłankami. Niestety wśród tych autorów znaleźli się także historycy. Jak pisze profesor Zbigniew Dmochowski, „Wielu historyków nie traktuje poważnie lub wręcz odrzuca opinie techników na temat faktów historycznych. Opinie te [...] mogą mieć decydujące znaczenie dla poznania prawdy o tym tragicznym wydarzeniu"*. Ignorancja jest wybaczalna dopóty, dopóki nie stroi się w szaty cnoty.

W pierwszej wersji analizy przeprowadzono symulację lotu według zeznań kapitana Prchala. Okazało się, że gdyby na dowolnej wysokości (10, 50 lub 100 metrów)** nastąpiła blokada steru w pozycji neutralnej, w locie poziomym, to samolot w dalszym ciągu by się wznosił, gdyż silniki pracowały prawidłowo i zostały celowo wyłączone dopiero tuż przed zetknięciem się maszyny z powierzchnią morza. Zatem wodowanie nastąpiłoby o wiele dalej niż w rzeczywistości. „Stąd wynika, że zeznania kpt. E. M. Prchala nie opisywały właściwego stanu lotu".

W drugiej wersji analizy, również przeprowadzonej wariantowo dla wymienionych trzech wysokości, założono, że hipotetyczna blokada steru wysokości w położeniu neutralnym nastąpiła podczas lotu wznoszącego, a silniki wyłączono sekundę po zablokowaniu się steru. Okazało się, że samolot początkowo nadal by się wznosił, a następnie zacząłby stromo opadać i uderzyłby w wodę z prędkością, która spowodowałaby jego zniszczenie w chwili uderzenia. Jeżeli blokada nastąpiłaby na wysokości stu metrów, to samolot spadłby poza miejscem rzeczywistej katastrofy.

W trzeciej wersji zbadano cztery warianty katastrofy. W pierwszym przyjęto założenie, że przy pracujących silnikach i wychyleniu steru o dziesięć stopni na wznoszenie ster zablokował się

---

* Zbigniew Dmochowski, *Katastrofa gibraltarska. Mamy znać prawdę o przyczynach śmierci gen. Władysława Sikorskiego*, „Nasz Dziennik", 3–4 lipca 1999.

** Wykonanie obliczeń dla trzech wysokości neutralizuje zastrzeżenie mjr. inż. T. H. Algernona Llewellyna, który powiedział Davidowi Irvingowi, że liberator w ciągu 16 sekund mógł najwyżej osiągnąć wysokość 100 stóp (30 m).

w pozycji neutralnej. W efekcie samolot najpierw by opadał, lecz następnie powróciłby do lotu wznoszącego. W drugim wariancie również założono, że silniki pracowały i wychylenie steru wynosiło dziesięć stopni, a blokada nastąpiła właśnie w pozycji dziesięć stopni na wznoszenie. Samolot zacząłby wtedy ostro pikować i roztrzaskałby się, uderzywszy w wodę. Trzeci wariant różnił się od drugiego tylko tym, że przyjęto, iż ster był wychylony o pięć stopni. Samolot zacząłby w takiej sytuacji pikować po torze nieco łagodniejszym niż w wariancie drugim. Czwarty wariant był powtórzeniem pierwszego, lecz założono, że po domniemanym zablokowaniu się steru wysokości pilot natychmiast wyłączył silniki. Tor lotu rzeczywiście byłby wówczas zbliżony do lotu opisanego przez świadków, lecz jest to wariant sprzeczny z zeznaniami Prchala, potwierdzonymi przez wszystkich świadków, że silniki zostały wyłączone dopiero na moment przed zetknięciem się samolotu z wodą.

Wreszcie czwarta wersja symulacji opisuje jedyny możliwy z technicznego punktu widzenia i zarazem zgodny z wszystkim zeznaniami przebieg lotu liberatora AL 523. „Następuje prawidłowy rozbieg i wznoszenie samolotu, następnie pilot przechodzi do lotu poziomego osiągając prędkość [wznoszenia] ~10 m/s [...], ale w tym czasie następuje zmniejszenie prędkości wznoszenia do $V_w \cong -3{,}5$ m/s i samolot zniża lot. Pilot wyrównuje świadomie lot samolotu nad powierzchnią morza kontynuując lot na małej wysokości, następnie wyłącza silniki i prawidłowo woduje na powierzchni morza. Samolot utrzymuje się na powierzchni morza ~8 minut, a następnie tonie nosem w dół obracając się na plecy i w tej pozycji został sfotografowany na dnie morza.

Z przedstawionej analizy wynika, że samolot

był sprawny przez cały okres lotu, sterowany świadomie przez pilota do momentu wodowania".

A zatem znając techniczne parametry samolotu i warunki atmosferyczne, przyjąwszy — (jak zgodnie twierdzili wszyscy świadkowie) — że silniki pracowały bez zakłóceń do chwili, gdy zostały wyłączone tuż przed zetknięciem się samolotu z powierzchnią morza, oraz wykreśliwszy trajektorię lotu (znając, również dzięki zeznaniom świadków, punkt oderwania się samolotu od ziemi, maksymalny punkt wznoszenia i punkt wodowania), profesor Maryniak ustalił, że przy zablokowaniu steru wysokości w położeniu neutralnym po przejściu do lotu poziomego samolot w dalszym ciągu nabierałby wysokości. W konsekwencji wodowanie nastąpiłoby o wiele dalej od punktu startu niż w rzeczywistości*. Jest też nieprawdopodobne, by — jak zeznał Prchal — „Nagle samolot począł zbliżać się do powierzchni morza". Przeczą też temu zeznania świadków, na przykład kapitana Ronalda Bernarda Capesa, oficera kontroli lotów, który stwierdził, że samolot „r ó w n o m i e r n i e [podkr. T.A.K.] zaczął tracić wysokość".

Zeznanie kapitana Capesa ma wyjątkowy ciężar gatunkowy zarówno z uwagi na jego profesjonalizm, jak i na miejsce, z którego widział całe to wydarzenie. Był to lotnik o długim stażu i wielkim doświadczeniu, a owej nocy pełnił służbę w wieży kontroli lotów, mógł więc najbardziej obiektywnie spośród

---

* Emerytowany płk lotnictwa Stanów Zjednoczonych Derek Duke właśnie dzięki komputerowej symulacji, w której wziął pod uwagę m.in. prędkość i wysokość lotu samolotu, siłę wiatru etc., we wrześniu 2004 r. wstępnie ustalił, gdzie u wybrzeży Karoliny Południowej (w pobliżu Savannah) uszkodzony amerykański bombowiec B-47 przymusowo zrzucił bombę atomową w lutym 1958 r. („Gazeta Wyborcza", 1 października 2004, s. 2).

wszystkich bezpośrednich świadków startu liberatora ocenić i opisać, co się stało. Usytuowanie wieży kontroli lotów i jej wysokość pozwoliły mu zaobserwować, że liberator wzbił się w powietrze po rozbiegu liczącym około 1150 jardów, n a wysokości trzydziestu stóp (dziewięć metrów) przeszedł do lotu poziomego około stu jardów za wieżą, leciał równo, a następnie — informacja ta jest warta powtórzenia — „stopniowo tracił wysokość, aż uderzył w morze" („*lost height steadily until it hit the sea*"). David Irving słusznie podkreśla, że są argumenty, które skłaniają do przyjęcia zeznania Capesa wbrew wszystkim innym — włączając w to samego pilota — którzy twierdzili, że liberator osiągnął o wiele wyższy pułap. Capes bowiem „obserwował samolot służbowo i [...] z wysoka; gdyby samolot wzniósł się ponad j e g o horyzont, wiedziałby to"*. Rzeczywiście, inni obserwowali start jako gapie, na dodatek z żabiej perspektywy i w większości z dużej odległości od tyłu. Uprzedzając analizę z następnych rozdziałów, można by również zapytać, po co osoba pilotująca liberatora AL 523 zwiększałaby wysokość, skoro samolot miał prawie natychmiast wodować?

Kapitan Zbigniew Neugebauer, pilot bombowy, który podczas drugiej wojny światowej latał również na liberatorach, stwierdził, że jeśli ster wysokości zablokuje się w położeniu neutralnym, „pilot może na wysokości kilkuset stóp, operując fletnerami**, powoli zmienić kierunek lotu i wylądować. Jeżeli fletnery są nieczynne, może wodować na wprost, operując silnikami. Jak już zaznaczyłem, na ciężkich typach maszyn przy

---

* D. Irving, op. cit., s. 108.
** Fletner to mała klapka odciążająca na tylnej krawędzi spływu steru wychylająca się w przeciwną stronę niż ster.

lądowaniu główną rolę grają silniki (skok śmigła), a stery spełniają funkcję pomocniczą"*. Według świadectwa dwóch kolejnych dowódców eskadry „A" w dywizjonie 511 RAF, majora Jacka Fredericka Sacha i kapitana Wallace'a Lyntona Watsona, którzy zeznawali przed komisją brytyjską, Eduard Prchal był wybitnie uzdolnionym pilotem i należał do najbardziej wartościowych dowódców samolotu. „W moim przekonaniu kpt. Prchal był uczniem nadzwyczajnym i spośród 50 pilotów przeszkolonych przeze mnie na liberatorach uzyskał najlepszą ocenę" — stwierdził kapitan Watson**. Należy dodać, że oficjalnie z tych właśnie powodów Prchal został zaangażowany do pilotowania samolotów VIP-ów. Jednym z jego wyczynów było wylądowanie dwusilnikowym hudsonem na lotnisku w Gibraltarze nocą i we mgle, bez urządzeń naprowadzających „na ślepo". Przez długi czas Prchal był jednym z pięciu pilotów uprawnionych do nocnych lądowań w Gibraltarze. Czy można uwierzyć, że tak wybitny pilot, lecąc samolotem ze sprawnymi silnikami, nie tylko nie spróbował zawrócić na lotnisko, ale wpadł w panikę i nawet nie zdołał poprawnie wodować?

Po raz pierwszy Prchal dowiódł swoich wybitnych zdolności i umiejętności pilota już w wieku dwudziestu jeden lat, po roku nauki w szkole pilotażu w Prostejovie na Morawach. Jak wynika z notatki prasowej zachowanej w dokumentach rodzinnej gminy Prchala, Dolni Břežany, „«28 lutego 1932 r. starszy szeregowiec-pilot Eduard Prchal okazał wzorową przytomność umysłu. Lądował z samolotem AP-32-28, uszkodzonym przez urwane śmigło. Przez to uratował załogę od zranienia i materiał

---

* „7 Dni w Polsce", nr 12/1958.
** D. Irving, op. cit., s. 126 i 129.

od uszkodzenia». Jako nagrodę otrzymał od ministra obrony narodowej srebrny zegarek z wisiorkiem w postaci śmigła z wygrawerowaną na śmigle datą"*. Po wyjściu z wojska od 1937 do 1939 roku Prchal latał jako pilot transportowy w firmie Bat'a, a następnie pilot myśliwski w kampanii francuskiej, podczas której zestrzelił dwa i pół samolotu niemieckiego. W Wielkiej Brytanii od 1940 do maja 1942 roku walczył w formacjach dziennych i nocnych myśliwców, stale otrzymując ocenę pilota ponadprzeciętnego. Od czerwca 1942 roku na własne życzenie (vide rozdział 5. *Zamachowcy*) przeniósł się do lotnictwa transportowego, najpierw do dywizjonu 24 w Hendon, a od listopada — poproszony przez Brytyjczyków — do „No. 10 Downing Street's Taxi Service", czyli dywizjonu 511**.

Polska komisja śledcza, która podobnie jak wielu brytyjskich i amerykańskich ekspertów podważyła możliwość zablokowania się sterów, uznała ponadto, że w rozpatrywanym przypadku ryzyko „błędu pilotażu przy należytych kwalifikacjach pilotów, ich doświadczeniu i dobrych warunkach lotu i startu jest wysoce nieprawdopodobne". Jeśli wykluczymy samoczynną blokadę i błąd, to pozostaje wyłącznie celowe wodowanie, co udowodniła przywołana wyżej ekspertyza.

Warto wspomnieć, że major Stanisław Dudziński, obserwator prac brytyjskiej komisji, zażądał sprowadzenia do Gibraltaru identycznego liberatora jak AL 523 i poddania jego sterów próbom zablokowania. Komisja spełniła to żądanie: samolot został sprowadzony i w największej tajemnicy przeprowadzono próby.

---

* Papiery Valenty, *Czechosłowacki pilot Eduard Prchal*, sygn. Gibpl-czpilot-opr, s. 4. Przy cytowaniu polskojęzycznych opracowań J. Valenty zachowałem stylistykę oryginału — T.A.K.
** Ibidem, s. 5, 9–14.

Tajemnica była tak wielka, że żadnego z Polaków nie dopuszczono do udziału w eksperymencie, a jego wyniki do dziś nie są znane. Czy Brytyjczycy utajniliby wyniki prób, gdyby stery dały się zablokować?

Konkluzja profesora Maryniaka, że — wbrew zeznaniu Prchala — stery były sprawne, wystarcza, by w całości zakwestionować relację pierwszego pilota. Jednak warto przytoczyć pozostałe dowody podważające poszczególne elementy zeznania Prchala, aby uniknąć zarzutu selektywnego doboru argumentów i odeprzeć nieuzasadnione poglądy. Na przykład zdaniem Jana Nowaka-Jeziorańskiego, który był zwolennikiem tezy zamachu, wnioskowi z ekspertyzy profesora Maryniaka „przeczą ustalone uszkodzenia wyłowionych części samolotu i zeznania wszystkich świadków, że maszyna skapotowała". Profesor Maryniak, pozostając z należnym szacunkiem dla przymiotów i zasług Nowaka-Jeziorańskiego, zareplikował, że „ocenę techniczną katastrofy, analizę zniszczonych elementów, dynamikę lotu sterowanego samolotu [oponent] powinien pozostawić inżynierom"*.

Podpułkownik Arthur Montague Stevens, naczelny oficer obsługi technicznej lotniska w Gibraltarze, i kapitan John W. Buck, inspektor do spraw wypadków lotniczych, obecni przy wydobywaniu wraku liberatora, z największą dokładnością zbadali jego części. Obaj wykluczyli możliwość zablokowania się jakiegokolwiek elementu układu sterowniczego. Doszli do takiego wniosku, ponieważ brak było jakichkolwiek śladów zakleszczenia na cięgłach i przegubach linek sterowych, na kołach

---

* J. Maryniak, *Śmierć gen. Władysława Sikorskiego — kontrowersje, znaki zapytania, skrywane dowody*, „NIT", nr 1/2005.

zębatych i na łańcuchach, a co więcej — wszystkie przetyczki mechanizmu blokującego układ sterowania były wyjęte. Gdyby przetyczki w chwili wodowania znajdowały się na swoich miejscach, to — jak stwierdził kapitan Buck, którego powołała na świadka dopiero druga komisja Slessora — „Zostałyby one zgięte lub ścięte". Sama kolumna sterownicy, po uwolnieniu jej z piasku, w którym była zagrzebana na dnie morskim, okazała się „idealnie ruchoma" i tak też się stało z kolumną sterownicy drugiego pilota. Podpułkownik Stevens próbował nawet — aby wykluczyć zablokowanie sterów przez obce ciało, na przykład bagaż lub pasażerów — na różne sposoby blokować lub naciągać elementy układu sterowniczego, lecz bezskutecznie: stery wciąż działały prawidłowo. Wynik tego eksperymentu powinien był uciąć w zarodku późniejsze spekulacje, jakoby usterzenie unieruchomiły worki z pocztą lub kontrabandą*. Spekulacje takie pojawiły się jednak nawet w ostatnich latach, co zmusza do poświęcenia im nieco uwagi.

Jan Bartelski, przedstawiany jako „sławny badacz wypadków lotniczych", w 1993 roku opublikował w Wielkiej Brytanii dwa artykuły**, w których usiłował dowieść, że katastrofa liberatora Sikorskiego była spowodowana zakleszczeniem się worka z pocztą w przestrzeni między statecznikiem poziomym a sterem wysokości (elementy te znajdują się w segmencie ogona), gdy samolot, odrywając się od pasa startowego, ostro poszedł w górę. W konsekwencji Bartelski skrytykował wyżej przywo-

---

* Wątek ten przypomniał m.in. Józef Garliński, sędziwy polski historyk mieszkający w Londynie, w filmie produkcji Kontakt TV *Generał Sikorski — tajemnica śmierci* (1987).

** Jan Bartelski, *What Did Happen to General Sikorski?*, „Aeroplane Monthly", Part I — September 1993, Part II — October 1993.

łane zeznanie kapitana Bucka. Uznał bowiem, że któraś z klap (a może nawet obie) zakrywających stanowiska strzelców karabinów maszynowych (w wersji pasażerskiej stanowiska te zostały zlikwidowane) osadzonych dość wysoko w burcie samolotu, bliżej ogona, nie była zaryglowana, na skutek czego podczas startu na przemian to otwierała się, to zamykała na nierównościach. W efekcie powstał silny ciąg powietrza, tym mocniejszy, im większej prędkości nabierał samolot. Na pasie startowym znaleziono dwa worki z pocztą (vide rozdział 6. *Zamach*). Bartelski uważa, że zostały one wywiane przez ową nie domkniętą klapę, a trzeci worek zablokował stery.

Anglojęzyczne artykuły Jana Bartelskiego tak bardzo przypadły do gustu oficjalnym czynnikom brytyjskim, że książę Edynburga Filip, reprezentujący rząd brytyjski na uroczystościach przetransportowania ekshumowanego ciała generała Sikorskiego z Londynu do Polski, przywiózł owe artykuły do Warszawy i poprosił, żeby je przetłumaczono i przedstawiono prezydentowi Lechowi Wałęsie. Bartelski z satysfakcją pisze, że ambasador brytyjski zawiadomił go, iż życzenie to zostało spełnione. Oba przetłumaczone artykuły opublikował też dwutygodnik Wojsk Lotniczych i Obrony Powietrznej „Wiraże"*. Kilka lat później Bartelski wydał książkę opisującą tajemnicze katastrofy samolotowe. W drugim jej rozdziale, poświęconym katastrofie gibraltarskiej, powtarza on hipotezę zaprezentowaną w owych artykułach**.

---

* J. Bartelski, *Generał Sikorski — co się naprawdę stało?*, „Wiraże", cz. I — nr 22/1995, cz. II — nr 23/1995, cz. III — nr 25/26/1995.

** J. Bartelski, *Disasters in the Air. Mysterious Air Disasters Explained*, Airlife Publishing Ltd., England 2001. (Part 2: *1943 — Is the Gibraltar Disaster a Real Mystery?*).

Profesor Maryniak, który notabene obficie cytuje polsko-języczne artykuły Bartelskiego, podważył sensowność tezy ich autora, ograniczywszy się do zaprezentowania schematu wnętrza liberatora i podania jednego, „napoleońskiego" argumentu: worek z pocztą musiałby przelecieć przez kabinę pasażerską, co było niemożliwe, gdyż po przeróbkach z wersji bombowej na pasażerską przestrzeń za kabiną pilotów została zabudowana przepierzeniami*.

Nic jednak nie stoi na przeszkodzie, by wskazać dodatkowe argumenty przemawiające przeciw hipotezie Jana Bartelskiego. Po pierwsze, Eduard Prchal zeznał — co akurat potwierdzili świadkowie obserwujący światła pozycyjne liberatora — że w pewnej chwili wyrównał lot, czyli ustawił wolant w pozycji neutralnej. Nie mógłby tego zrobić, gdyby worek zablokował ster wysokości w położeniu na wznoszenie. Po drugie, według zeznania strzelca Williama Josepha Millera, znaleziony przez niego około czterystu jardów od zachodniego krańca (początku) pasa startowego worek z pocztą (pierwszy) ważył mniej więcej piętnaście funtów. Ten worek z całą pewnością nie wyleciał przez hipotetycznie otwartą klapę w burcie maszyny. Prędkość samolotu była bowiem w tym miejscu zbyt mała, aby hipotetyczny ciąg powietrza mógł unieść worek o tym ciężarze z podłogi do poziomu otwartej klapy, a prawdopodobnie nie wystarczająca też, aby go przesunąć po podłodze. Po trzecie, nawet przy dużej prędkości, jaką samolot osiągnął tuż przed oderwaniem się od ziemi, wątpliwe jest, czy ruch powietrza wciąż nie byłby zbyt słaby, aby podnieść worek (drugi) do poziomu klapy. Po czwarte, gdyby jednak był — hi-

---

* J. Maryniak, ibidem.

potetycznie — dość silny, by unieść drugi worek, to podobnie stałoby się z co najmniej kilkoma innymi (sam Bartelski uważa przecież, że zrobił to z trzecim workiem). Zwolennikowi wersji wypadku pozostawałoby wówczas stwierdzić, że pasażerowie liberatora zginęli jeszcze w powietrzu, na skutek zmasowanego ataku ciężkich worków pocztowych. (W rozdziale 6. *Zamach* przedstawiam bardziej zrównoważoną hipotezę.) Po piąte, gdyby rzeczywiście w samolocie nastał jakiś huraganowy przeciąg znajdujący ujście przez otwartą klapę, to raczej wszystkie worki zostałyby wyssane przez tę klapę, a żaden nie mógłby się wyrwać z unoszącego go strumienia powietrza i skierować do ogona samolotu. Tę kwestię mogłoby zresztą rozstrzygnąć proste badanie w tunelu aerodynamicznym. Jednak zarówno ten piąty argument, jak i trzy wcześniejsze, jest mało istotny w świetle pierwszego, a także wobec argumentu profesora Maryniaka, ponieważ dwa ostatnie są argumentami niespekulatywnymi, obiektywnymi.

Hipoteza zablokowania układu sterowniczego przez worek pocztowy ma także mutację, według której do zablokowania mogło dojść w komorze przedniego koła. Możliwość taką rozważał między innymi podpułkownik Ronald Falk w liście z 10 sierpnia 1967 roku do Davida Irvinga*. Nie wdając się w szczegółowe rozważania, trzeba podkreślić spekulatywną słabość tego domniemania. Otóż zwolennicy tej hipotezy, próbując wyjaśnić, w jaki sposób wypadł z samolotu pierwszy worek, znaleziony czterysta jardów od punktu startu, natykają się na pewną trudność. Ponieważ większość z nich (w przeciwieństwie do Jana Bartelskiego) nie bierze pod uwagę możliwości, że worek ten wypadł przez któryś z luków lub jedną z bocznych klap,

---

* D. Irving, op. cit., s. 225, przyp. 21.

zatem jedynej możliwości upatrują właśnie w przedziale przedniego koła. A skoro jeden worek mógł wypaść przez szczelinę przy przednim kole, to jest według nich prawdopodobne, że inny worek znajdujący się w tym przedziale zablokował stery. Jednak słabość tej koncepcji tkwi właśnie w jej założeniu. Żaden przedmiot nie mógł tędy wypaść czterysta jardów od punktu startu, ponieważ w tym miejscu i w tym momencie przednie koło było wysunięte, co znaczy, że szczelina była zbyt wąska, aby mógł się przez nią przecisnąć worek pocztowy. Co więcej, pęd powietrza wpychałby go do samolotu.

Powróćmy jednak do analizy zeznań świadków. Kapitan Prchal oświadczył, że zamknął przepustnice gaźników. Podpułkownik Stevens odkrył, że w silniku numer jeden przepustnica była prawie zamknięta, w silniku numer dwa w jednej trzeciej otwarta, w silniku numer trzy szeroko otwarta, a w silniku numer cztery otwarta do połowy. Można założyć, że w pośpiechu pilot zamykał każdą następną przepustnicę — poczynając od silnika numer jeden — coraz mniej dokładnie. Jednak nawet laik wie, że w takim razie przynajmniej dwa silniki, trzeci i czwarty, wciąż by działały, choć z małą mocą.

Prchal stwierdził, że nie wyłączył głównych kontaktów iskrowników, ponieważ nie mógł ich dosięgnąć, ale nie wykluczył, że zrobił to drugi pilot. Stevens stwierdził, że oba główne kontakty iskrowników były wyłączone, zatem rzeczywiście zrobił to drugi pilot; to on do końca panował nad sytuacją i to dzięki niemu wszystkie silniki zostały wyłączone przed zetknięciem się samolotu z powierzchnią morza. Gdyby tak się nie stało, to — jak wskazałem wyżej — silniki numer trzy i cztery wciąż (nawet już po wodowaniu) by pracowały, gdyż Prchal nie zamknął przepustnic.

Jeżeli chodzi o zawory kurkowe odcinające dopływ paliwa do silników, to numer jeden, trzy i cztery były otwarte, a numer dwa był częściowo zamknięty na skutek złamania jego dźwigni (można więc podejrzewać, że w chwili wodowania także był otwarty).

Wszystkie klapki regulujące chłodzenie silników były prawidłowo zamknięte.

Wszystkie cztery przełączniki regulujące skok śmigieł na postumencie regulatora znajdowały się w położeniu neutralnym, ale znaleziono tylko dwa zespoły regulacji (przekładnie redukcyjne) skoku śmigieł. Podczas ich oględzin okazało się, że śmigła przy silnikach numer trzy i cztery były ustawione na mały skok. Wyłowiono tylko jedno śmigło i jeśli ekstrapolować wyniki jego badania na pozostałe trzy, to w opinii podpułkownika Stevensa „silniki nie dawały dużej mocy w chwili zderzenia samolotu z powierzchnią morza". Zresztą opinia ta powinna była być wyrażona w trybie warunkowym, gdyż podczas wodowania silniki już nie pracowały. Ta uwaga nie wynika z mojego zamiłowania do kazuistyki, lecz jest wskazaniem, że do analizy dokumentów historycznych należy podchodzić z wielką ostrożnością, ponieważ osoby, które je wytworzyły, nie zawsze wypowiadały się z należytą precyzją.

Łączna analiza pięciu ostatnich czynności, wykonanych lub nie wykonanych, skłania do poglądu, że obaj piloci nie stanowili zespołu, że pracował tylko jeden, który nie mógł nadążyć z samodzielnym wykonaniem wszystkich regulaminowych czynności w ciągu kilku sekund, i że nie był nim kapitan Prchal (casus iskrowników).

Niejednoznaczna wydaje się natomiast kwestia dotycząca położenia podwozia. Prchal zeznał, że podwozie było wciągnięte (twierdził, że on to zrobił), „a klapy w skrzydłach wypuszczone do połowy zgodnie z wymogami obowiązującymi przy starcie". Podpułkownik Stevens potwierdził położenie klap (były wypuszczone na trzy ósme), jednak w odniesieniu do podwozia zauważył, że w momencie uderzenia w wodę koła były gdzieś pomiędzy pozycją w pełni wysuniętą a w pełni schowaną. Gdyby bowiem podwozie było zablokowane w którejś ze skrajnych pozycji, jego elementy blokujące zostałyby uszkodzone. Na bardzo znanym zdjęciu lotniczym zatopionego wraku wyraźnie widać, że leży on na plecach z wypuszczonym podwoziem. Także generał brygady Noel Mason-MacFarlane, używający imienia Frank, gubernator Gibraltaru, pisze, że pilot nie wciągnął podwozia; prawdopodobnie jest to wniosek z jego własnych oględzin wraku samolotu, dokonanych z łodzi. Obserwacja MacFarlane'a jest o tyle ważna, że zdaje się potwierdzać autentyczność zdjęcia — rzeczywiście ukazuje ono właśnie liberatora AL 523. Na podstawie tej fotografii często wyciąga się wniosek, że Prchal także w tym wypadku minął się z prawdą (takie jest również zdanie profesora Maryniaka). Jednak zeznania Prchala dotyczące położenia podwozia w świetle opinii Stevensa należałoby interpretować tak, że pilot wykonał czynności powodujące wciągnięcie podwozia, lecz nie zdążyło się ono schować przed zetknięciem się samolotu z powierzchnią wody. Układ hydrauliczny sterujący położeniem podwozia przestał działać, gdy zgasły silniki, co nastąpiło tuż przed wodowaniem. Podczas wodowania podwozie było już na tyle schowane, że nie stwarzało niebezpiecznych oporów w zetknięciu z wodą. Kiedy po sześciu–ośmiu minutach samolot zatonął, kładąc się na plecy, koła się wysunęły.

Profesor Jaroslav Valenta, czołowy zwolennik wersji wypadku (co jest główną przyczyną, dla której odniesienia do jego tekstów są w tej książce wyjątkowo częste), zajął się analizą wypowiedzi, według których kapitan Eduard Prchal sugerował, że przyczyną katastrofy mogło być nieprawidłowe postępowanie drugiego pilota, majora Williama S. Herringa*.

W 1946 roku kapitan Capes opublikował artykuł**, w którym opisał swoją rozmowę z Prchalem w szpitalu w Gibraltarze, wkrótce po pierwszym przesłuchaniu czeskiego pilota przez Court of Inquiry, które odbyło się 8 lipca 1943 roku. Według Capesa, Prchal podtrzymał podczas tej rozmowy swoją wersję katastrofy jako konsekwencji zablokowania steru wysokości, jednak — inaczej niż podczas przesłuchania pod przysięgą — nie uważał tej przyczyny za niewytłumaczalną, lecz stwierdził, że „Herring bezdyskusyjnie [*zřejme*, jak to określił Valenta] zawinił katastrofę, ponieważ nie znał się na pilotowaniu liberatora"***. Herring miał wylatane ogółem 1274 godziny i 50 minut za dnia oraz 372 godziny i 20 minut w nocy, większość na cięż-

---

* Papiery Valenty, *Druhý pilot major Herring*, sygn. Gibcz-druhý1-opravadrKlubPol.

** R. B. Capes, *Jak zginął gen. Sikorski*, „Dziennik Polski i Dziennik Żołnierza", 20 kwietnia 1946. Valenta podaje, że na początku lub w połowie lat 50. Prchal podobno napisał polemiczny wobec relacji Capesa artykuł o sprawie gibraltarskiej dla małej agencji prasowej kierowanej przez czechosłowackiego „polutowego" emigranta (gdyż opuścił kraj po lutym 1948 r., gdy władzę w Pradze przejęli komuniści) Josefa Jostena. Artykuł ten jednak nigdy nie ukazał się w brytyjskiej prasie. W siedzibie agencji doszło do dziwnego pożaru, którego pastwą padło całe archiwum z wszystkimi starymi biuletynami informacyjnymi dotyczącymi Czechosłowacji. Josten podejrzewał, że za pożarem stała czechosłowacka służba bezpieczeństwa, ŠtB (Papiery Valenty, ibidem, s. 1). Mógł mieć rację, jeżeli zamiarem sprawców pożaru było zniszczenie tych biuletynów. Jeżeli jednak powodem było złożenie przez Prchala jego artykułu, to pożar wywołała ta służba bezpieczeństwa, w której interesie leżało nieprzypominanie „sprawy gibraltarskiej", szczególnie w formie utrwalonej na piśmie, i nie chodzi tu o ŠtB.

*** Papiery Valenty, ibidem, s. 2.

kich bombowcach Lancaster i Wellington, a tylko 36 godzin
i 15 minut w dzień i 15 godzin w nocy na liberatorach, z czego
jedynie 1,5 godziny jako pierwszy pilot. Do tego należy dodać
ostatni lot z Kairu do Gibraltaru, co w sumie czyniłoby około
60 godzin wylatanych na liberatorach. Było to niewiele, lecz
nie dla tak znakomitego pilota jak Herring. Miał on opinię
„1 — pilot wyjątkowy", Prchal zaś „2 — pilot ponadprzecięt-
ny", a mimo to Czech został pierwszym pilotem na liberatorze
już po ośmiu godzinach terminowania w charakterze drugiego pilota. Co więcej, „jeden z członków Inquiry, mjr Roland
J. Falk, przedstawiany jako ekspert od Liberatorów, miał co
prawda 4800 godzin nalotu, ale z tego na Liberatorach również
jakichś 60 godzin", czyli tyle samo, ile faktycznie wynosił 4 lipca
1943 roku nalot Herringa*. W 1941 roku Herring doprowadził
dwusilnikowy bombowiec Avro-Manchester znad Berlina do
Anglii na jednym silniku, chociaż te zawodne maszyny (więcej
ich stracono na skutek awarii niż od niemieckiego ostrzału)
uważano za przepadłe, jeśli jeden z silników zawiódł. Za swój
wyczyn Herring został odznaczony Distinguished Service Or-
der, DSO (wcześniej dostał Distinguished Flying Medal, DFM;
niektóre źródła podają, że Distinguished Flying Cross, DFC).

Valenta uznał za niewyobrażalne, aby wkrótce po pierwszym
przesłuchaniu Prchal powiedział Capesowi coś takiego, tym
bardziej że mógł się spodziewać, iż Capes złoży brytyjskim władzom lotniczym relację z tej rozmowy. (Valenta nie wyklucza
jednak, że Prchal mógł wypowiedzieć tylko przypuszczenie, że
„Herring omyłkowo przeprowadził błędną manipulację drąż-

---

* Ibidem, s. 4; Wacław Subotkin, *Tragiczny lot generała Sikorskiego — fakty
i dokumenty*, KAW, Szczecin 1986, s. 67.

kami sterowniczymi".) Co więcej, pozostaje „to też w przykrej sprzeczności z rzeczywistymi wydarzeniami [*skutečnostmi*], które Prchal musiał znać i nie mógł zapomnieć, także na podstawie danych, które podaje jego nieoceniony Log Book [dziennik pokładowy], gdzie je sam własnoręcznie zapisał"*. Czeski historyk dopuścił możliwość, że relacja Capesa mogła zostać zniekształcona przy tłumaczeniu z języka angielskiego na polski. Valenta nie bierze jednak pod uwagę, że — nawet zakładając, iż Capes lub tłumacz zmienili brzmienie wypowiedzi Prchala na bardziej kategoryczne — Prchal mógł rozpocząć grę z przełożonymi. Wiedział już, że Herring (przynajmniej oficjalnie) nie żyje i zachowując pozory koleżeńskiej lojalności, nie obciążył go w oficjalnym zeznaniu, tym bardziej że byłoby to niewygodne dla władz brytyjskich, z czego zdawał sobie sprawę. Zatem — zakładając hipotetycznie — mówiąc w prywatnej rozmowie coś innego niż przed komisją, nie ryzykował, że zostanie mu zarzucone krzywoprzysięstwo.

Jeżeli ta hipoteza jest zgodna z prawdą, to Prchal osiągnąłby dwa cele: podkreśliłby swoją użyteczność dla forsowanej przez oficjalne czynniki wersji wypadku, a zarazem zyskałby gwarancję, że w najmniejszej mierze nie zostanie mu przypisana odpowiedzialność za spowodowanie tego „wypadku". W rezultacie zapobiegłby powstaniu poważnej skazy na swoim zawodowym życiorysie, która mogłaby pogrzebać jego plany na okres powojenny — jak stwierdził jeden z jego przyjaciół, „być może chciał ubiegać się o posadę transatlantyckiego pilota w którejś z wielkich światowych linii [lotniczych]"**. (Sam Valenta mi-

---

* Papiery Valenty, ibidem, s. 3.
** Ibidem, s. 6.

mowolnie wspiera taką argumentację, pisząc, że „Awaria, w której wszyscy oprócz niego zginęli, nie była dla zawodowego pilota, jakim był Prchal, rzeczą, przy której mógł tak lekko i spokojnie przejść nad tym, że sam przeżył". Pisze to między innymi w kontekście uporczywego roztrząsania przez Prchala przebiegu lotu podczas pobytu w szpitalu, co w artykule w „Sunday Telegraph" z 22 grudnia 1968 roku wspomina Stanley Mew, podczas wojny oficer MI9* dzielący z Prchalem szpitalną salę. Jednak Valenta nieco dalej dodaje, że zwierzenie poczynione Capesowi można by uznać za dalszy ciąg ówczesnego „myślenia na głos" Prchala.)

Że Eduard Prchal nieoficjalnie obciążał Williama S. Herringa odpowiedzialnością za „wypadek", zasugerowali kapitan Leslie Swabey i publicysta (Harry) Chapman Pincher, rozmawiając 7 lutego 1969 roku z Grahamem Herringiem, synem drugiego pilota, a ich wypowiedzi spisał historyk David Irving. Valenta prawie wcale nie poświęca uwagi relacji Pinchera, skupiając się na wspomnieniu Swabeya.

Swabey stwierdził, że po powrocie do czynnej służby (7 września 1943 roku) Prchal spotkał się z kolegami na macierzystym lotnisku swojego dywizjonu 511 i podczas rozmowy w barze mesy oficerskiej rozważał, czy Herring mógł spowodować katastrofę. Jak powiedział Swabey, Prchal pytany przez kolegów o przyczynę katastrofy odparł, że wolant stał się jakby „all soggy" i w rezultacie samolot zaczął przepadać.

Soggy znaczy „przemoczony", „rozmoczony", ale też — co znacznie lepiej pasuje do kontekstu — „grząski", „rozmiękły".

---

* Military Intelligence (Section) 9, Wywiad Wojskowy (Wydział) 9. Więcej na ten temat w aneksie 3E.

Być może więc Prchal chciał powiedzieć, że wolant „zwiotczał" lub że stery słabo i opornie reagowały na jego ruchy wolantem. Ten brak precyzji w sformułowaniu Prchala jest zastanawiający. Kapitan Neugebauer, który oczywiście nie znał relacji Swabeya, złożonej jedenaście lat po ukazaniu się jego własnego artykułu, napisał: „Niech się pilot Prhala [tak w oryginale] zdecyduje, czy stery były zablokowane, czy po prostu odmówiły posłuszeństwa, to znaczy ster wysokościowy przestał reagować na poruszenia wolantem". Tymczasem jeżeli przyjąć sformułowanie, że wolant zaczął reagować, jakby był *„all soggy"*, to otrzymujemy trzecią możliwość: ster wysokości reagował, lecz albo poruszenie go wymagało przezwyciężenia niezwykle dużego, lecz bynajmniej nie statycznego oporu wolantu, albo reakcja steru była niewspółmiernie mała w stosunku do ruchu sterownicy. W ten sposób Prchal wprowadził opis wymykający się sensownej krytyce.

Natomiast na pytanie kolegów, co mogło spowodować taką reakcję steru (a raczej jej brak), Prchal odpowiedział, że drugi pilot musiał wypuścić klapy, zamiast wciągnąć podwozie. Zapytany, dlaczego nie podzielił się tym podejrzeniem z komisją, odrzekł, że ponieważ Herring był martwy i nie mógł odpowiedzieć na zarzuty, czuł, że nie może go o to obwiniać. Trudno jednak nie zauważyć, że wbrew deklarowanej lojalności wobec zmarłego kolegi Prchal właśnie podważał jego profesjonalizm przed coraz większą liczbą osób.

Valenta zadał sobie i byłym pilotom liberatorów trzy pytania. Odpowiedź na pierwsze — czy pomyłka, jaką Prchal przypisał Herringowi, spowodowałaby utratę wysokości i ostatecznie przepadnięcie samolotu? — była pozytywna. Drugie pytanie brzmiało: czy taka pomyłka była w ogóle możliwa i łatwo ją było popełnić w wyniku przeoczenia, nieuwagi? Powołując się na analizę zdjęcia kokpitu liberatora, zamieszczonego w podręczniku instruktażowym dla pilotów i mechaników tego modelu samolotu*, ukazującego położenie najważniejszych mechanizmów i urządzeń, Valenta zaznacza, że dźwignia sterująca klap była umieszczona na środkowej konsoli, znajdującej się między fotelami pilotów, przy jej prawym skraju, czyli tuż pod lewą ręką drugiego pilota. Dźwignia sterująca położeniem podwozia była umieszczona na tym samym środkowym panelu, lecz na jego lewym skraju, czyli tuż pod prawą ręką pierwszego pilota. Głowica dźwigni klap była czworokątna, a dźwigni podwozia — owalna. W konsekwencji Valenta uważa pomyłkę drugiego pilota za prawie niemożliwą tak ze względu na usytuowanie obu dźwigni, jak i na „czytelną i rozpoznawalną różnicę między ich głowicami". Co więcej, „właściwa dźwignia była prawie pod ręką [drugiego pilota], a do niewłaściwej można było wprawdzie sięgnąć, lecz trzeba by było znacznie wyciągnąć rękę". Profesor Valenta prawdopodobnie nie spostrzegł, że ten jego wywód wspiera również opinia podpułkownika Stevensa**.

Chociaż trzecie pytanie Valenty brzmiało: czy do tej pomyłki rzeczywiście doszło?, to w gruncie rzeczy, na podstawie analizy jego rozumowania i argumentowania, słuszniej byłoby sformułować je inaczej: czy Prchal rzeczywiście postawił taki zarzut Herringowi?

Valenta napisał, że bardzo wątpi, czy po ćwierćwieczu można odtworzyć jakąkolwiek rozmowę w jej dosłownym brzmieniu. Zwraca uwagę na różnicę w sformułowaniach Swabeya i Pinchera, chociaż Graham Herring rozmawiał z nimi tego samego dnia. Uważa, że nawet po pięciu–dziesięciu latach można za-

---

* *Pilot's and Flight Engineer's Notes. Liberator...*, b. m. i d. w.
** Vide D. Irving, op. cit., s. 116–117.

chować w pamięci wyłącznie zarysy tego, o czym się mówiło, przybliżony czas trwania rozmowy, jej charakter (zgodność lub sprzeczność poglądów), ale niewiele więcej. „Jest różnica w treści [*obsahu*] i wydźwięku [*dosahu*] zdania «Herring pomyłkowo zrobił...» i zdania «Wiecie, do dzisiaj nie rozumiem, co się stało, ale wydaje mi się, że być może Herring pomyłkowo...». [...] Musimy wziąć pod uwagę możliwość pewnego przesunięcia (nie chcę użyć wyrazu «skreślenia») przez zapisującego rozmowę D. Irvinga". Valenta sugeruje też, że jakiś wpływ na relację Swabeya mógł mieć alkohol spożywany podczas rozmowy Prchala z kolegami, jednak zdaje się przywiązywać większą wagę do wpływu alkoholu na słuchaczy Prchala, szczególnie Swabeya, niż na niego samego, być może słusznie.

Profesor Valenta konkluduje, że Swabey (a także Pincher) relacjonuje rozmowę, podczas której Prchal po prostu zwierzał się kolegom ze swoich rozterek dotyczących przyczyny katastrofy: podał komisji nieprawdziwą przyczynę (niewytłumaczalne zablokowanie steru wysokości), jego zeznanie zostało przyjęte, a on sam uwolniony od podejrzeń i zarzutów, ale „niektóre wyniki swoich przemyśleń zachował dla siebie". Problem polega na tym, że n i e z a c h o w a ł, co jest oczywiste niezależnie od tego, jakie w rzeczywistości były jego wynurzenia.

Valenta proponuje, aby rozważyć, co mógłby zyskać lub stracić Prchal, gdyby w pełni zaakceptować wspomnienie Swabeya. Prchal „Zyskałby może, nie jest to jednak pewne (już w notatce z rozmowy [Graham] Herring–Pincher występuje uszczypliwa wzmianka, że ten Czech chce być bardziej angielski od Anglików), chwilowy podziw kolegów z dywizjonu, że pomyłkę i winę martwego kolegi przeniósł dżentelmeńsko na bezosobowy czynnik usterki z niezidentyfikowaną przyczyną. Strata byłaby całkiem nieporównywalna: przynajmniej postępowanie dyscyplinarne na wiadomość o [uprzednim] nieprawdziwym zeznaniu, zatem o okłamaniu Inquiry, a to oznaczało straszliwą plamę na dotąd nieskazitelnym życiorysie, w następstwie przynajmniej przymusowe odejście z dywizjonu 511, jeżeli nie gorsze konsekwencje"*.

Jaroslav Valenta nie dostrzega, że Eduard Prchal grał o coś więcej niż „chwilowy podziw kolegów". Wersja niewyjaśnionego bezpośredniego zablokowania steru doskonale nadawała się do przekazania opinii publicznej i dlatego została zaakceptowana przez brytyjską komisję. Jednak wersja ta kompromitowała Prchala w oczach kolegów pilotów, którzy znali specyfikę liberatorów. Podsuwając im bardziej wiarygodne wyjaśnienie (kombinację położenia klap i podwozia, negatywnie wpływającą na reakcje steru), Prchal walczył o swoją reputację doskonałego pilota, a być może przy okazji pragnął wyrównać jakieś porachunki z Herringiem (vide rozdział 6. *Zamach*).

Niezależnie od tego, że — jak już wspomniałem — oficjalnym czynnikom brytyjskim nie zależało na podważaniu oficjalnego zeznania Prchala, a tym samym na ukaraniu go za ewentualnie kłamstwa, wypadałoby również postawić pytanie, co mogli zyskać lub stracić panowie Capes, Mew, Swabey i Pincher, którzy niezależnie od siebie i w różnym czasie utrzymywali, że Prchal nieoficjalnie przynajmniej sugerował (lub napomykał), że Herring odpowiada za spowodowanie katastrofy. Ryzykowali ściągnięcie na siebie gniewu władz, choć wydaje się, że postanowiły one po prostu zignorować ich relacje. Natomiast jakiegokolwiek zysku dla tych mężczyzn trudno się doszukać,

---

* Papiery Valenty, ibidem, s. 7–9.

chyba że zbiegiem okoliczności wszyscy czterej byliby szukającymi rozgłosu plotkarzami, a nawet oszczercami.

Wypada stwierdzić, że dokonana przez Valentę analiza wypowiedzi Prchala sugerujących winę (zamierzoną lub nie) drugiego pilota jest mało wnikliwa, a może raczej — mówiąc wprost — selektywna. Tymczasem wystarczyłoby dokładnie prześledzić tok zeznań Prchala, aby zwątpić w jego prawdomówność. Podczas końcowego przesłuchania przed pierwszą komisją powołaną przez marszałka Slessora czeski pilot został zapytany, co miał na myśli, wołając do Herringa „Szybko sprawdź stery!" [„*Check over the controls quickly!*"], jak poprzednio zeznał. Prchal odparł, że okrzykiem tym wzywał go do odblokowania sterów, lecz Herring nie odpowiedział na to wezwanie (warto zapamiętać ten brak reakcji Herringa, ale czy relacja pierwszego pilota jest w tym miejscu prawdziwa? — okrzyku Prchala nie usłyszano na wieży kontroli lotów). W odpowiedzi na kolejne pytanie Prchal stwierdził, że kiedyś już się znalazł w podobnej sytuacji, podczas startu z macierzystej bazy w Lyneham. Jego drugi pilot, major D. C. McPhail, zablokował wówczas mechanizm steru wysokości podczas rozbiegu, na skutek czego Prchal nie mógł poruszyć wolantem i oderwać maszyny od pasa startowego. W ostatniej chwili wydał rozkaz odblokowania steru, ściągnął sterownicę i samolot wyszedł w powietrze. Później zameldował o tym dowódcy dywizjonu 511 i opowiedział pozostałym pilotom z tej jednostki. Jednak zarówno Sach, jak i Llewellyn, którzy wysoko cenili Prchala, zaprzeczyli, by dotarł do nich taki meldunek. Nie ma też po nim śladu w archiwum brytyjskiego ministerstwa obrony. Mimo to Prchal jeszcze w wywiadzie dla londyńskiego „Dziennika Polskiego i Dziennika Żołnierza" z 29 lipca 1953 roku utrzymywał, że takie pomyłki drugiego pilota zdarzały się w liberatorach, a Davidowi Irvingowi w maju 1967 roku oraz reporterowi „Sunday Express" w tym samym miesiącu powiedział, że wiosną 1944 roku był świadkiem w Montrealu, jak taki sam błąd spowodował upadek liberatora na dwa domy. Zapytany przez Irvinga, czy o przyczynie katastrofy wie od pilota, Prchal odparł, że cała załoga zginęła. „Co zabawniejsze, pilot był Polakiem", dodał. Producent tych samolotów zapewnił w 1967 roku Irvinga, że liberatorom B-24 nigdy nie zdarzyło się zacięcie sterów wysokości. Jedyna awaria polegała na poluzowaniu się sworznia w mechanizmie steru, ale według raportu brytyjskiej komisji nic takiego nie stało się w liberatorze AL 523*.

A zatem podważając wiarygodność relacji Capesa, Mewa, Swabeya i Pinchera odnośnie do nieoficjalnego obciążania Herringa przez Prchala, Valenta nie zorientował się, że relacje te pokrywają się z tym, co Prchal oficjalnie zeznawał (sugerował, rozważał) przed Court of Inquiry. W rezultacie nie musiał się obawiać, że komisja postawi mu zarzut krzywoprzysięstwa. My natomiast możemy teraz dostrzec, że Prchal w istocie oszukał swoich kolegów w mesie oficerskiej w Lyneham, gdy na pytanie, dlaczego nie podzielił się z komisją podejrzeniem, że Herring pomylił dźwignię klap i podwozia, odrzekł, że ponieważ martwy Herring nie mógł odpowiedzieć na zarzuty, czuł, że nie może go obwiniać o spowodowanie katastrofy. Rzeczywiście, Prchal nie sugerował komisji wersji z pomyłką dźwigni klap i podwozia, ale tak czy inaczej obwinił Herringa, upierając się przy pomyłkowym zablokowaniu steru wysokości przez drugiego pilota. Podczas przesłuchania 5 sierpnia 1943 roku przez drugą brytyjską komisję powołaną przez Slessora Prchal podtrzymał swoją hipo-

---

* D. Irving, op. cit., s. 94–95, 201–202, przyp. 104–107.

tezę, że to błąd drugiego pilota mógł spowodować zablokowanie steru wysokości, ale w odpowiedzi na jedno z pytań stwierdził, że — zgodnie z procedurą — na jego rozkaz to drugi pilot odblokował układ sterowniczy po zakończeniu kołowania, na początku pasa startowego. Jak komentuje Irving, to „wykazało, że Herring wiedział, która dźwignia blokuje ster, co przeczyło teorii, którą sam Prchal głosił w szpitalu w Gibraltarze"*.

Zeznania kapitana Prchala zarówno w całości, jak i w szczegółach są tak niewiarygodne, i to nie tylko w warstwie technicznej, ale także w kategoriach czystej logiki, że David Irving rozważał nawet możliwość, iż może to być skutek urazu psychicznego. Aby się co do tego upewnić, poprosił doktora Stephena Blacka, dyrektora Nuffield Research Unit in Psycho-Physiology, o teoretyczną konsultację przypadku Prchala. Z opinii doktora Blacka wynika, że chociaż w szpitalu w Gibraltarze „zdiagnozowano tylko szok, to bardzo możliwe, że nastąpiła także powstrząsowa amnezja wsteczna**, która mogła objąć

---

* Ibidem, s. 120–121, 208, przyp. 50.

** Amnezja jest to „osłabienie lub utrata pamięci pewnych zdarzeń lub okresów własnego życia" (Encyklopedia Powszechna PWN, t. 3, Warszawa 1975), mogłoby się więc wydawać, że termin „amnezja wsteczna" jest tautologią, ponieważ amnezja z natury rzeczy odnosi się do przeszłości. Jednak przymiotnik „wsteczna" nie określa relacji amnezji względem teraźniejszości (w tym sensie każda amnezja byłaby oczywiście „wsteczna"), ale względem zdarzenia lub okresu w przeszłości. Użycie przez lekarza terminu „amnezja wsteczna" oznacza, że pacjent utracił p a m i ę ć o k r e s u b e z p o ś r e d n i o p o p r z e d z a j ą c e g o z d a r z e n i e, które wywołało tę utratę. (Odpowiednio, amnezja śródczesna dotyczy okresu, w którym wystąpiło takie traumatyczne zdarzenie, a amnezja następcza odnosi się do okresu bezpośrednio po takim zdarzeniu.) W przypadku Prchala dr Black uznał, że mógł on utracić pamięć czynności, które rzeczywiście wykonał, a raczej których nie wykonał, bezpośrednio p r z e d doznaniem szoku.

Dziękuję dr. Stanisławowi Dumani, specjaliście psychiatrze, za przystępne wyjaśnienie tej problematyki — T.A.K.

nawet minutę: to, co Prchalowi wydawałoby się (przed Court of Inquiry) prawdziwym wspomnieniem wypadków podczas sekund poprzedzających uderzenie, mogło być nieświadomą racjonalizacją w kategoriach regulaminu, co do którego [Prchal] miał pewność, że wypełniłby go w każdej sytuacji. To mogłoby wyjaśnić niektóre [podkr. T. A. K.] sprzeczności w jego oświadczeniach przed komisją"*.

W 1953 roku Prchal udzielił wywiadu londyńskiemu „Dziennikowi Polskiemu i Dziennikowi Żołnierza" (opublikowany 29 lipca tegoż roku, przedrukowany 30 kwietnia 1967 roku w „Sunday Telegraph", „Sunday Times" i „Sunday Express"), w którym podtrzymał swoją wersję niewyjaśnionego zablokowania się sterów, ale podał znacznie wyższą wartość pułapu osiągniętego przez samolot — 300 stóp zamiast zadeklarowanych komisji 150, co stanowczo zakwestionował major inżynier T. H. Algernon Llewellyn, do maja 1943 roku dowódca dywizjonu 511, ekspert od liberatorów, na którego powołuje się David Irving. Także major lekarz Daniel Canning, który obserwował w Gibraltarze wiele startujących samolotów, stwierdził, że żaden z liberatorów nigdy nie zbliżył się do wysokości 300 stóp podczas startu. Wielu dawnych oficerów z Gibraltaru było zdziwionych, że Prchal w tym wywiadzie zmienił swoją wersję przebiegu startu**. Potwierdził on dalej, że zamknął przepustnice (niezbyt dokładnie, jak zauważył podpułkownik Stevens), ale oświadczył, że nakazał drugiemu pilotowi wyłączyć iskrowniki (dziesięć lat wcześniej na pytanie komisji, czy drugi pilot mógł je wyłączyć, zanim nastąpiło zderzenie samolotu

---

* D. Irving, op. cit., s. 160 i 217, przyp. 18.
** Ibidem, s. 110 i 205, przyp. 19.

z morzem, odpowiedział krótko: „Nie wiem"). Prchal zupełnie zdyskredytował swoją wiarygodność, utrzymując, że samolot pikował do morza z prędkością 150 mil na godzinę*. Profesor Maryniak uważa, że gdyby tak było, to maszyna rozbiłaby się o powierzchnię morza i w żadnym razie nie utrzymałaby się na wodzie sześć do ośmiu minut. Należy podkreślić, że opinia kapitana Bucka, iż „Wszystkie stwierdzone uszkodzenia powstały na skutek zderzenia samolotu z powierzchnią morza bądź też podczas wydobywania samolotu z morza", była wypowiedziana wyłącznie w odniesieniu do usterzenia, nie zaś do kadłuba samolotu. Dlatego stwierdzenie, które sir Burke Trend, sekretarz gabinetu, zawarł w swoim raporcie z 7 lutego 1969 roku dla premiera Harolda Wilsona, że na najważniejszych częściach liberatora nie było śladów sabotażu**, jest prawdziwe, a zarazem wprowadza w błąd, jeżeli odnieść je do niektórych części maszyny innych niż usterzenie.

Przypuszczalnie Prchal liczył, że wersja zablokowania sterów i wynikającego stąd braku panowania nad samolotem uprawdopodobni jego (rzekomą) bezsilność, (rzekomą) siłę uderzenia maszyny o powierzchnię morza i śmierć kilkunastu osób, jego własne obrażenia oraz zniszczenie i zatonięcie samolotu. Wiadomo jednak powszechnie, że samolot po zetknięciu z wodą był cały i unosił się na niej kilka minut, z czego wynika, że nie znalazł się tam w wyniku pikowania, lecz poprawnie przeprowadzonego manewru wodowania, co nie wyjaśnia ani jego późniejszego szybkiego zatonięcia, ani rozczłonkowania

---

* Olgierd Terlecki, *Generał ostatniej legendy. Rzecz o generale Władysławie Sikorskim*, Chicago 1976, s. 306.
** Jacek Tebinka, *Dwie teczki. Zatajone dokumenty w sprawie śmierci generała Sikorskiego*, „Polityka", nr 48, 2002, s. 75.

na trzy części, ani zniszczenia (zniknięcia) znacznej połaci dolnego poszycia kadłuba, ani śmierci wielu ludzi. Trudno jednak uwierzyć, że Prchal postanowił po dziesięciu latach przekonać do tej wersji wybitnych brytyjskich i polskich ekspertów lotniczych (przedstawicielom Boeinga, producenta samolotu, nie pozwolono na oględziny wraku). Różnica między nimi polegała (i wciąż polega) na tym, że Brytyjczycy zachowują swoją opinię dla siebie, a Polacy nie mają powodu nie wypowiadać swojej publicznie (z wyjątkiem tych, którzy się boją; ci jednak powinni wiedzieć, że każdy wymierzony w nich akt przemocy byłby potwierdzeniem stawianych przez nich zarzutów).

Zarówno zeznania, jak i późniejsze wypowiedzi kapitana Prchala są więc całkowicie niewiarygodne zarówno jeśli chodzi o zgodność z faktami, jak i z teoretyczno-technicznego — czyli najbardziej obiektywnego — punktu widzenia. Tak więc uzasadnione jest podejrzenie, że pierwszy pilot w jakiejś mierze przyłożył rękę do zamachu na generała Sikorskiego, a przynajmniej wiedział, że ma do niego dojść. Wnioski z tego rozdziału są bowiem następujące: jeżeli katastrofy liberatora AL 523 nie spowodował jakiś defekt, czyli nie była ona wypadkiem, to musiała być częścią zamachu. Zdanie zamykające książkę Davida Irvinga — „Dlatego pozostaje tajemnicą pytanie: co spowodowało kraksę, w której zginął Sikorski?"* — jest już nieaktualne.

Symulacja komputerowa profesora Maryniaka, z której wynika, że samolot łagodnie wodował, pokrywa się z ustaleniami podpułkownika Stevensa, potwierdzonymi niezależnie przez

---

* „The mystery remains therefore: what caused the crash in which Sikorski died?" (D. Irving, op. cit., s. 162).

kapitana Bucka, iż stery i fletnery pozostały nienaruszone, oraz koresponduje z opinią kapitana Neugebauera, że wykorzystując sprawne silniki i fletnery (nawet gdyby ster wysokości rzeczywiście był zablokowany), można było maszynę łagodnie posadzić na wodzie, a nawet zawrócić na lotnisko. Nasuwa się wniosek, że (niezależnie od stanu usterzenia) ta pierwsza możliwość została wykorzystana, a ta druga nigdy nie była brana pod uwagę.

ROZDZIAŁ 3

Preludium

Przyjmuje się, że przed 4 lipca 1943 roku było pięć prób zamachu na generała Sikorskiego:

1. w roku 1940 w Paryżu,
2. w 1941 roku na londyńskiej ulicy,
3. 21 marca 1942 roku nad Atlantykiem, w samolocie wiozącym Sikorskiego do Ameryki,
4. 30 listopada 1942 roku w samolocie startującym z lotniska Dorval w Montrealu do Waszyngtonu (12 stycznia 1943 roku na lotnisku Gander na Nowej Fundlandii nastąpiła awaria silników przed lotem powrotnym do Wielkiej Brytanii),
5. 3 lipca 1943 roku na lotnisku pod Kairem, przed lotem powrotnym do Gibraltaru.

Dokonajmy krótkiego przeglądu trzech ostatnich wydarzeń, noszących znamiona sabotażu.

21 marca 1942 roku podpułkownik dyplomowany Bohdan Kleczyński, mający objąć stanowisko attaché lotniczego w Waszyngtonie, członek jednej z licznych konspiracji wojskowych skierowanych przeciw generałowi Sikorskiemu, podczas lotu przez Atlantyk rozbroił aktywną świecę zapalającą w samolocie wiozącym polską delegację na drugie spotkanie z prezydentem Stanów Zjednoczonych, Franklinem D. Rooseveltem. Celem

podróży Sikorskiego było nakłonienie Roosevelta do wywarcia
nacisku na Wielką Brytanię i Związek Radziecki, aby postanowienia układu o przyjaźni między tymi dwoma państwami,
który miał być wkrótce podpisany, nie naruszały interesów Polski, a zwłaszcza by nie zawierały klauzuli o uznaniu radzieckich
nabytków terytorialnych po 1 września 1939 roku.

Ostatnią osobą, która opuściła samolot Sikorskiego przed
startem z lotniska w Prestwick, był brytyjski oficer z dowództwa
portu lotniczego, do czego niektórzy autorzy zdają się przywiązywać jakąś wagę.

Trasa samolotu wiodła nad Nową Fundlandią do Montrealu. Tam nastąpiło międzylądowanie, ponieważ zasięg maszyny
nie pozwalał na bezpośredni lot z Londynu do Waszyngtonu.
Na lotnisku w Montrealu Kleczyński po raz pierwszy został
przesłuchany przez wojskowe władze alianckie. Zeznał, że po
prostu znalazł świecę zapalającą i rozbroił ją. Trzeba wyjaśnić,
że świeca zapalająca zawiera złożony materiał chemiczny, który
po uruchomieniu zapalnika nie wybucha, lecz rozgrzewa się do
bardzo wysokiej temperatury, powodując pożar powierzchni
(nawet niektórych metalowych, o stosunkowo niskiej temperaturze zapłonu), do których bezpośrednio przylega. Jednak
20 lipca 1942 roku, wezwany do złożenia zeznań w Londynie
przed komisją ministra Alfreda Duffa Coopera, podpułkownik
Kleczyński był mniej lakoniczny i oświadczył, że to on wniósł
do samolotu ową świecę zapalającą, którą otrzymał cztery miesiące wcześniej od oficera polskiej brygady spadochronowej,
a na pokładzie doszło do jej przypadkowego odpalenia. Jednocześnie śledztwo w sprawie Kleczyńskiego prowadził człowiek
znany jako podporucznik Edward Szarkiewicz, oficer wydziału
obronnego (Biura Bezpieczeństwa, czyli kontrwywiadu) Mini-

sterstwa Spraw Wojskowych i pracownik MI5*. Kleczyńskiego uznano za chorego psychicznie morfinistę i skierowano na obserwację do szpitala psychiatrycznego. (Na skutek rany głowy, odniesionej podczas lotu bojowego nad Niemcy, miewał on podobno chwilowe zachwiania równowagi psychicznej.) Dokładnie rzecz ujmując, Szarkiewicz uznał Kleczyńskiego za zamachowca, ale niepoczytalnego „w tym okresie", czyli wtedy, gdy rzekomo podjął się przeprowadzenia samobójczego zamachu. Duff Cooper poprosił Polaków, aby nie pociągali Kleczyńskiego do odpowiedzialności. I rzeczywiście, we wrześniu 1942 roku objął on katedrę taktyki lotnictwa w Wyższej Szkole Wojennej, a następnie został dyrektorem nauk Wyższej Szkoły Lotniczej w Peebles.

13 marca 1944 roku Bohdan Kleczyński przeszedł drobną operację urologiczną w polskim szpitalu im. Paderewskiego w Edynburgu. Gdy 18 marca odwiedzili go jego dwaj bracia, Mieczysław i Antoni, czuł się doskonale i nazajutrz mieli go oni odebrać ze szpitala. 19 marca do Edynburga przybył oficer VI Oddziału Sztabu Naczelnego Wodza, by przyjąć od Kleczyńskiego raport nieznanej treści (prawdopodobnie ustny), o co podpułkownik poprosił 9 marca. Zarówno jego bracia, jak i ów oficer dowiedzieli się jednak, że Bohdan Kleczyński nagle poczuł się źle i został przeniesiony do angielskiego szpitala, gdzie zmarł. Nikomu nie pozwolono zobaczyć ciała.

Jak podaje Dariusz Baliszewski,

> Według oficjalnych dokumentów owego 19 marca ppłk. Kleczyński jeszcze żył. Miał umrzeć 20 marca o 14^{00}. Wysta-

---

* Military Intelligence (Section) 5 — brytyjska służba bezpieczeństwa (kontrwywiad). Więcej na ten temat w aneksie 3F.

wiono dwa różne akty zgonu. Jeden podawał jako przyczynę śmierci ostre zapalenie mózgu, drugi — zapalenie płuc. Oba były wystawione przez tego samego lekarza, dr. Henryka Masłowskiego, którego nie udało się ani zidentyfikować, ani odnaleźć. Zarazem, jak wynika z dokumentów żandarmerii prowadzącej dochodzenie (po co dochodzenie, jeśli zmarł śmiercią naturalną w szpitalu?), w edynburskim pokoju hotelowym zajmowanym przez Kleczyńskiego pojawiła się Zofia Kleczyńska, podająca się za jego siostrę, która przejęła wszelkie notatki zmarłego. Udało się ustalić, że jedyna siostra podpułkownika, Janina Buczyńska, nigdy nie była w Wielkiej Brytanii, zmarła w Polsce w 1975 r.*

Profesora J. Rostowskiego, neurologa, który według raportu dowódcy plutonu żandarmerii miał spowodować przeniesienie Kleczyńskiego ze szpitala im. Paderewskiego do szpitala angielskiego, nie ma w żadnym spisie lekarzy.

Opinia generała profesora Mariana Kukiela, wspomnianego już polityka i historyka, że między zgonami Sikorskiego i Kleczyńskiego nie ma żadnego związku, może być zgodna z prawdą. Mimo to żaden historyk nie powinien uważać przyczyny śmierci Kleczyńskiego za ustaloną i naturalną, chyba że za naturalne uzna wystawienie przez lekarza widmo dwóch aktów zgonu podających dwie różne przyczyny śmierci. Dlaczego Kleczyńskiego przeniesiono do angielskiego szpitala? Jeżeli data jego śmierci jest prawdziwa, to dlaczego poprzedniego dnia jego braciom i oficerowi VI Oddziału odmówiono prawa ujrzenia podobno żyjącego jeszcze podpułkownika, a oficjalnie

---

* Dariusz Baliszewski, *Bomba w samolocie*, „Newsweek Polska", nr 20, s. 90.

nie pozwolono nawet zobaczyć zwłok? Co ujrzeliby trzej polscy oficerowie? Czy rzekoma siostra Kleczyńskiego działała na rozkaz Polaków, czy Brytyjczyków? (Brytyjskie tajne służby miały w swoich szeregach co najmniej jedną Polkę, hrabiankę Krystynę Skarbek, ale ona pracowała dla SOE*.)

Profesor Valenta również uważał, że sprawa podpułkownika Kleczyńskiego „zmusza conajmniej do zastanowienia się, jeżeli wprost nie prowokuje podejrzeń dość ponurych"**, choć zarazem słusznie podkreślał, że Dariusz Baliszewski niezbyt wyraźnie odnosi się do źródeł***.

Druga próba sabotażu wydarzyła się 30 listopada 1942 roku, podczas trzeciej podróży generała Sikorskiego do Ameryki. Tym razem Naczelny Wódz również najpierw przybył do Montrealu, skąd po krótkim odpoczynku miał odlecieć do Waszyngtonu.

---

* SOE (Special Operations Executive — Zarząd Operacji Specjalnych) — patrz aneks 3G.

** Papiery Valenty, *Dlaczego właśnie czechosłowacki pilot?*, sygn. Gibpl-dlaczp- -doplnit poznamky, s. 2.

*** Redaktor Baliszewski, twórca programów historycznych „Rewizja Nadzwyczajna" Telewizji Polskiej, jest z wykształcenia historykiem, jednak bywa, że przeważa w nim temperament publicysty i formułuje zbyt daleko idące uogólnienia, nie mając ku temu należytych podstaw. Trzeba jednak przyznać, że generalizacje te zwykle mają formę pytań lub hipotez, a nie kategorycznych twierdzeń. D. Baliszewski dotarł do pewnej liczby nieznanych dokumentów i świadków, jednak nie zawsze udało mu się te nowe źródła poprawnie zweryfikować, zinterpretować lub wykorzystać, przez co stał się łatwym celem krytyki zawodowych historyków. (Można jednak sądzić, że niektórzy z nich dają tym wyraz frustracji, że dziennikarzowi udało się znaleźć coś lub kogoś, czego im się nie udało lub nie chciało znaleźć.) Baliszewski zgromadził wielką liczbę dokumentów i relacji związanych zarówno z okolicznościami zamachu na Sikorskiego w Gibraltarze, jak i z osobami, które mogły go dokonać, a przy tym korzysta z konsultacji zawodowych historyków, opiniujących przywoływane przez niego źródła. Sprawia to, że cytuję tu jego publikacje, chociaż z zachowaniem niezbędnego krytycyzmu.

Tuż po oderwaniu się samolotu od pasa startowego lotniska Dorval w Montrealu na wysokości dziesięciu metrów zgasły oba silniki hudsona, którym leciał, i tylko umiejętności pilota, majora R. E. Marrowa, i łut szczęścia umożliwiły awaryjne lądowanie na brzuchu. Porucznik pilot Czesław Główczyński, adiutant Sikorskiego, był przekonany, że gdyby dowódca lotniska, pułkownik Powell, nie zaproponował mu przeprowadzenia dodatkowej próby silników przed startem, to silniki zgasłyby dopiero kilkanaście minut po starcie i nic nie uratowałoby polskiej delegacji. Przed każdym startem próba silników jest dokonywana rutynowo, głównie po to, by je po prostu rozgrzać. Nie wiemy, dlaczego pułkownik Powell zaproponował dodatkową próbę, najprawdopodobniej tylko dlatego, że czuł się zobowiązany do szczególnej staranności ze względu na bardzo ważną osobistość na pokładzie, a być może wiedział o domniemanym zamachu podpułkownika Kleczyńskiego. W każdym razie dodatkowa próba doprowadziła do prawie całkowitego wyczerpania limitu czasu pracy silników (w wyniku odcięcia dopływu paliwa), ustalonego przez nieznane osoby, które dokonały „przeróbek" w maszynie Sikorskiego.

Konsekwencją śledztwa przeprowadzonego przez miejscowe władze było aresztowanie kilku kanadyjskich Niemców z obsługi naziemnej lotniska. „Brytyjskie tajne śledztwo prowadzone w tej sprawie po kilku miesiącach całkowicie zlekceważyło fakty, przyjmując, że nie było żadnego wypadku, a pilot prawidłowo posadził maszynę na lotnisku"*. Takie postawienie sprawy sugeruje, że ówczesne brytyjskie władze lotnictwa wojskowego uważały za zupełnie naturalne, że zaplanowany na kilka godzin

---

* D. Baliszewski, *Zamach w Montrealu*, „Newsweek Polska", nr 21, s. 86.

lot kończy się po kilku sekundach, a samolot ląduje na brzuchu i jest niezdolny do ponownego startu.

Uważa się dość powszechnie, że trzeciego sabotażu w samolocie Sikorskiego dokonano rankiem 3 lipca 1943 roku na lotnisku West Cairo w Heliopolis, sześćdziesiąt kilometrów od Kairu, przed odlotem Sikorskiego do Gibraltaru. Tuż przed startem zgasły podobno dwa spośród czterech silników liberatora, którym miał odlecieć Naczelny Wódz. Jako przyczynę podawano zgniecenie przewodu paliwowego w kabinie pilota. Chociaż na lotnisku była obsługa techniczna liberatorów dywizjonu 511, zajmującego się transportem VIP-ów, to usterkę podobno usunęła polska załoga halifaksa, dowodzona przez porucznika Wręba-Jaworskiego, która powróciła z misji nad Jugosławią.

Incydent kairski budzi najwięcej wątpliwości. Dariusz Baliszewski uważa, że notatka pułkownika Tadeusza Machalskiego, oficera łącznikowego w Kairze, że oprócz niego na podkairskie lotnisko odprowadzali Władysława Sikorskiego generał Stanisław Kopański i poseł polski w stolicy Egiptu, Tadeusz Zażuliński, jest niezgodna z prawdą, ponieważ generał Kopański w swoich wspomnieniach napisał, że ostatni raz widział Sikorskiego 11 czerwca. „Nie było go więc w Heliopolis. Nie było też posła Zażulińskiego, który pytany po latach o godzinę odlotu i rzekomą, już w Kairze, awarię samolotu, stanowczo odmówił odpowiedzi, bo jej nie znał i nie mógł znać. Wszystko wskazuje na to, że nikt nie odprowadzał naczelnego wodza"*.

W roku 1968, korzystając ze swobód „praskiej wiosny", profesor Jaroslav Valenta po wielu bezowocnych telefonicznych

---

* D. Baliszewski, *Skała*, „Newsweek Polska", nr 23, s. 97.

i listownych poszukiwaniach w Londynie, Stanach Zjednoczonych i Australii znalazł wreszcie adres posła Tadeusza Zażulińskiego w genewskiej książce telefonicznej i zadzwonił do niego. Po krótkiej rozmowie wysłał doń list, na który w ciągu dwóch tygodni otrzymał odpowiedź identyczną jak od Prchala, z którym również w tym okresie korespondował. „Nic podobnego s[i]ę na lotnisku nie stało", zanotował Valenta, „start odbył się gładko, śledzili samolot wzrokiem, dopóki nie znikł. Wspominał Zażuliński, jak na lotnisku wręczył pani Zofii [córce Sikorskiego] bukiet czerwonych róż i dużą bonbonierę" (tu oraz dalej styl i pisownia oryginału)*.

Z tych dwóch zdań wynikają dwa wnioski. Po pierwsze, Zażuliński jednak żegnał Sikorskiego w Heliopolis. Po drugie, zarówno Prchal, jak i Zażuliński kategorycznie zdementowali pogłoskę, jakoby 3 lipca 1943 roku liberator generała był celem jakiegoś sabotażu. Valenta postanowił więc znaleźć źródło tej pogłoski.

Przede wszystkim wziął do ręki „dwie poważne prace, O. Terleckiego** i W. T. Kowalskiego"***. Tekst dotyczący awarii liberatora na lotnisku w Heliopolis był u obu autorów prawie identyczny, co wskazywało, że obaj opierali się na tym samym źródle czy przekazie, tym bardziej że indywidualne cechy pisarstwa Terleckiego i Kowalskiego, jak styl, słownictwo, budowa zdań itd., znacznie się od siebie różnią. „W opisie incydentu jest u obu wymienionych autorów tylko jedna merytoryczna różnica. Terlecki dodaje, że na polskiego premiera czekał ten

---

* J. Valenta, *Generalna próba zamachu, albo legenda, tym razem kairska?* Wydruk komputerowy (12 stron, I kwartał 2003 r.) w moim posiadaniu — T.A.K.
** O. Terlecki, op. cit.
*** Włodzimierz T. Kowalski, *Tragedia w Gibraltarze*, Warszawa 1984.

sam pilot z tym samym samolotem, który przywiózł go przed kilkoma tygodniami z Anglii do Kairu. Tu należy się poprawka: był to ten sam pilot, zresztą, jak już wiemy, Sikorski wyraził w Kairze osobiste życzenie, by pilotowanie w podróży powrotnej powierzono w miarę możliwości właśnie Prchalowi, także załoga (poza drugim pilotem) była taka sama, jednak samolot był inny. Liberator AL-523 nie był samolotem, z którym kpt. Prchal zwykł ostatnimi czasami latać, którym też przywiózł 25 [powinno być: 27] maja Sikorskiego do Kairu. Z Log Booku Prchala się dowiadujemy, że w maju podróżowano Liberatorem znaku AL-616, z powrotem leciano samolotem znaku AL-523".

Jaroslav Valenta uznał, że Olgierd Terlecki i Włodzimierz T. Kowalski przejęli informację o awarii od któregoś z wcześniejszych polskich autorów. W żadnej z publikacji Jerzego Klimkowskiego, byłego adiutanta generała Władysława Andersa, dalekich zresztą od ścisłości, a czasami i podstawowej wiarygodności, nie ma wzmianki o awarii samolotu w Kairze. Informację taką podaje natomiast Stanisław Strumph Wojtkiewicz we wszystkich wydaniach wszystkich swoich książek wspomnieniowych, od 1946 do 1971 roku*. Brzmi ona następująco i warto ją uważnie przeczytać:

> Otóż przed samym odlotem generała z lotniska pod Kairem okazało się, że uległa zgnieceniu część rurki benzynowej w kabinie pilota. Przez dziwne to zgniecenie dwa silniki

---

* Stanisław Strumph Wojtkiewicz, *Gwiazda Władysława Sikorskiego*, Warszawa 1946; tenże, *Wbrew rozkazowi. Wspomnienia oficera prasowego 1939–1945*, Czytelnik, Warszawa 1959; wyd. III, Warszawa 1961; tenże, *Siła złego*, Warszawa 1971.

nie miały dopływu paliwa, wobec czego musiały oczywiście stanąć. Z pomocą pospieszyli polski pilot i mechanik, członkowie załogi polskiego Halifaxa z dyonu 301, dowodzonego przez porucznika Wręba-Jaworskiego. Polskie Halifaxy znalazły się wówczas w Kairze po dokonaniu zrzutów dla jugosłowiańskich partyzantów Tity.*

Różnica między wyżej zacytowaną wersją najpóźniejszą (z 1971 roku) a poprzednimi (z wyjątkiem pierwszej, z roku 1946), polega na tym, że w 1971 roku Strumph Wojtkiewicz dodał krótką, lecz znamienną, jak się okaże, uwagę, że „informacja pochodzi «ze sfer lotniczych», autorowi się jednak nie udało «dotychczas znaleźć potwierdzenia»". Natomiast w tekście z 1946 roku** stwierdza on, że po sprawdzeniu sterów pilot przeprowadził długą i dokładną próbę silników, co należy do rutynowej procedury przedstartowej, lecz przy kołowaniu obrał długą drogę, co zapobiegło katastrofie, gdyż dwa silniki nagle stanęły tuż przed samym startem. Gdyby kołowanie odbyło się po krótszej drodze, dopływ paliwa ustałby podczas rozbiegu lub tuż po tym, jak samolot wzbiłby się w powietrze.

Warto zwrócić uwagę na coś, co przeoczył Valenta. Otóż opis ten żywo przypomina wyżej opisany incydent na lotnisku Dorval w Montrealu 30 listopada 1942 roku. Różnica polega tylko na tym, że tam dowódca lotniska zaproponował dodatkową próbę silników, a tu przeprowadził ją samorzutnie pilot, obierając dłuższą drogę kołowania. Niemniej Valenta doszedł do słusznego wniosku, że „sprawdzenie i porównanie tekstów

---

* S. Strumph Wojtkiewicz, *Siła złego*, s. 168.
** S. Strumph Wojtkiewicz, *Gwiazda generała Sikorskiego*, s. 415.

prac p. Strumpha z lat 1946, 1961 i 1971 uprawnia nas do stwierdzenia, że to właśnie ten autor jest źródłem, dosłownie wynalazcą twierdzenia o awarii silników na lotnisku kairskim, które za nim gremialnie powtarzają inni polscy autorzy. Jest jednak ciekawe, że teza ta nie przekroczyła granic Polski".

Następnie Valenta wskazuje, że przewody paliwowe w liberatorze znajdują się

> wewnątrz skrzydeł, dostępne są tylko po odkręceniu i zdjęciu pokryw. [...] Dopiero w ćwierćwiecze później, w 1971 roku, pamiętnikarz dodał ważny szczegół: że zgnieciona rurka była rzekomo w kabinie pilota. [Błąd Valenty: ten szczegół Strumph Wojtkiewicz dodał już w 1959 roku]. Nie jest to zbyt zadowalająca informacja. W ścianach kabiny cockpitu nie ma wg schematów technicznych żadnego przewodu paliwowego czy rurki. [...] w kabinie pilota znajduje się przy lewej ręce pierwszego pilota (siedzi wlewo) tzw. kurek paliwowy, służący do przełączania dopływu paliwa z baków głównych na baki rezerwowe. [...] Podczas konsultacji technicznej zwrócił mi fachowiec uwagę, że teoretycznie nie sposób całkowicie wykluczyć uszkodzenia (jednak raczej pęknięcia niż zgniecenia) przewodu paliwowego na skutek wyczerpania okresu technologicznej wytrzymałości, tzw. zmęczenia materiału. [...] Nie mamy jednak żadnych danych, by sądzić, że mam[y] do czynienia z przypadkiem zmęczenia materiału.

Można by uzupełnić wywód Valenty, że akurat przewód paliwowy nie podlega działaniu sił zewnętrznych (nacisk, skręcanie), które wpływałyby na zmęczenie materiału, a ciśnienie paliwa jest minimalne w stosunku do wytrzymałości materiału.

Kolejnym aspektem podniesionym przez Jarosłava Valentę jest kwestia osób, które rzekomo naprawiały domniemaną usterkę.

Przede wszystkim dywizjon 511, zajmujący się przewożeniem VIP-ów, miał na wszystkich lotniskach, gdzie regularnie latały jego samoloty, własne placówki serwisu naziemnego*, właśnie w celu zapewnienia swoim samolotom, załogom i pasażerom obsługi technicznej na najwyższym osiągalnym poziomie. Tylko te placówki były upoważnione i odpowiedzialne za przygotowanie maszyn dywizjonu 511 do lotu i tylko one były też powołane do usunięcia jakiejkolwiek usterki. Mechanik z obcej jednostki nie miał do tego prawa. Można by wysunąć kontrargument, że być może sam Sikorski zażądał polskich mechaników. Jednak Valenta dalej drążył temat.

Skontaktował się z Vladimirem Velebitem, oficerem łącznikowym partyzanckiego sztabu Josipa Broz-Tity przy brytyjskich misjach wojskowych, autorem wspomnień, w których „znajdzie historyk sporo gdzieindziej niedostępnych informacji"**.

W omawianym okresie zrzutów dla partyzantki Tity dokonywało dziesięć halifaksów bazujących w Dernie (Cyrenajka we wschodniej Libii), następnie dołączyły do nich jeszcze dwa liberatory. Valenta nie wykluczył, że z jakichś względów jeden halifax mógł jednak znaleźć się w Kairze. Interesowało go, czy którykolwiek z halifaksów miał polską załogę.

---

* Maintenance units — jednostki techniczne; Valenta myli się, utożsamiając je ze stacjami ADRU, rozwijając ów skrót jako Air Despatch and Repair [powinno być Reception] Unit. Jak już wspomniałem, zgodnie ze swoją nazwą stacje ADRU zajmowały się odprawianiem i przyjmowaniem samolotów, ich załóg, pasażerów i ładunków.

** Przypis Valenty: Vladimir Velebit — *Sećanja*, Zagreb 1983, zwłaszcza s. 58–102.

Velebit nie umiał odpowiedzieć na to pytanie, lecz wskazał osobę kompetentną w tej materii. Był nią brytyjski dziennikarz Basil Davidson, który w roku 1943 w randze majora służył w kairskim biurze SOE, gdzie kierował sekcją jugosłowiańską i organizował zrzuty dla partyzantów Tity, a w połowie sierpnia 1943 roku jako „cichociemny" sam został zrzucony na teren Jugosławii.

Odpowiedź Davidsona na pytanie, czy halifaksy dokonujące zrzutów dla Tity miały polskie załogi, była przecząca. Jak zanotował Valenta, „żywo pamiętał, że załogi latające ze zrzutami dla Tity były australijskie, żadnej polskiej sobie nie przypominał. Rodowity Anglik nie mógł pomylić szerokiej angielszczyzny Australijczyków z środkowoeuropejską wymową angielskiego z ust Polaka (lub Czecha)".

Następnie profesor Valenta zwrócił się do pułkownika Wacława Króla, jednego z najwybitniejszych polskich pilotów okresu drugiej wojny światowej, z prośbą o informacje na temat polskiego dywizjonu 301, do którego — według Strumpha Wojtkiewicza — należała załoga naprawiająca rzekomą usterkę. Dywizjon 301 został rozwiązany 31 marca 1943 roku, „kilka załóg uzupełniło stany osobowe dyonów 300 i 305, główny zrąb personelu stworzył specjalną polską eskadrę w 138 Special Duties Squadron (Dyon Zadań Specjalnych) w Tempsford*. W lipcu 1943 r. więc dyon 301 już dawno nie istniał. W żadnym z opracowań nie ma najmniejszej wzmianki, żeby któraś z załóg dyonu 301 przeszła do jakiejś brytyjskiej jednostki na Środkowym Wschodzie". Wacław Król również o niczym ta-

---

* Przypis Valenty: W. Król — *Zarys działań polskiego lotnictwa w Wielkiej Brytanii 1940–1945*, Warszawa 1981, s. 120, 136–137, 141; F. Kalinowski, *Lotnictwo polskie w Wielkiej Brytanii 1940–1945*, Paryż 1969.

kim nie wiedział. Jakiś czas później Valenta sprawdził w księdze operacyjnej dywizjonu 138 w Public Record Office, że zrzutów materiału i ludzi dokonywano głównie nad Francją, a później także nad Polską. Z interesującego nas okresu nie ma jednak w tej księdze żadnego zapisu o locie operacyjnym ze zrzutami nad Jugosławią. Dopiero pół roku później, w listopadzie 1943 roku, polska grupa C dywizjonu 138, tym razem już pod nową nazwą, nowym numerem i z innym podporządkowaniem organizacyjnym — 1586 Polish Special Duty Flight — rzeczywiście przemieściła się do Afryki Północnej, na lotnisko Sidi Amer w Tunisie, a jeszcze pod koniec grudnia została przeniesiona na adriatycki brzeg południowego cypla Włoch, na lotnisko Campo Cassale pod Brindisi.

Także Henryk Kwiatkowski z Bielska-Białej i Jan Dziedzic, mieszkający w okolicach Cambridge, piloci służący kolejno w dywizjonach 301, 138 SDS i 1586 PSDF, nie przypominali sobie „polskiej załogi przeniesionej służbowo przed lipcem 1943 r. na Środkowy [tzn. Bliski] Wschód".

Valenta podjął ostatnią próbę zidentyfikowania tej załogi.

„Pozostaje jeszcze jeden «ślad», kapitanem owego Halifaxa miał być por. Wręb-Jaworski. Zapytałem obu w/w pilotów, czy nazwisko to pamiętają, oboje stanowczo zaprzeczyli, choć dobrze pamiętali nazwiska mnóstwa innych kolegów z dyonu". Brytyjski ośrodek ewidencji byłych wojskowych udziela informacji wyłącznie tymże wojskowym i ich rodzinom, kierując się przepisami o ochronie danych osobowych. Jednak w londyńskim Instytucie Polskim i Muzeum im. Władysława Sikorskiego jest pełna kartoteka osobowa wszystkich żołnierzy Polskich Sił Zbrojnych (PSZ), w tym Polskich Sił Powietrznych (PSP) na Zachodzie. Valenta szukał tam nie tylko nazwiska Wręb-Jaworski, ale też w odwróconej kolejności Jaworski-Wręb, szukam nawet pojedynczych członów tego nazwiska. Nadaremnie, w kartotece żadnego takiego czy podobnego nazwiska nie ma. Oznacza to, że żaden porucznik-pilot Wręb-Jaworski nie istniał i w PSP nie służył. Znalazłem tylko podoficera o tym nazwisku, to był jednak mechanik serwisu obsługi naziemnej i przez całą wojnę służył na różnych lotniskach i u różnych jednostek na Wyspach Brytyjskich, nigdy nie był poza nimi.

Z całej makabrycznej historii o tym, jak w Kairze stanęły dwa silniki itd., prawdziwy jest tylko fakt, że 3 lipca 1943 r. gen. Sikorski odlatywał z Kairu do Gibraltaru właśnie z Kairu. Cała reszta jest zmyślona, jest kłamstwem.

Wywód profesora Valenty jest tak dobrze udokumentowany, że wypada się z tą konkluzją zgodzić. (Również Dariusz Baliszewski w swej najnowszej publikacji na ten temat jedynie mimochodem napomyka o „rzekomej awarii"*.) Nie można jednak na niej poprzestać.

Są dwie możliwości: albo Stanisław Strumph Wojtkiewicz, autor rzeczywiście mało wiarygodny, bo znany z wielu nieścisłości i przeinaczeń, zmyślił całą historię sabotażu w Kairze, albo taką czy podobną wersję rzekomego sabotażu od kogoś usłyszał i bezkrytycznie powielił. Rozpatrywanie pierwszej możliwości byłoby jałowym zajęciem, jednak domysły związane z drugą być może miałyby jakieś podstawy. Domysły te nieodparcie prowadzą w kierunku osoby, o której już wspomniałem, pisząc o próbie sabotażu nad Atlantykiem 21 marca 1942 roku.

---

* D. Baliszewski, *Skała*, „Newsweek Polska", nr 23, 2002, s. 97.

Człowiek znany jako podporucznik Edward Szarkiewicz był w 1939 roku podkomendnym pułkownika Kazimierza Iranka--Osmeckiego w ekspozyturze II Oddziału (wywiad i kontrwywiad) Sztabu Głównego w Bukareszcie. W Londynie najpierw współpracował nieformalnie z brytyjskimi służbami specjalnymi, a w 1943 roku został do nich oficjalnie odkomenderowany i dostał od nowych przełożonych przydział do Kairu. Otrzymał brytyjski stopień brygadiera, wysoką rangę pomiędzy pułkownikiem a generałem brygady. Był on zdecydowanym przeciwnikiem politycznym Sikorskiego.

W 1998 roku ukazały się wspomnienia Kazimierza Iranka--Osmeckiego uzupełnione dwoma postscriptami jego syna, Jerzego*. Jerzy Iranek-Osmecki pisze, że jego ojciec poinformował go przed śmiercią, że Szarkiewicz, który zmarł pod koniec lat pięćdziesiątych, zwierzył mu się, iż to on dokonał — poprzez zaufanych ludzi — sabotażu samolotu generała Sikorskiego na lotnisku w Kairze, osłabiając jedną z jego części mechanicznych tak, aby po kilku godzinach lotu doszło do katastrofy. Chociaż profesor Andrzej Garlicki pisze w swojej notce bibliograficznej do wspomnianej książki, że „W przeciwieństwie do różnych dziennikarskich sensacji ten wywód jest nieźle udokumentowany"**, to jednak, podzielając tę opinię z czysto formalnego punktu widzenia, nie można się zgodzić z samooskarżeniem Szarkiewicza i przypisać mu spowodowania śmierci Sikorskiego poprzez sabotaż z tej prostej przyczyny, że w Gibraltarze nie było wypadku spowodowanego niesprawnością samolotu.

---

* Kazimierz Iranek-Osmecki, *Powołanie i przeznaczenie. Wspomnienia oficera Komendy Głównej AK 1940–1945*, PIW, Warszawa 1998.
** „Polityka", nr 25, 1999, s. 49.

Zastanówmy się bowiem, czego powinien był dotyczyć sabotaż, aby samolot w niekontrolowany sposób wpadł do morza i rozbił się, powodując śmierć prawie wszystkich osób znajdujących się na pokładzie? Po pierwsze — silników. Jest jednak poza dyskusją, że w Gibraltarze silniki pracowały prawidłowo i zostały celowo wyłączone przez któregoś z pilotów tuż przed wodowaniem samolotu. Po drugie — układu zasilania silników w paliwo. Komentarz jak w punkcie pierwszym. Po trzecie — usterzenia. Badania przeprowadzone przez podpułkownika Stevensa i kapitana Bucka nie wykazały jednak żadnej usterki tego układu, a z ekspertyzy profesora Maryniaka wynika, że samolot był do końca sterowny.

W świetle tych ustaleń spór, który latem 2000 roku wszczęli Jan Nowak-Jeziorański i Jerzy Iranek-Osmecki, zdaje się dotyczyć sprawy raczej drugorzędnej. Iranek-Osmecki cytuje zdanie ze swojego postscriptum, że Szarkiewiczowi „udzielono urlopu [z Polskich Sił Zbrojnych] na przeciąg dwóch lat od pierwszego kwietnia 1943, a z kolei udzielono mu urlopu bez uposażenia, na przeciąg jednego roku z dniem 14 października 1943, i z tymże dniem zwolniono go z czynnej służby wojskowej" — i wyciąga z tego poprawny wniosek, że „Nic w tym cytacie [...] nie podważa możliwości przejścia Szarkiewicza na służbę brytyjską z chwilą rozpoczęcia wspomnianego urlopu [1 kwietnia]"*. Natomiast Nowak-Jeziorański uważa, że Szarkiewicz „mógł objąć swoje funkcje w brytyjskiej bazie wywiadowczej w Kairze dopiero na jesieni, a więc kilka miesięcy po katastrofie gibraltarskiej. Źródła brytyjskie potwierdzają, że w dniu

---

* Jerzy Iranek-Osmecki, list do redakcji, „Gazeta Wyborcza", 24 sierpnia 2000, s. 19.

4 lipca 1943 r. Szarkiewicza jeszcze w Kairze nie było"*, a co więcej — „z dokumentów zacytowanych przez Iranka-Osmeckiego na s. 447/8 wynika, że w dniu katastrofy Szarkiewicz przebywał na Stacji Zbornej Oficerów na szkockiej wyspie Rothsey". Ponadto Nowak-Jeziorański otrzymał list datowany na 23 czerwca 2000 roku, w którym John Ramsden z Wydziału Europy Środkowo-Północnej Foreign Office stwierdza, że Szarkiewicz „znalazł się na Bliskim Wschodzie dopiero w kilka miesięcy po katastrofie"**.

Obaj polemiści mają rację.

Jest bowiem zastanawiające, dlaczego Szarkiewicz najpierw poprosił o urlop aż na dwa lata, nie występując przy tym z Polskich Sił Zbrojnych, a sześć i pół miesiąca później przeszedł do czynnej służby w brytyjskich siłach zbrojnych. Sprawia to wrażenie, jakby albo początkowo nie wiedział, co ze sobą zrobić, albo miał przejść jakiś okres próbny w służbach brytyjskich, ale — niepewny rezultatu — nie chciał zamykać sobie drogi powrotu do PSZ. Jeśli to drugie przypuszczenie byłoby słuszne, to z jednej strony wiosną mógł znaleźć się w Kairze całkiem nieformalnie, a z drugiej — mógł następnie powrócić na Rothsey.

Przypomnijmy, że Szarkiewicz nie dokonał w Kairze żadnego sabotażu w sensie technicznym, ponieważ mimo dokładnych oględzin niczego takiego nie stwierdzono (a nawet gdyby dokonał, to w Gibraltarze nie ujawniły się tego skutki). Mógł jednak wykonać wiosną jakieś zadanie związane z przygotowaniami do zamachu, które otworzyło mu drogę do brytyjskich tajnych

---

* J. Nowak-Jeziorański, *Usuńmy tę białą plamę*, „Gazeta Wyborcza", 4 lipca 2000, s. 11.

** J. Nowak-Jeziorański, list do redakcji, w odpowiedzi na list J. Iranka-Osmeckiego, „Gazeta Wyborcza", 24 sierpnia 2000, s. 19.

służb i pozwoliło przejść pod jurysdykcję brytyjską. Jesienią znalazł się w Kairze zupełnie oficjalnie. Niewykluczone też, że oficer polskich służb specjalnych mógł tak rzecz sprokurować, że był na Rothsey 4 lipca 1943 roku wyłącznie „na papierze".

To prawdopodobnie od Szarkiewicza lub osób z jego kręgu (polskiego czy brytyjskiego?) wyszła pogłoska o rzekomym sabotażu na lotnisku w Kairze, którą następnie łatwowiernie utrwalił Strumph Wojtkiewicz. Szarkiewicz, nie będąc lotnikiem i nie znając się na technice lotniczej, prawdopodobnie nieco tylko zmodyfikował znaną mu niewątpliwie, z racji jego obowiązków służbowych w Biurze Bezpieczeństwa, autentyczną historię z sabotażem na lotnisku Dorval i w ten sposób stworzył legendę o sabotażu na lotnisku pod Kairem. Trudno powiedzieć, dlaczego ktoś miałby sfabrykować tę plotkę w krótkim czasie po zamachu w Gibraltarze. Natomiast wydaje się bardzo prawdopodobne, że przekazanie jej kilkanaście lat później Kazimierzowi Irankowi-Osmeckiemu jako wielkiej, przedśmiertnej tajemnicy, która kiedyś zostanie oficjalnie ujawniona i wsparta autorytetem pułkownika, szefa wywiadu Komendy Głównej Armii Krajowej, było ostatnią przysługą oddaną przez Szarkiewicza sprawie wciąż pojmowanej w Londynie jako brytyjska racja stanu — jeżeli kiedyś rząd brytyjski będzie zmuszony przyznać, że Sikorski zginął w wyniku zamachu, to prawdopodobnie zrobi wszystko, by wykazać, że jego inicjatorami, organizatorami i wykonawcami byli wyłącznie Polacy. Być może jednak głównym beneficjentem ostatniej przysługi Szarkiewicza miał być rząd inny niż brytyjski (vide rozdział 6. *Zamach*).

Jak już wspomniałem, Strumph Wojtkiewicz nie może być uważany za wiarygodnego kronikarza. Nie znaczy to jednak, że wszystkie podane przez niego informacje są w mniejszym lub większym stopniu nieprawdziwe. Nie lubił on podpułkownika Zygmunta Borkowskiego, szefa gabinetu Władysława Sikorskiego, bo stale utrudniał mu on dostęp do generała, jednak jakiś czas po zamachu w Gibraltarze przyjął wraz ze Stanisławem Sielskim (podpułkownikiem Stanisławem Sieleckim?), adiutantem generała Mariana Kukiela, zaproszenie Borkowskiego do restauracji. Podczas długiej rozmowy, w odpowiedzi na liczne pretensje obu współbiesiadników, Borkowski w pewnym momencie zapytał Strumpha Wojtkiewicza: „Ale, panie rotmistrzu, jedno mi pan przyzna, jedno pan w razie czego zaświadczy — przecież ja nigdy nie oskarżałem Andersa o zamordowanie generała... prawda?"* Obaj rozmówcy Borkowskiego tłumaczyli sobie później na wiele sposobów, dlaczego w ogóle zadał on to pytanie. Nie to jest jednak istotne, lecz kwestia, kto — oprócz niektórych zwolenników Sikorskiego — „oskarżał Andersa o zamordowanie generała". Precyzując: czy robili to również niektórzy przeciwnicy Sikorskiego? Zachowanie Szarkiewicza wskazuje, że na to pytanie należy odpowiedzieć twierdząco.

Na koniec krótko przeanalizujmy okoliczności sabotaży z 21 marca, nad Atlantykiem, i 30 listopada 1942 roku, na lotnisku Dorval.

Inspiratorami ich obu mogli być Brytyjczycy, Rosjanie lub Polacy. Pierwsi i drudzy (ale szczególnie pierwsi) mogli się obawiać, że każda z wizyt Sikorskiego w Stanach Zjednoczonych doprowadzi do pogorszenia ich stosunków z Waszyngtonem. Wiele osób wskazuje (niesłusznie) na podobieństwo, zwłaszcza, próby zamachu z 21 marca, nad Atlantykiem, z sabotażem sa-

---

* S. Strumph Wojtkiewicz, *Wbrew rozkazowi. Wspomnienia oficera prasowego 1939–1945*, Czytelnik, Warszawa 1959, s. 345.

molotu generała Charlesa de Gaulle'a na lotnisku Hendon pod Londynem 21 kwietnia 1943 roku, podkreślając, że Brytyjczycy byli bezwzględni wobec słabszych i nieposłusznych sprzymierzeńców, a Rosjanie — zainteresowani usunięciem konkurenta rosnącej w siłę Francuskiej Partii Komunistycznej. Jeżeli chodzi o Polaków, to oczywiście w grę mogliby wchodzić liczni w wojsku zwolennicy dawnej elity władzy, zmiecionej w wyniku przegranej przez Polskę kampanii wrześniowej, jednak słuszna jest opinia profesora Pawła Wieczorkiewicza, że nic nie wskazuje na to, by akurat w 1942 roku polscy konspiratorzy wojskowi mieli powód i zamiar fizycznie usunąć Sikorskiego.

Każda próba sabotażu wymierzonego w Sikorskiego (i oczywiście sam zamach w Gibraltarze) tak czy inaczej rzuca cień na Brytyjczyków. Jeśli nawet nie nakazały lub nie inspirowały tych akcji brytyjskie czynniki oficjalne, to albo mogło do nich dojść z inicjatywy (lub z pomocą) brytyjskich służb specjalnych, które — jak to zwykle bywa z takimi służbami — prowadziły własną politykę, a ponadto były zinfiltrowane przez wywiady radzieckie, albo też Brytyjczycy nie potrafili zapobiec przeprowadzeniu takich operacji przez inne służby wywiadowcze, i to na własnych lub sojuszniczych terenach wojskowych. W pierwszym wypadku mielibyśmy do czynienia ze zdradą sojusznika, a w drugim z kompromitacją. Jedna z tych ewentualności (a może obie) jest oczywistą przyczyną, że brytyjski rząd tak wiele zrobił, aby zmistyfikować zamach w Gibraltarze i wciąż nie zamierza ujawnić prawdy o nim.

Wreszcie można porównać modus operandi zastosowany w wymienionych tu przypadkach sabotażu.

Przyjmijmy jako pewnik, że sabotażu samolotu generała de Gaulle'a dokonali Brytyjczycy. Zastosowali bardziej wyrafinowaną i profesjonalną metodę niż sprawcy sabotaży samolotów Sikorskiego: użyli kwasu, który miał powoli zniszczyć część usterzenia. Ponieważ lot był krótki (do Glasgow), prawdopodobnie użyto albo zbyt dużej ilości, albo zbyt silnie stężonego kwasu, albo zbyt cienkiej płytki separującej. Tak czy inaczej, kwas za wcześnie przetrawił płytkę oraz sam element usterzenia i awaria (ster wysokości przestał reagować na ruchy wolantu, stał się luźny) nastąpiła jeszcze na lotnisku Hendon. Brytyjczycy oświadczyli, że sabotażu dokonali agenci niemieccy, co było nieprawdopodobne, ponieważ wszyscy niemieccy agenci na Wyspach Brytyjskich zostali schwytani i znajdowali się pod kontrolą MI5.

Sikorski latał na długich dystansach, nad oceanem. Margines czasu był większy i ewentualni brytyjscy sabotażyści nie popełniliby błędu. Dlatego jest wątpliwe, czy mieli oni jakikolwiek udział w obu sabotażach samolotów Sikorskiego, ponieważ metody zastosowane w tych próbach były dość prymitywne.

Nie ma żadnych dowodów lub poszlak pozwalających wskazać winnych sabotażu 30 listopada w Montrealu. Natomiast w odniesieniu do próby sabotażu 21 marca nad Atlantykiem wydaje się, że można postawić dwie hipotezy.

Po pierwsze, podpułkownik Kleczyński należał co prawda do wojskowego spisku wymierzonego w generała Sikorskiego, ale nie ma pewności, czy przystępując do tego spisku, dokonał politycznego wyboru, czy wykonał legalny rozkaz operacyjny. Na tę drugą możliwość wskazuje choćby to, że podjęcie się wysadzenia samolotu nad oceanem byłoby zadaniem samobójczym, a Kleczyński raczej nie był samobójcą, chociaż usiłowano mu przypisać chorobę psychiczną; poza tym świadczyłoby o tym to, że nie tylko nie poniósł żadnych konsekwencji swojego (rzekomego?) czynu, ale nawet wstawili się za nim Brytyjczycy i wkrótce awansował, co niektórzy uważają za okoliczności obciążające. Brytyjczycy nie wysyłaliby swojego agenta (gdyby Kleczyński nim był) na samobójczą misję, a skoro się wstawili za Kleczyńskim, to widocznie wiedzieli, że zamach był mistyfikacją.

W konsekwencji, po drugie, można by przyjąć, że za próbą sabotażu stali albo Polacy (co jest mało prawdopodobne, gdyż Sikorski leciał do Waszyngtonu, by zapobiec niekorzystnym dla Polski uzgodnieniom brytyjsko-radzieckim), albo Rosjanie za pośrednictwem swoich brytyjskich agentów. Kleczyński podjął się roli wykonawcy, aby nie dopuścić do sabotażu i — być może — zarazem ostrzec generała Sikorskiego przed grożącym mu niebezpieczeństwem. Później, podczas śledztwa prowadzonego przez polskie organy wojskowe, swoje odstąpienie od realizacji planu tłumaczył zapewne jakimś załamaniem psychicznym, co wyjaśniałoby wniosek o skierowanie go na badania psychiatryczne. Dlaczego wolał zakwestionować swoją przydatność do służby, niż powiedzieć prawdę? W tym punkcie sprawa jest oczywista: nie miał pewności, czy przesłuchujący go Polacy są lojalni wobec generała Sikorskiego.

Śledztwo prowadził podporucznik Edward Szarkiewicz. Nie został przeszkolony w tej dziedzinie, ale brak kompetencji rekompensował zaangażowaniem po stronie politycznych przeciwników Sikorskiego. W jego wypadku nie ma żadnej wątpliwości, że zaangażowanie to nie było kamuflażem.

Rozdział 4

Cui prodest?

W rozdziale drugim przedstawiłem d o w ó d tezy, że katastrofa w Gibraltarze nie była wypadkiem, lecz konsekwencją zamachu. Celem tego zamachu był oczywiście generał Władysław Sikorski. Musiał zginąć, ponieważ przeszkadzał w realizacji czyichś planów politycznych.

Jak już stwierdziłem, zabójstwo Sikorskiego wciąż jest jedną z najdelikatniejszych i najpilniej strzeżonych tajemnic mocarstwowych. Należy się liczyć z tym, że Polska nigdy nie zostanie oficjalnie poinformowana o politycznym podłożu, rozkazodawcach, wykonawcach i przebiegu zamachu w Gibraltarze. Kiedy nie można uzyskać podstawowych dokumentów, które mogłyby wyjaśnić sprawę, dla zwolenników tezy zamachu punktem wyjścia do rozważań jest zasada *cui prodest, is fecit* (ten uczynił, kto na tym zyskał), właściwa nie tyle historii, ile kryminalistyce (zresztą akurat w tym wypadku obie te dziedziny wiedzy praktycznie się pokrywają). Komu najbardziej przeszkadzał Sikorski, komu najbardziej zależało na wyeliminowaniu go? Zwykle wymienia się aż czterech podejrzanych: Niemcy, Wielką Brytanię, Związek Radziecki oraz polskie koła polityczne i wojskowe wywodzące się z przedwojennej sanacyjnej elity władzy.

Trudno doszukać się ważnego motywu, którym mieliby się kierować Niemcy. Rzecz jasna, śmierć przywódcy narodu, „nadziei Polaków", byłaby im na rękę choćby z tego powodu, że mogła spowodować dezintegrację społeczeństwa polskiego i zasiać w nim zwątpienie w powodzenie dalszej walki z hitlerowcami. Jednak można sądzić, że gdyby zamach był ich dziełem, to wkrótce po wojnie alianci znaleźliby potwierdzające to dokumenty i świadków i nie omieszkaliby włączyć tej sprawy do aktu oskarżenia w procesie norymberskim. Trzeba również zauważyć, że akurat latem 1943 roku, dwa i pół miesiąca po skierowaniu przez polskie władze prośby do Międzynarodowego Czerwonego Krzyża o zbadanie sprawy Katynia (co dało pretekst Kremlowi do zerwania stosunków dyplomatycznych z polskim rządem w Londynie), Niemcy powinni byli raczej chronić Sikorskiego, niż pozbawiać go życia. (W kwietniu, gdy wśród aliantów rozległy się głosy powątpiewające w niemieckie ustalenia, co się stało w Katyniu, w najwyższych kręgach hitlerowskiej władzy — między innymi w otoczeniu Reichsführera Heinricha Himmlera — pojawił się nawet pomysł, żeby zaprosić Sikorskiego, udzieliwszy mu gwarancji bezpieczeństwa, do osobistego przeprowadzenia wizji lokalnej w Katyniu.) Wydaje się, że jedynym — chociaż czysto spekulatywnym — motywem, który mógłby skłonić Niemców do uśmiercenia Sikorskiego, byłoby przeprowadzenie zamachu w taki sposób, aby podejrzenie padło na Związek Radziecki (lub Wielką Brytanię, na której terytorium dokonano zamachu), co pogłębiłoby szczelinę w koalicji antyhitlerowskiej powstałą po wyjściu na jaw sprawy Katynia. Jednak nawet gdyby taki pomysł się pojawił (a nic o tym nie wiemy), to wątpliwe, czy Niemcy mieliby możliwości go zrealizować.

(Bezpośrednio po śmierci Sikorskiego Niemcy rozpowszechniali wieść, jakoby to ich agenci spowodowali katastrofę samolotu, wsypując cukier do zbiorników paliwa. Była to tak naiwna plotka, że jedynym celem jej spreparowania mogło być zawężenie kręgu podejrzanych poprzez wyeliminowanie z niego Niemców, czyli pośrednie wskazanie rzeczywistych sprawców katastrofy.)

Niemcy mogliby skorzystać propagandowo — a w konsekwencji politycznie — na uśmierceniu Sikorskiego właśnie w Gibraltarze (i w ogóle na terytorium alianckim) pod warunkiem, że alianci oficjalnie przyznaliby, że generał zginął w zamachu, a nie w wypadku. To był bezpośredni powód, że rząd brytyjski prawie natychmiast wykluczył „sabotaż" jako przyczynę śmierci polskiego przywódcy. Natomiast logiczną i główną przyczyną podtrzymywania tego absurdalnego stanowiska przez następne dziesięciolecia wydaje się jakiś rodzaj udziału w zamachu obywateli brytyjskich.

Sikorski był jedyną — oprócz generała Kazimierza Sosnkowskiego — znaczącą postacią polityczną w polskiej elicie władzy na emigracji. Niektóre jego posunięcia mogły drażnić premiera Winstona S. Churchilla, nie zmienia to jednak podstawowego faktu, że Sikorski w końcu z a w s z e (z jednym wyjątkiem) ulegał Churchillowi w rzeczywiście rozstrzygających sprawach. Tym jedynym wyjątkiem była druga podróż generała do Stanów Zjednoczonych wiosną 1942 roku, której celem było nakłonienie prezydenta Franklina D. Roosevelta, żeby zapobiegł zbyt daleko idącym brytyjskim ustępstwom — kosztem Polski i innych państw Europy Środkowo-Wschodniej — wobec Moskwy. Sikorski był ponadto politykiem najbardziej skłonnym do zawarcia jakiejś możliwej do przyjęcia przez Polskę ugody

ze Stalinem, a dobre stosunki ze Stalinem były wówczas priorytetem Churchilla (i wszystkich aliantów zachodnich). Czy
Churchillowi mogło więc zależeć na usunięciu Sikorskiego?
Trudno doszukać się w jego poczynaniach takich motywów.
Przeciwnie, brytyjski premier był bardzo zaniepokojony możliwością odsunięcia Sikorskiego od władzy w 1943 roku przez
polską opozycję polityczną.

Niektórzy publicyści zainteresowani tym tematem uważają,
że dla Brytyjczyków „Generał stanowił tylko kłopot. Utrudniał
przecież porozumienie z Rosjanami i «pokojowe» rozwiązanie
sprawy polskiej. Bez Generała możliwy stał się Teheran i Jałta, bez Generała był po prostu święty spokój i politycy daleko
mniejszego formatu, którymi łatwiej było manipulować"*. Taki
pogląd implikuje jednak absurdalne założenie, że tak antyko-
munistyczny polityk jak Churchill zamierzał gorliwie usuwać
wszelkie przeszkody leżące na drodze Stalina do podporządkowania Europy Środkowej i Południowo-Wschodniej Związkowi
Radzieckiemu. Było wprost przeciwnie — to Churchill w większym stopniu niż Roosevelt próbował przeciwstawiać się Moskwie, jednak siła oporu Zachodu malała w miarę odsuwania się
terminu otwarcia drugiego frontu we Francji i postępów Armii
Czerwonej na froncie wschodnim. W Teheranie, na przełomie
listopada i grudnia 1943 roku, Stany Zjednoczone i Wielka
Brytania zgodziły się na zatrzymanie przez ZSRR większości
obszaru Polski zajętego przez wojska radzieckie w 1939 roku,
lecz nie na jej zsatelizowanie; odwrotnie, ustępstwo w kwestii terytorium miało być ceną za utrzymanie Polski w kręgu

---

* Krzysztof Mazowski, *Tragedia nad Gibraltarem*, http://www.e-polityka.pl/
/article/35323_Tragedia_nad_Gibraltarem.htm (20 stycznia 2004).

cywilizacji zachodniej. Również dla każdego, kto zadał sobie trud przeczytania szóstego punktu komunikatu konferencji jałtańskiej z lutego 1945 roku, w którym ogłoszono uzgodnienia podjęte w odniesieniu do Polski, jest oczywiste, że Zachód ciągle jeszcze nie zamierzał skapitulować przed radzieckim ekspansjonizmem. Trzy mocarstwa wyraziły bowiem „wspólne pragnienie ujrzenia Polski jako państwa silnego, wolnego, niepodległego i demokratycznego" i uznały konieczność „przeprowadzenia możliwie najprędzej wolnych i nieskrępowanych wyborów opartych na głosowaniu powszechnym i tajnym"*. Dążąc do zapewnienia sobie wpływu na realizację tych uzgodnień, oba mocarstwa zachodnie pozostawiły sobie nawet coś, co uważały za silny środek nacisku, a nawet szantażu wobec Stalina i polskich komunistów: potwierdzając swoją zgodę na polsko-radziecką granicę wzdłuż tak zwanej (niesłusznie) linii Curzona, uchyliły się zarazem od ustalenia polskiej granicy zachodniej. 1 lutego 1945 roku, tuż przed spotkaniem na Malcie, podczas którego Churchill i Roosevelt mieli uzgodnić wspólne stanowisko przed konferencją w Jałcie, brytyjski minister spraw zagranicznych Anthony Eden depeszował z Londynu do Churchilla, że „nie musimy robić tych samych ustępstw [kosztem Niemiec] wobec lubelskich Polaków [komunistów], jakie byliśmy gotowi uczynić wobec pana [Stanisława] Mikołajczyka [...]", następcy Sikorskiego na stanowisku premiera**. Jednak trzymający swoje wojska nad Łabą Stalin był wystarczająco silny, aby zarówno złamać *gentlemen's agreement* dotyczące

---

* *Teheran — Jałta — Poczdam. Dokumenty konferencji szefów rządów trzech wielkich mocarstw*, wyd. 2, Warszawa 1972, s. 206–208.

** Department of State. *Foreign Relations of the United States. Diplomatic Papers. The Conferences at Malta and Yalta 1945*, GPO, Washington 1955, s. 509.

ustroju Polski, jak i zapewnić jej podczas konferencji w Poczdamie w lipcu i sierpniu 1945 roku zachodnią granicę na Odrze i Nysie Łużyckiej, najkrótszą możliwą granicę między Polską a Niemcami. Przy okazji wygrał propagandowo, przedstawiając się jako lepszy obrońca interesów Polski niż alianci zachodni. Wbrew szeroko rozpowszechnionej w świecie opinii to nie Jałta rozciągnęła więc żelazną kurtynę między Wschodem a Zachodem, lecz złamanie uzgodnień jałtańskich przez Kreml. Liczne błędy popełnione poprzednio przez zachodnich aliantów w ich stosunkach z Moskwą doprowadziły ich do bezsilności, w której jedyną nadzieję dawała im naiwna wiara, że „Stalin dotrzyma obietnic".

Można się również zetknąć z hipotezą, że podczas jakichś tajnych kontaktów polsko-radzieckich w czerwcu 1943 roku Stalin odrzucił wszelkie kompromisy i jasno potwierdził zamiar zsatelizowania Polski i innych państw Europy Środkowej i Południowo-Wschodniej, w wyniku czego Sikorski postanowił przedstawić światowej opinii publicznej plany Kremla i potępić dwulicową postawę zachodnich sojuszników, a Wielka Brytania z obawy przed zerwaniem sojuszu między Zachodem a Moskwą i przed separatystycznym pokojem radziecko-niemieckim postanowiła pozbyć się Sikorskiego. Gdyby nawet pierwsza część tej hipotezy okazała się prawdziwa, to wydaje się pewne, że — po pierwsze — było zbyt mało czasu na zaplanowanie zamachu tak skomplikowanego logistycznie jak ten przeprowadzony w Gibraltarze, i po drugie — nie zostałby on dokonany na terytorium brytyjskim. To samo zastrzeżenie dotyczy innej hipotezy, wedle której rząd brytyjski zaniepokoił się, że Sikorski może zawrzeć jakąś ugodę z Niemcami. Podstawą takiego niepokoju miałyby być zarówno rzekome zachęty do zawarcia takiej ugody ze strony niemieckiej, jak i jedna z ostatnich decyzji Władysława Sikorskiego, który rozkazał porucznikowi Ludwikowi Łubieńskiemu, byłemu sekretarzowi przedwojennego ministra spraw zagranicznych Józefa Becka, od 1939 roku internowanego w Rumunii, potajemne sprowadzenie go do Londynu. Zwolennicy tej hipotezy utrzymują, że Niemcy chętnie widzieliby Becka na stanowisku premiera marionetkowego, kolaboranckiego rządu polskiego. Gdyby rzeczywiście tak było, a Sikorski rzeczywiście nakazałby sprowadzenie Becka do Londynu (wiemy o tym rozkazie wyłącznie z relacji Łubieńskiego), to nie po to, aby promować Becka, lecz by go izolować od domniemanych wpływów niemieckich. Źle świadczyłoby o rozeznaniu polityków brytyjskich w sprawach polskich, gdyby tego nie rozumieli. Powinni byli oni także rozumieć, że etykietę polityka proniemieckiego przykleili Beckowi długo przed wojną niechętni mu Francuzi, i pamiętać, że ostatecznie pozbył się on tej etykiety, wygłosiwszy 5 maja 1939 roku przemówienie w Sejmie, podczas którego w imieniu rządu polskiego rzucił rękawicę Hitlerowi. Wreszcie zarówno Brytyjczycy, jak i Sikorski powinni byli rozumieć, że w połowie 1943 roku nawet polityk mniej inteligentny niż Beck nie mógł wiązać żadnych nadziei ze współpracą z Trzecią Rzeszą, która minęła już apogeum swojej potęgi i powodzenia militarnego. Zatem powodów do obaw, a tym bardziej do zabicia Sikorskiego, Brytyjczycy nie mieli.

Podsumowując ten wątek, należy podkreślić, że wszyscy optujący za wersją brytyjskiego „sprawstwa kierowniczego" (a nawet wykonawstwa), rozpropagowaną głównie przez Rolfa Hochhutha w sztuce *Soldaten* (1967), powinni sobie uświadomić, że gdyby rząd brytyjski zamierzał uśmiercić Sikorskiego, to wystarczyłoby, żeby wysłał na kurs liberatora, którym leciał on nad Atlantykiem, jeden nocny myśliwiec RAF-u.

Zajmijmy się teraz Związkiem Radzieckim, zaczynając od prostego pytania: dlaczego Stalin zdecydował się zawrzeć z Sikorskim układ z 30 lipca 1941 roku? Przyczyn było kilka: militarna (Polska leżała wtedy na zapleczu niemieckiego frontu wschodniego, co wiązało się z rachubą na polską dywersję i współpracę wywiadowczą), polityczna (Polska była wówczas najsilniejszym walczącym aliantem głównego w tym czasie sprzymierzeńca ZSRR, czyli Wielkiej Brytanii, a zatem nie można było nie spróbować porozumieć się z nią, tym bardziej że w razie niepowodzenia odium winy spadłoby na rząd polski, czego nie rozumieli polscy przeciwnicy polityczni Sikorskiego), wreszcie propagandowa. Jednakże rząd radziecki musiał za to zapłacić zobowiązaniem, że poczyni pewne konkretne kroki. Ich niejako „skoncentrowanym wyrazem" była zgoda na popieranie utworzenia polskiej armii w ZSRR, której wielkość byłaby ograniczona wyłącznie rozmiarami rezerw mobilizacyjnych i możliwościami jej wyposażenia i która weszłaby do walki jako zwarta formacja. Ten ostatni warunek był dla strony polskiej szczególnie ważny po doświadczeniu kampanii francuskiej 1940 roku, kiedy to jednostki polskie, rozproszone wśród oddziałów francuskich, które od pewnego czasu ogarnął narastający defetyzm, walczyły w osamotnieniu z wojskami niemieckimi i w końcu poszły w rozsypkę, a z 83 tysięcy żołnierzy zaledwie niespełna 27 tysięcy udało się ewakuować do Wielkiej Brytanii. Dlatego Sikorski polecił, aby polsko-radziecka umowa wojskowa z 14 sierpnia roku 1941 była wzorowana na umowie polsko-brytyjskiej z 5 sierpnia 1940 roku, która przewidywała, że polskie jednostki wezmą udział w wojnie z Niemcami jako jednolity związek operacyjny pod polskim dowództwem, politycznie podporządkowany polskiemu Naczelnemu Wodzowi.

Nie ma tu miejsca na obszerne uzasadnienie twierdzenia, że Stalin od samego początku był zdecydowany nie dopuścić do powstania zwartej stupięćdziesięciotysięcznej lub nawet większej armii polskiej podporządkowanej politycznie rządowi emigracyjnemu w Londynie. Tak jednak było. Zarazem sprawą o podstawowym znaczeniu dla przyszłości stosunków polsko-radzieckich (i całej Europy Środkowo-Wschodniej) stała się kwestia przebiegu wspólnej granicy, ustalonej na mocy traktatu ryskiego w 1921 roku.

Od pół wieku polscy historycy wiodą zdumiewająco jałowy, bo bezprzedmiotowy spór, czy Sikorski postąpił słusznie czy też nie, uchylając się od podjęcia inicjatywy Stalina z 4 grudnia 1941 roku. Cóż jednak powiedział wówczas Stalin? „Powinniśmy ustalić nasze wspólne granice sami i wcześniej, przed konferencją pokojową, gdy tylko wojsko polskie ruszy do boju". Tak też się stało w 1944 roku, choć z tą różnicą, że Stalin jednak zapewnił sobie uprzednio, w listopadzie i grudniu 1943 roku na konferencji trzech wielkich mocarstw w Teheranie, poparcie zachodnich aliantów dla tak zwanej linii Curzona, zanim zasiadł do stołu obrad z delegacją stworzonego przez siebie Polskiego Komitetu Wyzwolenia Narodowego. Jednak jego oferta z grudnia 1941 roku wcale nie stanowiła zachęty do n a t y c h m i a s t o w e g o podjęcia tematu granicy. „Odrzuciłem te propozycje uprzejmie, ale stanowczo" — powiedział Sikorski Radzie Ministrów RP. Ujmując rzecz brutalnie, nie miał on tu nic do odrzucenia, gdyż Stalin złożył ofertę, jak wynika z tego, co powiedział Sikorskiemu, pod oczywistym warunkiem, że najpierw wojsko polskie wyruszy do boju, czego Sikorski zdawał się nie dostrzegać i co nie wiadomo dlaczego uchodzi uwagi historyków. Tymczasem Stalin nie zamierzał dopuścić do powstania dużej, silnej armii polskiej i wiedział, że Sikorski nie zgodzi się wysłać na front pojedynczych dywizji. A więc t a armia nie „ruszy do boju" i nie będzie rozmów z t y m rządem polskim na temat wspólnej granicy.

Chyba że Stalin liczył na to, że Sikorski dostrzeże jednak zawarty w jego propozycji warunek podjęcia negocjacji i spełni go, co oznaczałoby zmianę polityki rządu polskiego wobec ZSRR, albo też było to drugie (po informacjach prasy radzieckiej na temat aktywności polskiej lewicy w ZSRR), tym razem bardziej subtelne ostrzeżenie, że „Polacy londyńscy" nie są dla Moskwy jedyną możliwą opcją polityczno-militarną. Do zmiany polityki polskiej jednak nie doszło i kurs Kremla się zaostrzył. Stosunki polsko-radzieckie stawały się coraz bardziej napięte, również na skutek błędów strony polskiej, i już w zimie 1943 roku doszły do krawędzi zerwania, gdyż coraz bardziej ciążyły Moskwie. Wówczas wyłoniła się sprawa Katynia. Jej niezręczne rozegranie przez rząd polski Stalin przyjął jak wybawienie: otrzymał poważny pretekst moralny i propagandowy, dzięki któremu mógł wreszcie 25 kwietnia 1943 roku zerwać stosunki z Polską, nie ściągając na siebie potępienia Zachodu.

Jednak nie był to koniec jego kłopotów. Ze strony rządu polskiego, w tym osobiście Władysława Sikorskiego, zaczęły się mnożyć pojednawcze wypowiedzi (na przykład 3 maja: „ułożenie przyjaznych stosunków z Rosją Radziecką było i jest nadal jedną z głównych wytycznych rządu i narodu polskiego"). Co więcej, wydaje się, że — jak już wspomniałem — podróż generała Sikorskiego na Bliski Wschód, rozpoczęta 25 maja 1943 roku, mogła mieć na celu tyleż inspekcję 2. Korpusu i spacyfikowanie nadmiernych ambicji jego dowódcy, generała Władysława Andersa, co nawiązanie poufnych kontaktów z Kremlem, chociaż nie ma na to żadnych dowodów. Po prawie dwóch latach zmagania się z rządem polskim i po pomyślnym uwolnieniu się od wszelkich zobowiązań wobec niego Stalin nie mógł pozwolić, aby „sprzymierzeniec jego sprzymierzeńców" znów utrudniał mu działanie pryncypialną obroną swoich interesów narodowych.

(Profesor Valenta uznał za „zaskakujące", że można wysuwać hipotezę, iż Sikorski mógł się zastanawiać nad poszukiwaniem bezpośredniego kompromisu ze Stalinem, a nawet przeniesieniem siedziby swojego rządu do Związku Radzieckiego. Jednak narastające rozczarowanie Sikorskiego postawą Wielkiej Brytanii i Stanów Zjednoczonych wobec politycznych postulatów Polski mogło go skłonić do pozbycia się pośredników w rozmowach z Kremlem, chociaż gdy wyszła na światło dzienne sprawa Katynia, stało się to prawie niemożliwe, bo taka próba doprowadziłaby do całkowitej kompromitacji Sikorskiego w oczach polskiego społeczeństwa. Jednak w polityce wszystko jest kwestią ceny. To prawda, że „Przy nawiązywaniu kontaktu do takiego dialogu byłby Sikorski stroną niewątpliwie o wiele słabszą, bo kontaktu pilnie potrzebującą", ale nie znaczy to, że porozumienie z Moskwą było możliwe „tylko za cenę totalnej kapitulacji, tzn. akceptacji na wschodzie granicy niemiecko-sowieckiej z 28 września 1939 roku i odwołania dla Moskwy niewygodnych osób z rządu polskiego"*. Jeśli, zakładając czysto teoretycznie, w czerwcu 1943 roku odbyły się jakieś rozmowy polsko-radzieckie, to rzeczywiście przyczyną ich zerwania było niewątpliwie wysunięcie przez Kreml właśnie takich warunków

---

* Papiery Valenty, *Trop czeski zamachu?*, sygn. gibpl-tropcz2-, s. 4.

wstępnych, o jakich pisze Valenta. Niemniej Sikorski mógł sądzić, że Stalin doceni polityczną i propagandową wartość unie-
zależnienia się Polski od zachodnich aliantów, zwłaszcza gdyby
Sikorski uwieńczył porozumienie polsko-radzieckie przeniesieniem rządu do Moskwy. Ponadto porozumienie takie byłoby
dla Moskwy czymś w rodzaju świadectwa moralności, uwal-
niającego ją od podejrzeń o wymordowanie polskich oficerów.
Jednak widocznie Stalin już wtedy wolał przygotować się do
powołania własnego rządu „polskiego", a ponadto nie można
wykluczyć, że w jego kalkulacji odegrał rolę osobisty motyw
zemsty za upokorzenie katyńskie, którego doznał w wyniku
działań politycznych polskiego rządu*.)

Fizyczne usunięcie Sikorskiego nie tylko zamykało drogę
do ułożenia jakiegoś możliwego do przyjęcia przez Polaków
modus vivendi z ZSRR, czyli pozostawiało im jedynie skrajne
możliwości — alternatywę walki z ZSRR lub poddania się jego władzy, ale też pozbawiało ich właściwie jedynego przywódcy narodowego, co ułatwiło Moskwie zsatelizowanie Polski**.

---

* „Hitler pokonał Stalina w pierwszych dniach wojny. Śmiertelnie go obraził.
Taką zniewagę zmywa się tylko krwią.

Przez wszystkie lata wojny Stalin żył pragnieniem osobistej zemsty na Hitle-
rze — Hitler musi zostać ukarany. Musi wpaść w ręce właśnie jego — Stalina.
Nikomu go nie odda. Upokorzenia, na jakie skazał swoich wrogów, Zinowiewa
czy Bucharina, były dziecinną igraszką w porównaniu z tym, co czeka Hitlera. [...]

Osobista nienawiść odgrywa w historii rolę ogromną. Choć Lenin wielokrotnie
powtarzał, że zajadłość to zły doradca w polityce, jego nienawiść do caratu wynikała ze skazania na śmierć jego brata. Osobista nienawiść Stalina do Trockiego pod
wieloma względami wpłynęła na kierunek rozwoju ZSRR w latach 20. i 30.

Stalin pochodził z Kaukazu. Pół Osetyniec, pół Gruzin — pozostał człowiekiem gór wiernym tamtejszemu kodeksowi honoru i dumy" (Gawrił Popow,
O wojnie ojczyźnianej 1941–1945, Wyd. Iskry, Warszawa 2005, za: „Gazeta Wyborcza", 30 kwietnia–1 maja 2005, s. 31).

** Patrz aneks 3H.

(W opinii sir Alexandra Cadogana, podsekretarza stanu w Foreign Office, Sikorski „Przerastał o głowę kłócących się polskich politykierów", których prezydent Czechosłowacji Eduard Beneš nazwał politykami partyjnymi.) Dodatkowy motyw mógł być natury osobistej, ale i takiego nie wolno lekceważyć i odrzucać a priori: Stalin czuł się osobiście obrażony i upokorzony nie tyle ujawnieniem sprawy Katynia, ile ledwie skrywaną wiarą Polaków, że Niemcy w tej sprawie mówią prawdę. I wreszcie, na moment wracając do hipotezy, że w wyniku jakichś tajnych rozmów w czerwcu 1943 roku Sikorski pozbył się złudzeń co do zamiarów Stalina wobec Polski i postanowił je ujawnić publicznie, to właśnie Stalin był jedyną osobą, która od dawna wiedziała, co powie Sikorskiemu i jak może na to publicznie zareagować polski przywódca, a więc to Stalin miał wystarczająco dużo czasu, aby udaremnić tę reakcję. Kim Philby, szpiegujący dla Kremla pracownik brytyjskiego wywiadu, „podobno odwiedził twierdzę w połowie kwietnia 1943 roku, kiedy Anglicy zostali poufnie poinformowani o zamierzonej podróży inspekcyjnej gen. Sikorskiego na Bliski Wschód"*.

Wreszcie pozostaje wariant ewentualnego polskiego „sprawstwa kierowniczego" zamachu na Sikorskiego. W licznych relacjach podkreślano polityczne ambicje generała Andersa, popieranego przez odsuniętą od władzy elitę sanacyjną. Jednak materiał źródłowy jest tutaj ubogi i mało wiarygodny. Sformułowania pani Heleny Sikorskiej, wdowy po generale, która powiedziała w 1963 roku, że Władysław Anders był „główną

---

* J. Nowak-Jeziorański, *Wciąż nie wiemy, co się stało*, „Gazeta Wyborcza", 19 września 2000, s. 17. Philby przybył do Gibraltaru 16 kwietnia 1943 r. Pisze o tym Anthony Cave Brown w książce *Philby. Szpiegowska afera stulecia*, Wyd. Philip Wilson, Warszawa 1997.

przyczyną śmierci" jej męża, nie można rozumieć tak, że to Anders nakazał dokonać zamachu w Gibraltarze. Zresztą później Helena Sikorska zmieniła zdanie i zaczęła podejrzewać, że jej mąż zginął w efekcie radzieckiego sabotażu. Trzeba przy tym dodać, że o ile córka Władysława Sikorskiego, Zofia Leśniowska, była powiernicą najtajniejszych planów generała, o tyle jego żona była w tym względzie całkowitym przeciwieństwem córki. Nie orientowała się w międzynarodowych uwarunkowaniach polskiej polityki, a wiedziała właściwie tylko tyle, że generał Anders przysparzał jej mężowi kłopotów. Trzeba też stwierdzić, że śmierć Sikorskiego nie przyniosła jego wewnętrznym przeciwnikom żadnych politycznych korzyści, rozumianych jako realny wpływ na losy państwa. Jedynie niektórzy z nich odnieśli krótkotrwałe korzyści osobiste, prestiżowe lub materialne (awans na wyższe stanowiska).

Z powyższego wynika, że w wymiarze politycznym na śmierci generała Sikorskiego najbardziej skorzystała Moskwa. Nie znaczy to, że Kreml nie przeprowadziłby swoich zamiarów wobec Polski wbrew Sikorskiemu, lecz bez wątpienia przyszłoby mu to trudniej, być może stałoby się to później i w nieco mniejszym zakresie. (Tak uważał między innymi Edward Raczyński, były ambasador polski w Londynie i minister spraw zagranicznych RP.)

Kilka dni przed zamachem w Gibraltarze, 30 czerwca 1943 roku, Niemcy aresztowali w Warszawie dowódcę Armii Krajowej, generała Stefana Roweckiego „Grota". Polskie Państwo Podziemne zostało pozbawione krajowego dowódcy i czołowego przywódcy politycznego. Informację o miejscu pobytu „Grota" podrzucili Niemcom polscy agenci wywiadu radzieckiego.

Rozdział 5

Zamachowcy

Jest bardzo wiele wątłych dowodów, poszlak, plotek, domysłów i hipotez dotyczących osób bezpośrednio zaangażowanych w zamach gibraltarski, jak też osób, które umożliwiły przeprowadzenie zamachu. Wydaje się, że dwie rzeczy można przyjąć za tak dalece prawdopodobne, że niemal pewne:

• Zamach był operacją międzynarodową, oczywiście nie w sensie „sprawstwa kierowniczego", bo ośrodek decyzyjny musiał być jeden, lecz w aspekcie wykonawczym. Przekonanie to wynika z tego, że został on przeprowadzony w miejscu odległym od politycznego ośrodka decyzyjnego, na obcym terytorium, na którym niezbędne było zapewnienie sobie współpracy i pomocy osób nie wzbudzających tam żadnych podejrzeń miejscowych władz.

• Ludzie, którzy umożliwili dokonanie zamachu, nie byli tożsami z zamachowcami. Przekonanie to wynika między innymi z tego, że ci pierwsi musieli mieć bliski kontakt z politykami, a drudzy raczej rzadko znajdują się tak wysoko w hierarchii służb specjalnych. Zresztą odseparowanie decydentów od wykonawców służy w takich sytuacjach bezpieczeństwu obu stron.

Ponadto jest pewne, co potwierdza wiele niezależnych relacji, że w kręgach niektórych tajnych służb i osób blisko z nimi związanych zdawano sobie sprawę, że organizowany jest zamach na polskiego premiera. Sikorskiego i bliskie mu osoby wielokrotnie nieoficjalnie, choć nie wprost, ostrzegali funkcjonariusze Secret Intelligence Service, w tym gubernator Gibraltaru MacFarlane, a nawet sam Churchill. Stanisław Strumph Wojtkiewicz utrzymuje, że zaprzyjaźniony z nim od 1941 roku generał brygady (lub brygadier) w stanie spoczynku, pracujący w War Office w dziale szyfrów, pod koniec maja 1943 roku nakłaniał go, by przekonał Sikorskiego, że powinien zrezygnować z podróży na Bliski Wschód*. 26 maja, gdy Sikorski dopiero rozpoczynał tę podróż, wicepremier i minister spraw wewnętrznych Stanisław Mikołajczyk, minister bez teki Karol Popiel i wiceminister spraw wojskowych Izydor Modelski odebrali anonimowe telefony, w których poinformowano ich w języku polskim, że samolot Sikorskiego uległ katastrofie i wszystkie osoby znajdujące się na pokładzie zginęły**. Podobno taki telefon miał również minister spraw wojskowych generał Marian Kukiel. Prawdopodobnie były to ostatnie ostrzeżenia. Nawet w niemieckiej prasie ukazywały się karykatury martwego premiera.

Można uważać Władysława Sikorskiego za upartego człowieka bez instynktu samozachowawczego, ale nie za tak mało inteligentnego, że nie zrozumiał dawanych mu sygnałów. Winston Churchill rzeczywiście był przerażony możliwością zerwania sojuszu z Moskwą, nie mówił wszystkiego, co wiedział, ale jego ostrzeżenia były wystarczająco jasne.

Churchill w swoich pamiętnikach nie uczynił najmniejszej wzmianki na temat śmierci Sikorskiego. Niewykluczone, że

---

* S. Strumph Wojtkiewicz, ibidem, s. 325–326.
** D. Irving, op. cit., s. 46–48.

najbliższy prawdy był „Times", tak to komentując w wydaniu z 4 lipca 2003 roku: „być może to znak, że Churchill w gruncie rzeczy wiedział, iż los Sikorskiego jest przypieczętowany i że nic na to nie poradzi".

Teoretycznie rzecz biorąc, jest co najmniej pięć wariantów odpowiedzi na pytanie, kto dokonał zamachu i kto wydał rozkaz uśmiercenia generała Sikorskiego. Mogli go zabić:

1. Polacy na rozkaz polskich wrogów politycznych Sikorskiego,

2. Polacy na rozkaz Kremla — nieświadomie, sądząc, że wykonują rozkaz polskich wrogów Sikorskiego,

3. Polacy na rozkaz Kremla — agenci narodowości polskiej w służbie ZSRR lub (formalnie) Polski,

4. obywatele ZSRR na rozkaz Kremla,

5. Brytyjczycy na rozkaz Kremla — nieświadomie, sądząc, że wykonują tajny rozkaz rządu Jego Królewskiej Mości. (Osoba, która przekazałaby taki rozkaz zamachowcom, musiałaby być upoważniona do tego z racji swojego stanowiska w strukturach brytyjskich tajnych służb. Wydaje się, że na przykład Kim Philby spełniał taki warunek.) Jednak gdyby zamachu dokonali — wbrew rzeczywistej woli swego rządu — Brytyjczycy, to należałoby się spodziewać, że po jakimś czasie nastąpi dyskretna, lecz zdecydowana czystka w Secret Intelligence Service. Sprawa byłaby wówczas znana w kręgach MI5 i MI6*, a Peter Wright, autor wydanego też w Polsce *Łowcy szpiegów*, który przesłuchiwał Philby'ego po jego zdemaskowaniu, chyba by o niej wspomniał, chociaż nie można wykluczyć, że jest to naiwne oczekiwanie.

---

* MI6, Military Intelligence (Section) 6 — brytyjski wywiad. Patrz aneks 31.

We wszystkich pięciu wymienionych przypadkach Brytyjczycy mieli powody do zatuszowania przebiegu tragedii z obawy, że się skompromitują, mniej (punkty 1–4) lub bardziej (punkt 5). Można by wręcz przypuszczać, że trwający ponad sześćdziesiąt lat opór władz brytyjskich przed ujawnieniem całej prawdy o katastrofie w Gibraltarze ma źródło w trojakiego rodzaju obawie: po pierwsze — przed przyznaniem się, że nie zapobiegły zamachowi, choć wiedziały, że zostanie dokonany, po drugie — przed ujawnieniem nazwisk Brytyjczyków pośrednio zaangażowanych w zamach, a po trzecie, najważniejsze — przed ujawnieniem, jakie kroki poczyniły (a jakich poniechały) wobec swoich obywateli, którzy wzięli udział w zamachu.

Z uwagi na niepewny charakter wielu źródeł oraz ich fragmentaryczność zidentyfikowanie zamachowców z zachowaniem wszelkich reguł warsztatu historycznego jest dziś praktycznie niemożliwe. Poniższą próbę poznania ich tożsamości w dużej mierze oparłem na zweryfikowanych przez historyków (między innymi Andrzeja Krzysztofa Kunerta i Pawła Wieczorkiewicza) materiałach przedstawionych w programach „Rewizja Nadzwyczajna” oraz ich poszerzonej wersji, opublikowanej w „Newsweeku Polska”*, uzupełnionych o inne źródła.

Władze Państwa Podziemnego wysłały z Warszawy kuriera Jana Gralewskiego, kaprala rezerwy, z zawodu filozofa, krytyka i eseistę. Poprzednio trzykrotnie wyprawiano go z misją do Francji. Tym razem celem jego podróży było „wyłącznie prze-

---

* 9 programów nadanych w latach 1992–1994, 1998–1999 i 2002, których zapis magnetofonowy znajduje się w moim posiadaniu. Główne tezy tych programów zostały przedstawione przez D. Baliszewskiego w serii 8 artykułów opublikowanych w: „Newsweek Polska”, nr 20–27/2002. Cytaty w tym rozdziale pochodzą z tych dwóch źródeł, chyba że zaznaczono inaczej.

trasowanie drogi z Hiszpanii do kraju" (jak stwierdził w depe-szy z 14 czerwca generał „Grot" Rowecki). Zauważmy, że jeśli trzymać się literalnie tego sformułowania, to nie obejmuje ono Gibraltaru, a nawet nie musi obejmować samej Hiszpanii, z wy-jątkiem strefy nadgranicznej w Pirenejach. Być może otrzymał on dodatkowe zadanie, będąc już w drodze. W każdym razie nie wiadomo, dlaczego i w jaki sposób dotarł aż do Gibraltaru.

Gralewski wyruszył z Warszawy 8 lutego 1943 roku pod pseudonimem Paweł Pankowski (vel Pajkowski, vel Pawłow-ski; na terenie Polski znany był jako Pankrac). 22 kwietnia przekroczył granicę francusko-hiszpańską. W Hiszpanii po-sługiwał się pseudonimem Jerzy (a także Paweł) Nowakow-ski. W swoim dzienniku pod datą 24 czerwca zapisał: „Drugi dzień na Gibraltarze". Przybył więc do Gibraltaru („na Gibral-tar" — jak wtedy mówiono w Polsce w ślad za Brytyjczykami, którzy używają zwrotu *on the Rock*, czyli „na Skale") 22 lub 23 czerwca.

Kilka dni później zanotował w swoim dzienniku, że jest za-mknięty w koszarach, nie zna godziny ani nawet daty (27 lub 28 czerwca). Jednak 3 lipca zapisał: „Od wczoraj zaczęło się coś dziać w moim osobnym wątku. Przyszły z daleka zapyta-nia, żeby «as quick [powinno być *quickly*] as possible» . Teraz tylko czekam w każdej chwili gotowy do drogi. Mam już dość obecnego ekspe..." Jeżeli zwrot „gotowy do drogi" rozumieć zgodnie z jego podstawowym znaczeniem, to można przypusz-czać, że Gralewski szykował się do dłuższej podróży, do powrotu do Polski, a nie na wizytę u Sikorskiego, o którego pobycie w Gibraltarze mógł nawet nie wiedzieć. Rzekome (lub praw-dziwe) „zapytania z daleka" potwierdzałyby słuszność takiej interpretacji. Natomiast „ekspe[ryment]" z zamknięciem go w koszarach być może miał jakiś związek z realizacją jego misji, a przynajmniej tak mu to wytłumaczono.

Dariusz Baliszewski wymienia trzy osoby podszywające się pod Jana Gralewskiego i podające się za kurierów z Polski, które — w przeciwieństwie do niego — same starały się znaleźć jak najbliżej Sikorskiego. Byli to:

• Człowiek występujący jako Jerzy Nowakowski („hiszpański" pseudonim Gralewskiego), przedstawiający się w Gibraltarze, do którego przybył 24 czerwca, jako Jan Gralewski. Na listach osób, które przewinęły się przez Gibraltar, figuruje też pod nazwiskami Bolesław Kozłowski i Wiktor Suchy. Kiedy po zamachu Brytyjczycy usiłowali uzyskać od Polaków informacje o Janie Gralewskim, nazywali go pułkownikiem. (Tak też określiła go pewna niemiecka gazeta.) Jak twierdzi Dariusz Baliszewski, „według informacji płk. dypl. Mariana Utnika, zastępcy szefa VI Oddziału sztabu [Naczelnego Wodza], który miał meldunki z Gibraltaru, człowiekiem tym mógł być pułkownik z Warszawy, który dotarł na Gibraltar z ważnymi dokumentami polskiego wywiadu dotyczącymi nowych broni niemieckich. Niestety, Utnik nie zapamiętał jego nazwiska". Ksiądz Antoni Furgał w swoim raporcie z sierpnia 1943 roku wspomina tajny rozkaz oficerski (kto go wydał?) nakazujący zastrzelić niejakiego Wiktora Suchego, oficera Polskich Sił Zbrojnych, każdemu oficerowi, który by go spotkał.

• Stanisław (vel Franciszek) Izdebski, pseudonim Pantaleon Drzewicki, rzekomy kurier Polskiej Partii Socjalistycznej, wyszedł z Warszawy 27 marca (dokumenty KG AK niezgodnie z prawdą określają go jako Jana Gralewskiego, który wrócił z Paryża i tego dnia ponownie podjął próbę przetrasowania szlaku do Hiszpanii; można podejrzewać, że fałszerstwa dokumentów dokonał któryś z agentów obcego wywiadu zakonspirowanych w strukturach polskiego Państwa Podziemnego); aresztowany po przekroczeniu granicy hiszpańskiej i internowany w obozie Miranda de Ebro, po zwolnieniu pojechał do Madrytu, przybył do Gibraltaru 24 czerwca (?). Przedstawiał się jako czterdziestoletni kapral podchorąży broni pancernej. Po opuszczeniu Gibraltaru przybył do Londynu i po pewnym czasie nagle zniknął.

• Jerzy (Tadeusz?) Miodoński z Krakowa (pseudonim Aris?), lat 21. „Opuścił Polskę 24 grudnia 1942 r. w towarzystwie Trudy Heim, siostry SS-Obersturmbannführera Güntera Heima, prywatnie doktora chemii, a służbowo szefa krakowskiej SD (służby bezpieczeństwa), i bez żadnych kłopotów dojechał pociągiem do Hiszpanii. W Madrycie w placówce II oddziału złożył raport, do którego dołączył plany struktury zbrojnego podziemia w Polsce, dokument tak szczegółowy, że z daleka pachnący niemiecką prowokacją. Według dokumentów placówki ewakuacyjnej w Lizbonie Jerzy Miodoński miał zostać wysłany do Londynu z Lizbony 7 lipca 1943 r. Jednak dokumenty podobnej placówki w Madrycie ujawniają, że wysłano go na Gibraltar". Trzeba nadmienić, że dwa ostatnie zdania nie wykluczają się wzajemnie. Miodoński mógł odbyć dwie kolejne podróże i w nocy z 2 na 3 lipca wylądować na gibraltarskim lotnisku pod nazwiskiem Pajkowski (jeden z „francuskich" pseudonimów Gralewskiego), co zostało odnotowane w brytyjskich depeszach. Ponieważ kwestie personaliów i faktycznej podległości w sferze wywiadowczej podczas okupacji niemieckiej są niezwykle zagmatwane i nie sposób ich autorytatywnie rozstrzygnąć, należy również wziąć pod uwagę, że Miodoński mógł być takim agentem SD jak na przykład Klementyna Mańkowska w Abwehrze (patrz aneks 3G), czyli mógł tam być na polecenie swoich polskich przełożonych.

Był jeszcze czwarty tajemniczy kurier, Józef Dunin-Borkowski (rzekomo ze Skarżyska Kamiennej). Pewne i wspólne dla nich wszystkich jest to, że nie wysyłały ich żadne władze polskiego Państwa Podziemnego.

Jeżeli założymy, że przynajmniej trzej pierwsi z wyżej wymienionych (a przynajmniej jeden lub dwóch) uczestniczyli w zamachu na Sikorskiego, to musimy postawić pytanie, dlaczego ściągnięto ich do Gibraltaru przez całą okupowaną Europę. Czy Brytyjczykom lub tak zwanym kołom legionowo-sanacyjnym brakowałoby chętnych do zgładzenia Sikorskiego wśród polskich oficerów w Wielkiej Brytanii lub na Bliskim Wschodzie? Niestety nie. Kto zatem oprócz Kremla mógł wysyłać w tak trudną i niebezpieczną drogę specjalistów od zabijania?

Narodowość towarzyszki podróży Miodońskiego i stanowisko jej brata wskazywałaby, że mógł to być Berlin. Jednak nic nie wiadomo o tym, by również Suchy i Izdebski byli niemieckimi agentami. Jest zaś nieprawdopodobne, by jakieś dwa wywiady chciały dokonać zamachu na Sikorskiego w tym samym miejscu i czasie, na dodatek sięgając właśnie po wykonawców przebywających w Polsce. Skoro wykluczymy taką możliwość, to pozostaje hipoteza, że Miodoński był podwójnym agentem, który działalność na rzecz Niemiec wykorzystywał jako przykrywkę w służbie innego państwa, którym nie była Polska. (Można nawet sobie wyobrazić, że Polak, Miodoński lub ktoś inny, mógł być skierowany przez polskie władze podziemne do pracy w instytucji niemieckiej jako agent polskiego wywiadu, a zarazem mógł być radzieckim „kretem", o czym polskie władze nie wiedziały. Taki potrójny agent dostarczałby Kremlowi informacji z dwóch źródeł. Jak zaświadcza historia tajnych służb, jednoczesne służenie trzem wywiadom nie jest szczytem ludzkich możliwości.)

Dariusz Baliszewski otrzymał w tej sprawie tajemniczy list. Oto on:

W czworoboku umocnionych budynków u zbiegu Burg — U.Gertrudenstrasse w Krakowie, na 4. piętrze (obecnie domy przy ul. Gertrudy 27 i 29) mieściła się jednostka Abwehry przeznaczona do realizacji wydzielonych zadań. Jej stan osobowy tworzyli niemal wyłącznie oficerowie. W drugiej połowie 1944 r., a więc już w zmienionych wojskowo-politycznych warunkach działania D.A. [Abwehry], do jednostki tej dotarły szczegóły odnoszące się do katastrofy lotniczej w Gibraltarze w dniu 4 lipca 1943 r. Istotne dane:

Wiadomość o planowanej katastrofie dotarła do centrali Abwehry drogą okrężną dopiero pod koniec czerwca 1943 r. Rezydentce wywiadu wojskowego w Gibraltarze przekazano polecenie, aby starała się ostrzec grupę polskich pasażerów samolotu przed grożącym im niebezpieczeństwem. Podjęła ona działania w tym kierunku, lecz bez skutku.

Czeski pilot był informowany o możliwości awarii samolotu, równocześnie zapewniony został, że z wypadku wyjdzie cało. Udziału w locie nie mógł odmówić (groźba ujawnienia szczegółów z jego prywatnego życia).

Generał Sikorski poniósł śmierć już w chwili, gdy samolot rozpoczynał rozbieg na pasie startowym. Kres życiu generała położyły dwie kule rewolwerowe. Los pasażerów Liberatora dopełnił się ostatecznie podczas detonacji poprzedzającej upadek samolotu.

Teczka generała Sikorskiego nie zaginęła.

Człowiek stamtąd

P.S. Ostatnią inicjatywą D.A. [Abwehry] dotyczącą spraw
polskich były (bezskuteczne) sugestie, aby odstąpić od likwidacji Powstania Warszawskiego, gdy była pewność, że
sowieci nie pomogą powstańcom.*

Być może trzeba wyjaśnić, że szef Abwehry, niemieckiego
wywiadu wojskowego, admirał Wilhelm Canaris, jego zastępca
generał major Hans Oster oraz jeszcze kilku bliskich współpracowników Canarisa potajemnie sprzyjało Wielkiej Brytanii, co
wynikało z ich patriotycznego przekonania, że Hitler doprowadzi Niemcy do zguby. Canaris już w 1935 roku poufnie
skomunikował się z wywiadem brytyjskim, którego szefem był
wówczas sir Hugh Sinclair. Sinclair, z zachowaniem należytej
ostrożności i rezerwy, nie uchylał się od kontaktów ze swoim
niemieckim odpowiednikiem. Kiedy zmarł 4 listopada 1939
roku, jego miejsce w MI6 zajął Steward Graham Menzies, który
uważał Canarisa za swojego osobistego przeciwnika, gdyż miał
z nim nie wyrównane porachunki z okresu pierwszej wojny
światowej. To było powodem, że Menzies nie mógł uwierzyć
w wiele niezwykle cennych informacji, które w ciągu następnych czterech lat otrzymywał od szefa Abwehry, i wykorzystać
ich w interesie Wielkiej Brytanii. Pod koniec 1943 roku Canaris
został usunięty ze stanowiska, w lipcu 1944 roku aresztowany,
a 9 kwietnia 1945 roku powieszony. Po jego zdymisjonowaniu
Abwehra została włączona do wywiadu SS, jako sekcja woj-

---

* Przedruk w: J. Maryniak, *Śmierć generała Władysława Sikorskiego — Katastrofa czy sabotaż?*, „NIT", nr 2/2002, s. 23.

skowa (AmtMil). Paradoksalnie, jej szefem został pułkownik Georg Hansen, który podzielał poglądy Canarisa i podtrzymywał jego kontakty z aliantami. Hansen został powieszony 8 sierpnia 1944 roku za udział w spisku, który doprowadził do zamachu na Hitlera dokonanego 22 lipca tegoż roku przez pułkownika Clausa Schenka von Stauffenberga. (Od września 1938 roku do lipca 1944 roku było siedemnaście prób zamachu na Hitlera.)

Zwykle anonimowe listy ignoruje się lub dezawuuje. W tym wypadku, przy zachowaniu najdalej idącej ostrożności, a nawet podejrzliwości, nie można tak postąpić. Byłoby naiwnością spodziewać się, że autor listu zechce ujawnić, kim jest. Sądząc z zakresu posiadanych przez niego informacji*, podczas wojny był albo lojalnym współpracownikiem niemieckich władz okupacyjnych, albo podwójnym agentem z rozkazu AK. Tak czy inaczej, stary człowiek nie chciał komplikować sobie życia u jego schyłku, jednak treść jego listu zasługuje na kilka uwag.

Po pierwsze, po raz kolejny potwierdza się, że zaplanowany zamach na Sikorskiego był tajemnicą poliszynela w międzynarodowym środowisku wywiadowczym. Zwrot, że informacja o mającym się odbyć zamachu „dotarła do centrali Abwehry drogą okrężną”, można rozumieć w ten sposób, że uzyskał ją niemiecki agent uplasowany w którymś z wywiadów alianckich.

---

* Informacja, że rezydentką Abwehry w Gibraltarze była kobieta, należała do kategorii najwyższej tajności (dane osobowe agentów). Nie można wykluczyć, że owa kobieta miała nieoficjalny, ściśle prywatny kontakt z członkiem brytyjskich tajnych służb na terenie Gibraltaru, który był jej (nieświadomym?) źródłem informacji. Wspomniana przez anonima jednostka Abwehry rzeczywiście mieściła się pod podanym przez niego adresem. Sprawdziłem to i okazało się, że rezydowała dokładnie przy ul. Gertrudy 29 — T.A.K.

Po drugie, można by powiedzieć, że list ów potwierdza ocenę, iż Niemcy nie tylko nie zabili Sikorskiego, ale nawet usiłowali go chronić (ostrzec). Można by tak powiedzieć z pełnym przekonaniem, gdyby nie to, że autor listu referuje wyłącznie poczynania Abwehry. Nie wiemy, jaki pogląd miało w interesującej nas materii SD (a właśnie z wywiadem SS miał — według Baliszewskiego — jakieś związki „kurier" Miodoński).

Po trzecie, informacje dotyczące Eduarda Prchala są logicznie powiązane z przebiegiem lotu zrekonstruowanym w symulacji profesora Maryniaka.

Tu trzeba wspomnieć o pewnym spostrzeżeniu profesora Valenty, któremu nie przypisał on jednak żadnego znaczenia, być może słusznie. Otóż od połowy lipca 1942 roku Prchal latał do Gibraltaru. Jak zanotował Valenta, w 1968 roku w rozmowie z Carlosem Thompsonem „Prchal napomknął, że propozycja przejścia do dyonu 511. została mu przedstawiona po powrocie z pierwszego lotu do Gibraltaru, gdzie jego samolot został zniszczony podczas nalotu włoskiego. Wydaje się jednak, że tu nastąpiło jakieś nieporozumienie. Dla tego stwierdzenia nie ma bowiem podstaw w zapisach Log Book. Tam notuje się przy każdym locie także znak i numer maszyny. Kontrola wszystkich zapisów ujawniła, że zawsze wracał do Anglii tym samolotem, którym odleciał, nigdzie nie ma śladu lotu z inną maszyną". Profesor Valenta podkreśla, że ów Log Book, czyli dziennik pokładowy, „Jest to nieocenione źródło informacji, które umożliwia ściśle i dokładnie określać miejsca, daty i czasy startów i lądowań, trwanie każdego lotu, nazwiska załogi i pasażerów*,

---

* Wyjątek stanowiły nazwiska pasażerów samolotów dywizjonu 511: ich tożsamości nie ujawniano, niezależnie od tego, czy był to szef sojuszniczego pań-

wagę cargo itd. Jest to w płótna koloru khaki oprawna książka
w Anglii ulubionego kwartowego formatu. Nie był to prywatny
notatnik, do którego możnaby dowolnie pisać, lecz oficjalny
dokument, który dowódca jednostki lub naczelnik lotniska regularnie potwierdzali, komendant notował tu okresowo także
swoją ocenę czynności pilota"*.

Niemożliwe, by Prchal ubrdał sobie, że jeden z samolotów
transportowych, które pilotował, został zniszczony. Musiał więc
kłamać. Trudno się jednak domyślić, czemu miało to służyć.
Należy natomiast podkreślić, że informację, iż Prchal odszedł
z lotnictwa bojowego do transportowego na własne życzenie,
potwierdza tylko jedno źródło — relacja pilota myślistwa
nocnego M. Mansfielda, złożona Carlosowi Thompsonowi**.
Nie można zatem wykluczyć, że to Prchal dyskretnie puścił
w obieg informację, iż przeszedł do lotnictwa transportowego
na własne życzenie, mogły go jednak do tego nakłonić inne
osoby, których naciskowi czeski pilot nie mógł się oprzeć. Taką
interpretację uprawdopodobnia również to, że po trzech ty-
godniach na przełomie marca i kwietnia 1942 roku, podczas

---

stwa, czy pilnie potrzebny technik. Po prostu albo w ogóle nie sporządzano listy
pasażerów, albo wypełniano ją fikcyjnymi nazwiskami (Carlos Thompson, *The
Assassination of Winston Churchill*, Colin Smythe, London 1969, s. 171–178).
Po katastrofie gibraltarskiej i wysłuchaniu skarg ppor. Harolda Vernona Briggsa,
oficera załadowczego tamtejszej ADRU, dotyczących niemożności uzyskania od
dowódców samolotów dywizjonu 511 list pasażerów, Court of Inquiry (który
nie zdołał ustalić z całkowitą pewnością nie tylko prawdziwych personaliów pasażerów liberatora AL 523, ale nawet ich liczby) zalecił, aby dowódcy samolotów
dywizjonu 511 stosowali się do ogólnie przyjętych reguł dotyczących sporządzania
i okazywania list pasażerów.
    * Papiery Valenty, *Czechosłowacki pilot Eduard Prchal*, sygn. gibpl-czpilot-opr,
s. 13–14, 10–11.
    ** C. Thompson, *The Assassination...*, op. cit., s. 205 i nast.

których pełnił obowiązki instruktora myślistwa nocnego, „Maj
tegoż roku spędził Prchal, niezbyt wiadomo, z jakiego powodu,
tym razem jako uczeń czy słuchacz, w specjalnym kursie bom-
bardowania nurkowego"*. Być może Prchal miał dość służby
w myślistwie, szczególnie nocnym, i początkowo postanowił
przekwalifikować się na pilota bombowego albo polecono mu
odświeżyć umiejętność pilotowania ciężkich samolotów przed
przeniesieniem go do lotnictwa transportowego. W pierwszym
wypadku jego późniejsze przejście do lotnictwa transportowego
świadczyłoby, że rozczarował się również do służby w lotnictwie
bombowym, czy też w ogóle do służby liniowej, w drugim —
że ukończywszy kurs, wykonał pierwszy etap i przystąpił do
drugiego etapu jakiegoś zadania zleconego mu przez nieznane
nam osoby. Możliwe jest jednak i trzecie wytłumaczenie, będące wariantem pierwszego. Valenta, w ślad za majorem Lle-
wellynem, przypomina oczywistą rzecz, że wszyscy członkowie
załóg w dywizjonie wożącym VIP-ów byli sprawdzani przez
służby specjalne. Obaj, Llewellyn i Valenta, prostodusznie wy-
ciągnęli stąd wniosek, że wszystkie osoby zakwalifikowane do
służby w dywizjonie 511 były „czyste". Niewątpliwie brytyjskie tajne służby nie dopuściłyby świadomie do tej jednostki osoby sprzyjającej politycznym celom Trzeciej Rzeszy i jej
sojuszników. Jednak jest równie pewne, że Secret Intelligence
Service uważałaby za swój sukces, gdyby udało się jej umieścić
w dywizjonie 511, który podlegał bezpośrednio Ministerstwu
Lotnictwa, osobę, która ze względów pozapolitycznych byłaby
lojalna przede wszystkim wobec SIS, a przynajmniej wobec
niektórych jej funkcjonariuszy. Decyzja przejścia do lotnictwa

---

* Papiery Valenty, ibidem, s. 12–13.

transportowego (dywizjon 24 stacjonujący w Hendon) mogła być niezależnym postanowieniem i pragnieniem Prchala, lecz służby specjalne (a raczej, jak się wydaje, ich nielojalni wobec własnego państwa pracownicy) mogły wiedzieć o czeskim pilocie coś, co skłoniło je do zaproponowania mu przejścia do dywizjonu 511, aby mieć tam swojego człowieka i w odpowiednim czasie — wykorzystując jego słaby punkt — nakłonić go lub zmusić do wykonania zadania sprzecznego z polityką brytyjskiego rządu.

Wreszcie nie można wykluczyć, że dossier Prchala było zupełnie czyste, lecz jego umiejętności, a być może i to, że nie był Brytyjczykiem, uważano za tak cenne, że w razie odmowy podporządkowania się życzeniu służb specjalnych zamierzano go szantażować spreparowanymi zarzutami. Tak czy inaczej, jeżeli Prchal nie przeszedł do dywizjonu 511 z własnej inicjatywy, lecz zaproponował mu to podwójny agent brytyjskich tajnych służb, czego Prchal nie musiał wiedzieć, mogłoby to świadczyć, że zagraniczni mocodawcy owego agenta już latem 1942 roku rozważali dokonanie zamachu na generała Sikorskiego.

Po czwarte, wracając do listu „Człowieka stamtąd", informacja, że Sikorskiego zabito jeszcze przed lotem, w przeciwieństwie do tezy, że zginął w wypadku, nie kłóci się z tym, co wiemy o przebiegu lotu, zakończonego łagodnym, zaplanowanym wodowaniem, które w żadnym razie nie mogło spowodować śmiertelnych obrażeń u wszystkich, których znaleziono martwych (można ostatecznie przyjąć, że na skutek nieszczęśliwego zbiegu okoliczności w chwili wodowania mogło zginąć kilka osób). Szczegółowej informacji, że „Kres życiu generała położyły dwie kule rewolwerowe", nie sposób obecnie potwierdzić.

Po piąte, informacja, że „Los pasażerów Liberatora dopełnił się ostatecznie podczas detonacji poprzedzającej upadek samolotu", jest nieścisła. Gdyby detonacja nastąpiła przed zetknięciem się samolotu z powierzchnią morza, to rozerwana maszyna natychmiast pogrążyłaby się w wodzie, a nie unosiłaby się na niej przez sześć do ośmiu minut, jak zeznało wielu świadków. W samolocie istotnie nastąpił wybuch, który rozerwał go na trzy duże fragmenty i całkowicie zniszczył poszycie spodu kadłuba (podpułkownik Stevens stwierdził: „Brak było części tyłu kadłuba u krawędzi spływu płata nośnego oraz całego przedziału bombowego z tyłu za siedzeniem nawigatora. [...] bardzo uszkodzona skorupa kadłuba, stanowiąca część tylną za komorą bombową aż do statecznika poziomego. Cała podłoga w tej części kadłuba była zniszczona, tak że wydobyto tylko część stropową i boki"), ale wybuch ten nastąpił kilka minut po wodowaniu, kiedy samolot opuściły już te osoby, które nie były celem zamachu i miały się uratować. Informacja londyńskiego „Dziennika Polskiego" z 6 lipca 1943 roku, podana za depeszą agencji Reutera z 5 lipca, powołującej się z kolei na niemieckie radio, jakoby w hiszpańskim miasteczku La Línea de la Concepción, położonym tuż na północ od wschodniego krańca pasa startowego, zaobserwowano płomienie w samolocie spadającym do morza, jest co najmniej nieścisła. Liczne źródła potwierdzają, że niemieccy szpiedzy prowadzili stałą obserwację lotniska w Gibraltarze, ale wydaje się, że wiadomość niemieckiego radia nie była efektem ich obserwacji, ale raczej wyrazem chęci i najprostszym sposobem poinformowania alianckich rządów i opinii publicznej, że Berlin wie, iż w Gibraltarze doszło do zamachu. Przypuszczalnie w pamięci „Człowieka stamtąd" zachował się ten właśnie komunikat.

Po szóste, informacja, że „Teczka generała Sikorskiego nie zaginęła", jest zgodna z prawdą. 5 lipca 1943 roku gubernator MacFarlane przypłynął o świcie łodzią do nurków pracujących przy wraku samolotu i nakazał im, żeby odszukali teczkę generała, zawierającą najwyższej wagi dokumenty, istniejące tylko w jednym egzemplarzu. Wydobyli ją porucznik William Bailey, dowódca ekipy nurków Royal Navy w Gibraltarze, i porucznik Lionel „Buster" Philip Crabb*. Gubernator odesłał teczkę do Londynu. Spośród wszystkich dokumentów, które się w niej znajdowały, władze brytyjskie zwróciły władzom polskim tylko sześć**. Zdumienie budzi jednak brak na tych dokumentach organicznych śladów przebywania w morzu, co może rodzić podejrzenie, że wbrew oficjalnej (czy półoficjalnej) wersji Brytyjczycy przejęli teczkę — którą Bailey określił jako czarną skórzaną torbę (*pouch*) — p r z e d startem samolotu. Nie można jednak wykluczyć, że dokumenty te znajdowały się w wodoszczelnej kasecie.

(Również na mundurze generała Sikorskiego znajdującym się w muzeum jego imienia nie ma śladów wody morskiej. Jednak być może muzeum to — wbrew swoim zapewnieniom — nieświadomie, w dobrej wierze, eksponuje inny mundur Sikorskiego niż ten, w którym generał odbył ostatni lot.)

Ludwik Łubieński, świadek skrajnie niewiarygodny, stwierdził, że „w nocy [z 3 na 4 lipca] przyszedł ten kurier Gralewski z Warszawy". 4 lipca o dziesiątej rano podporucznik Łubień-

---

* T. J. Waldron, James Gleeson, *The Frogmen. The Story of the Wartime Underwater Operations* (liczne wydania, m.in. Pan Books Ltd., London 1950 i 1954, Evans Bros. Ltd., London 1951), Evans Bros., London 1959; tutaj za: S. Strumph Wojtkiewicz, ibidem, s. 353–354.

** P. Żaroń, op. cit., s. 224, przyp. 30.

ski (a raczej już kapitan, bo — jak sam stwierdził — w maju został awansowany przez Sikorskiego do stopnia porucznika, a w lipcu na kapitana) podobno zabrał przybysza do generała Sikorskiego. Według dziennika Sikorskiego Łubieński o jedenastej zaprowadził Gralewskiego do generała Klimeckiego i pułkownika Mareckiego, a dopiero o dwunastej kurier został przedstawiony Naczelnemu Wodzowi*. (Z lektury dziennika porucznika Jana Różyckiego Dariusz Baliszewski wyciąga wniosek, że ta ostatnia informacja jest niezgodna z prawdą, a generał przyjął kuriera — lub kurierów — dopiero między piętnastą a szesnastą trzydzieści**.) Sikorski postanowił zabrać Gralewskiego ze sobą do Londynu i aby zwolnić dla niego miejsce w samolocie, zdecydował się zostawić Łubieńskiego w Gibraltarze. Ta ostatnia informacja jest na pewno nieprawdziwa. Skoro Łubieński był szefem dwuosobowej Polskiej Misji Morskiej w Gibraltarze (drugą osobą był kancelista), jak sam utrzymywał niezgodnie z prawdą (w rzeczywistości misja ta liczyła prawie trzydzieści osób), to wcześniej, przed zaproszeniem kuriera do samolotu, Sikorski powinien był również wyznaczyć zastępcę (następcę) Łubieńskiego, gdyby rzeczywiście miał zamiar zabrać go do Londynu. Jednak nic nam nie wiadomo, żeby wydał taki rozkaz. Zostałby on anulowany w południe lub po południu 4 lipca, kiedy to Sikorski podpisał instrukcję uściślającą kompetencje i zadania Łubieńskiego w Gibraltarze. Za chwilę przekonamy się, że informacja Łubieńskiego była podwójnie nieprawdziwa.

24 czerwca przybyła do Gibraltaru przez Portugalię kilku-

---

* D. Irving, op. cit., s. 58–59 i 191, przyp. 31.
** D. Baliszewski, *Katastrofa*, „Newsweek Polska", nr 25, 2002, s. 93, tenże, *Śmierć w Gibraltarze*, „Newsweek Polska", nr 27, 2002, s. 90.

dziesięcioosobowa grupa polskich żołnierzy, w większości uczestników kampanii francusko-niemieckiej 1940 roku, uprzednio internowanych w hiszpańskim obozie w Miranda de Ebro. Porucznik Jan Benedykt Różycki, dowódca owych mirandczyków, pod datą 28 czerwca zapisał w swoim dzienniku „informację o kurierze z Warszawy przedstawiającym się jako Jan Gralewski. Zapisuje, że kurier został włączony do kadry oficerskiej mirandczyków i z kilkoma innymi, m.in. por. Łubieńskim, kilka razy udaje się na stojący w porcie polski okręt [niszczyciel ORP] *Ślązak*, by pomagać polskim marynarzom w nauce języka angielskiego". Tymczasem z wyżej cytowanych zapisków prawdziwego Jana Gralewskiego wiemy, że w tym czasie siedział on zamknięty w jakichś koszarach.

4 lipca o piętnastej wizytujący mirandczyków generał Sikorski (porucznik Różycki zameldował mu obecność dziewięćdziesięciu sześciu ludzi) rozpoznał stojącego w drugim szeregu człowieka posługującego się pseudonimem Nowakowski (co sugerowałoby, że był to pierwszy z wymienionych trzech fałszywych kurierów z Warszawy, którego prawdziwe nazwisko być może brzmiało Wiktor Suchy) i powitał go słowami: „Dobrze, że cię widzę, lecisz dzisiaj ze mną do Londynu". Doskonale rozumiemy, że jeśli rano Łubieński rzeczywiście zaprowadził kogoś do Sikorskiego, to oczywiście nie owego mirandczyka, bo przecież po południu generał nie powitałby tak wylewnie człowieka, którego widział kilka godzin wcześniej. Baliszewski twierdzi, że Sikorski musiał być z tym „popołudniowym" gościem zaprzyjaźniony, w przeciwnym razie nie zwróciłby się do niego per ty, ponieważ nigdy nie zwracał się tak do osób, z którymi utrzymywał wyłącznie oficjalne kontakty. Nie jest to prawda. Sikorski, podobnie jak wielu innych wojskowych, miał

zwyczaj zwracać się tak do młodszych stopniem i wiekiem podwładnych, jeżeli znał ich osobiście i czuł do nich sympatię.

Andrzeja Krzysztofa Kunerta również dziwi forma, w jakiej Sikorski powitał tajemniczego oficera, a także to, że oficer ten, dotąd wśród mirandczyków znany pod pseudonimem Jerzy Nowakowski, teraz wystąpił pod autentycznym — choć cudzym — nazwiskiem Jan Gralewski. Świadek składający relację ze spotkania Sikorskiego z mirandczykami sprawia jednak wrażenie, jakby dopiero post factum, tuż po zamachu lub nawet jeszcze później, skojarzył owego Nowakowskiego z Janem Gralewskim. Świadek nazywa Nowakowskiego Gralewskim po tym, gdy zasugerował mu to Dariusz Baliszewski, nie twierdzi natomiast, że tak się ów oficer przedstawił lub że tak go nazwał Sikorski.

Dlaczego jednak Sikorski postanowił zabrać rzekomego mirandczyka ze sobą, zamiast po prostu odebrać od niego dokumenty? (Korespondencja Komendy Głównej AK była szyfrowana kodem AK, a żaden z Polaków obecnych w Gibraltarze nie miał tego kodu.) Może chciał powierzyć mu jakieś zadanie lub po prostu odebrać od niego raport sytuacyjny, a w Gibraltarze brakowało na to czasu. Nie jest to jednak istotne dla głównego wątku tych rozważań. Ów tajemniczy oficer spotkał się z Sikorskim, co samo w sobie było wystarczającym warunkiem kontynuowania przezeń jego właściwej misji, ponieważ umożliwiało mu kolejne spotkanie z generałem. Prawdopodobnie nawet gdyby Sikorski nie nakazał mu towarzyszyć sobie w podróży do Londynu, to oficer ten mógłby bez problemu zjawić się wieczorem na lotnisku, tłumacząc się, że chce pożegnać generała.

Przy okazji staje się już całkiem oczywiste, że Łubieński kłamał, mówiąc, że pozostał w Gibraltarze (jeśli w ogóle miał go opuścić), ponieważ musiał zwolnić miejsce w samolocie dla

Gralewskiego. Nikt nie musiał zwalniać miejsca dla mirand-czyka, czyli fałszywego Gralewskiego/Nowakowskiego, kiedy również, po południu, Sikorski rozkazał mu lecieć ze sobą do Londynu*. Łubieński dostarczył w ten sposób jednej z licznych mocnych przesłanek, że śmierć Sikorskiego była wynikiem zamachu i że sam co najmniej się tego spodziewał.

Łubieński twierdzi, że o dziesiątej rano zaprowadził do Sikorskiego jakiegoś trzeciego człowieka, to znaczy ani nie prawdziwego Gralewskiego, który spędził kilka poprzednich dni w izolacji, jak wynika z jego zapisków, ani nie owego mirand-czyka (to drugie jest oczywiste, ponieważ w przeciwnym razie Sikorski nie powitałby go tak spontanicznie, jak to zrobił po południu). Być może tak było, a w takim razie można domniemywać, że w nocy do Łubieńskiego zgłosił się prawdopodobnie Miodoński, choćby dlatego, że był najbliższy wiekiem prawdziwemu Gralewskiemu. Jednak jest możliwe, że do Łubieńskiego przyszedł autentyczny Gralewski. Nie ma powodu odrzucać możliwości, że Gralewski nie był trzymany w izolacji jedynie po to, aby czekać na śmierć w momencie dogodnym dla spiskowców, lecz że miał jeszcze do wykonania jakieś inne zadanie, którego prawdziwy cel jego rozkazodawcy trzymali przed nim w tajemnicy. Co najwyżej mógłby być zdziwiony wiadomością, że do jego pierwotnego zadania nagle dodano spotkanie z premierem i Naczelnym Wodzem, ale zapewne wyjaśniono by mu wtedy, że dzieje się tak na skutek nowych instrukcji z kraju.

---

* Ppor. Harold V. Briggs, oficer załadowczy ADRU, odebrał telefon z pałacu gubernatora z zapytaniem, czy AL 523 może przyjąć dwunastego pasażera. Briggs skontaktował się telefonicznie z Prchalem, który zgodził się na to, uznawszy, że samolot nie będzie nadmiernie obciążony (Irving, op. cit., s. 105–106). Wcześniej nikt nie pytał ani Briggsa, ani Prchala, o zgodę na zabranie dodatkowego pasażera (Łubieńskiego).

Pułkownik Marian Utnik mógł się mylić, przypuszczając, że fałszywy Gralewski/Nowakowski (rzekomy mirandczyk) był kurierem z Warszawy. Być może akurat ten zamachowiec przybył z zupełnie innego kierunku. Można zadać pytanie, w czyim imieniu — by tak rzec — wziął udział w zamachu. Mógł być świadomym agentem radzieckim. Mógł też, jako polityczny wróg Sikorskiego, zgodzić się na jednorazową współpracę z wywiadem radzieckim, aby usunąć wspólnego wroga. Jeśli tak, to czy podjął współpracę za wiedzą (a może nawet z inspiracji) niektórych swoich przełożonych (lub nieoficjalnych patronów politycznych) w wojsku polskim (co stanowiłoby dla niego swego rodzaju polisę ubezpieczeniową na wypadek, gdyby nielojalni wspólnicy chcieli go zlikwidować), czy też zrobił to na własną rękę? Wreszcie, po trzecie, mógł go wprowadzić w błąd jakiś pracownik brytyjskich tajnych służb na usługach Kremla, który — nie ukrywając swojego związku z Secret Intelligence Service — przedstawił się jako koordynator przygotowań do zamachu na Sikorskiego w polskim środowisku wojskowym, nieoficjalnie przy tym popierany przez władze brytyjskie.

Możliwe, że odpowiedź na te pytania znajduje się w depeszy ekspozytury polskiego wywiadu w Lizbonie z 25 czerwca 1943 roku. Informowała ona, że „Gralewski Jan pseudonim Pankracy wyjechał z Polski 8. II na rozkaz Z.W.Z.*; wyjechał 23. odwołany z puczu na Gibraltar celem ewakuacji do Londynu pod nazwiskiem Nowakowski Jerzy, w Lizbonie nie był".

Tekst ten można rozwinąć następująco. Jego autor w począt-

---

* Z.W.Z., czyli Związek Walki Zbrojnej, 14 lutego 1942 r. został przemianowany na Armię Krajową. Dziwne, że 16 miesięcy później polski wywiad w Lizbonie używał nieaktualnej nazwy.

kowej części depeszy przypisuje Suchemu (?) — bo przypuszczalnie to on był owym mirandczykiem — dane utożsamiające
go z prawdziwym Gralewskim (nazwisko, data i miejsce rozpoczęcia misji). Co do pozostałej części depeszy, to było tajemnicą
poliszynela, że generał Anders, lub jego otoczenie, szykował
w Iraku pucz przeciwko Sikorskiemu (patrz rozdział pierwszy). Do puczu jednak nie doszło. Człowiek używający nazwiska Gralewski, który widocznie miał ważną rolę do odegrania
w owym puczu, przekonał się o słabości spiskowców (vide
przemówienie generała Gustawa Paszkiewicza w Sejmie RP 24
czerwca 1947 roku), został więc odwołany z puczu (przez kogo?
czy polski wywiad wyłącznie referuje tu bieg wydarzeń, czy też
bierze w nich czynny udział?). Wyjechał 23 czerwca (skąd? czy
z Bliskiego Wschodu?) do Gibraltaru („na Gibraltar" — jak się
wówczas mówiło). Baliszewski mylił się, mówiąc, że chodziło o „pucz gibraltarski"; wówczas w depeszy nie napisano by
„z puczu na Gibraltar", lecz „z puczu na Gibraltarze". Wkrótce
pod nazwiskiem Jerzy Nowakowski miał zostać odesłany (przez
kogo?) do Londynu. W Lizbonie nie był, czyli — jeśli depesza
mówi o owym oficerze znanym Sikorskiemu — dołączył do
kompanii porucznika Różyckiego w Gibraltarze.

Tu powstaje pytanie, na które trudno znaleźć odpowiedź.
Jeżeli został odwołany z nieudanego puczu na Bliskim Wschodzie i via Gibraltar miał zostać ewakuowany do Londynu, to co
sprawiło, że pozostał w Gibraltarze i — jak zakładamy — wziął
udział w zamachu? Czy zrobił to z własnej inicjatywy, czy na
rozkaz? Jeżeli na rozkaz, to czyj? A może zwrot „celem ewakuacji
do Londynu" był tylko zasłoną dymną?

Czy jest możliwe, aby generał Sikorski nie okazał zdumienia,
spotkawszy wśród byłych żołnierzy internowanych w Hiszpanii

oficera, którego zaledwie kilka tygodni wcześniej widział na Bliskim Wschodzie (a z pewnością znał go jeszcze z Londynu)? Otóż byłoby to możliwe wyłącznie pod warunkiem, że oficer ten wykonywał różne tajne zadania i jego obecność w żadnym miejscu i z żadną tożsamością nie dziwiłaby wtajemniczonych. Okazanie zaskoczenia przez generała zdekonspirowałoby tego oficera.

Sformułowanie pułkownika Michała Protasewicza, szefa VI Oddziału Sztabu Naczelnego Wodza, w depeszy do Warszawy, że Jan Gralewski, kurier z Warszawy, „razem z Naczelnym Wodzem został z a b i t y [podkr. T.A.K.]", odnosi się prawdopodobnie do nie zidentyfikowanego „płk. Gralewskiego", który zginął w samolocie podczas zamachu. Natomiast zwłoki prawdziwego Jana Gralewskiego (według niemożliwej obecnie do sprawdzenia informacji Protasewicza, przekazanej kurierce AK Elżbiecie Zawackiej, pseudonim Zo) znaleziono z kulą w głowie na pasie startowym gibraltarskiego lotniska; w dokumentach podano, że ciało wyłowiono 8 lipca. Prawdopodobnie nie zostało ono zidentyfikowane ze stuprocentową pewnością, ale wątpliwości zostały ostatecznie rozwiane, gdy wdowa rozpoznała rzeczy osobiste Gralewskiego, przesłane do Warszawy pół roku po zamachu. W przeciwieństwie do bagażu, jego listy do żony, pisane atramentem na bibułce, nie nosiły śladów przebywania w wodzie, co zdaje się podważać oficjalną wersję wyłowienia ciała z morza. Dariusz Baliszewski uważa, że Gralewski został zabity jako kozioł ofiarny, którego usiłowano obciążyć odpowiedzialnością za zamach. W 1993 roku Ludwik Łubieński podał, że ostatnim życzeniem Gralewskiego było zostać pochowanym w Gibraltarze. Ponieważ nie było to życzenie utrwalone w notatkach Gralewskiego, zatem przekaz

Łubieńskiego brzmi jak fragment relacji z wydarzenia, do którego doszło między ogłoszeniem wyroku śmierci a egzekucją. 9 lipca wieczorem „Bombardier Gralewski został pochowany na przepełnionym gibraltarskim cmentarzu między Skałą a lotniskiem [...]; polscy żołnierze zaciągnęli wartę honorową, a brytyjscy żołnierze oddali salwę honorową, gdy trumna była składana na wieczny spoczynek"*. Czy na pewno było to ciało skromnego „bombardiera" Gralewskiego, kuriera z Warszawy, podobno znalezionego z kulą w głowie na pasie startowym, czy może „pułkownika Gralewskiego", który zginął w samolocie? Wyjaśnienie tej kwestii byłoby możliwe (na przykład za pomocą porównawczego badania kodu DNA lub metody superprojekcji), ale oczywiście władze brytyjskie musiałyby się zgodzić na ekshumację zwłok. Byłby to dobry test na dobrą wolę rządu Jej Królewskiej Mości.

Natomiast dwie inne depesze (miały identyczne brzmienie, były sformułowane po angielsku) ekspozytury polskiego wywiadu w Lizbonie do Londynu, z 5 i 6 lipca 1943 roku, nakazują poinformować pułkownika Protasewicza, że władze brytyjskie zamierzają wysłać samolotem (do Londynu?) Pawła Pankowskiego, który przybył do Gibraltaru z Francji na rozkaz swego przełożonego w Warszawie (T. Niedbalskiego). Tę depeszę można interpretować trojako. Po pierwsze, że niedoszły uczestnik niedoszłego puczu na Bliskim Wschodzie, a zarazem zamachowiec z Gibraltaru, konsekwentnie podszywał się wobec Brytyjczyków pod Gralewskiego i miał być przez nich wysłany do Londynu. Zastanawiające, że ów człowiek nie obawiał się

---

* Raport Łubieńskiego z lipca 1943 r., za: D. Irving, op. cit., s. 100 i 187, przyp. 124.

konfrontacji w ludźmi znającymi jego inną (prawdziwą?) tożsamość. Warto również podkreślić, że w depeszy ekspozytury
polskiego wywiadu w Lizbonie z 25 czerwca występuje on pod
pseudonimem Nowakowski (przypominamy, że Gralewski używał tego pseudonimu w Hiszpanii), a w depeszach z 5 i 6 lipca jako Pankowski (pseudonim Gralewskiego do chwili prze-
kroczenia Pirenejów). Być może albo polskim tajnym służbom
myliły się już pseudonimy, albo chodziło właśnie o stworzenie
zamieszania informacyjnego i niepewności co do tożsamości
osób zaangażowanych w zamach. Po drugie, autorzy depeszy
mogli mieć na myśli któregoś z fałszywych kurierów z Polski
(Stanisław Izdebski?). Trzecia interpretacja tekstu depeszy —
pozornie prostsza — brzmiałaby tak, że władze brytyjskie miały zamiar wysłać do Londynu zwłoki Pawła Pankowskiego,
czyli autentycznego Jana Gralewskiego, celem ich identyfikacji. Jednak prawdopodobnie Gralewski jeszcze wówczas żył,
a ponadto przy takiej interpretacji nie sposób odpowiedzieć na
pytanie, dlaczego zmarłego nie określa się jego prawdziwym
nazwiskiem, a przynajmniej „hiszpańskim" pseudonimem, ale
pseudonimem używanym przez niego we Francji. Co ważniejsze, nie sposób także racjonalnie wyjaśnić, czyje były naprawdę
zwłoki „pułkownika Gralewskiego", jak nazwał jedną z ofiar,
których autopsję przeprowadził, major lekarz Daniel Canning.
Czyżby jeden z zamachowców poniósł śmierć podczas akcji
i jego ciało pozostało w samolocie? Jeśli tak, to czy zginął z rąk
broniących się ofiar, czy wspólników?

(Warto tu zauważyć, że analiza dokumentów historycznych
jest obciążona ryzykiem, że badacz przypisze jakiemuś teksto-
wi źródłowemu znaczenie zgodne z jego brzmieniem, mimo
że osoba, która ów dokument wytworzyła, niezbyt biegle wła-

dała słowem pisanym, a do jej sprawności intelektualnej też można mieć zastrzeżenia. Ponadto spora liczba dokumentów, na przykład depesz, była tworzona w pośpiechu, często przy użyciu skrótów myślowych, które w przekonaniu autorów były oczywiste dla adresatów, ale nie zawsze są jasne dla badaczy, toteż interpretacja takich tekstów wymaga od nich szczególnej ostrożności.)

Już 5 lipca, kilkanaście godzin po zamachu, oficer SOE, major Perkins, zapytał w Londynie pułkownika Protasewicza, co wie o Gralewskim. Pytanie to mogło oczywiście wynikać z naturalnej chęci Brytyjczyków zdobycia pełnej wiedzy na temat ofiar i sprawców zamachu. Problem jednak polega na tym, że nie wiemy, o którym Gralewskim myślał major Perkins. Czy miał on nadzieję, że Protasewicz będzie mógł mu pomóc w identyfikacji osoby martwej (a ciało „pułkownika Gralewskiego" wyłowiono dopiero 8 lipca), czy żywej (prawdziwego Gralewskiego, czy jego drugiego „dublera"?)? A może wszystkich trzech? Bo gdyby Perkins wiedział wyłącznie o jednym z nich, to wątpliwe, czy tak by się starał ustalić, kim on był, żywy lub martwy.

Tezę wypadku podważa to, że konsekwencją pytania majora Perkinsa było wszczęcie (5 lipca) przez polskie władze wojskowe śledztwa w sprawie śmierci Sikorskiego. Być może rzeczywiście ofiarą tego dochodzenia padł prawdziwy Jan Gralewski. Dokumenty śledztwa zostały zniszczone — dlaczego, skoro oficjalnie nie było sabotażu? W swoich prywatnych notatkach, sporządzonych pod koniec lat czterdziestych, które wbrew jego życzeniu nie zostały zniszczone, gdy zmarł, pułkownik Protasewicz zapisał, że „Katastrofa nastąpiła na skutek wypadku, który stanowi tajemnicę państwową". Wiele wskazuje na to, że wiedząc, iż doszło do zamachu, znaleziono „winnego". Ale czy w dobrej wierze, czy też jako kozła ofiarnego? Pierwszy człon tego pytania zakłada całkowitą nieudolność polskiego kontrwywiadu, drugi zaś jest nielogiczny: aby kozioł ofiarny mógł nim się stać, jego rola musi być powszechnie znana, ergo — musiano by podać do wiadomości publicznej, że Sikorski zginął w wyniku zamachu. Bardziej prawdopodobna byłaby raczej trzecia możliwość: Gralewskiego zabito, aby „w imię wyższej racji" usunąć na zawsze nie tylko kogoś, czyje prawdziwe nazwisko i pseudonimy zdemaskowałyby przy najbliższej okazji tych, którzy je sobie przywłaszczyli, ale i kogoś, kto poznał i mógłby rozgłosić ową „tajemnicę państwową". (Możliwe, że Gralewski nie był jedyną ofiarą morderstwa „w imię wyższych racji" — vide rozdział 6. *Zamach*.)

Jednak rozstrzelanie prawdziwego Gralewskiego w wyniku jakiegoś śledztwa i wyroku sądu kapturowego stoi w sprzeczności z cytowaną wcześniej depeszą Protasewicza, że Gralewski został zabity „r a z e m" z Sikorskim. Prawdopodobnie rozwiązanie zagmatwanej zagadki autentycznego kuriera i jego „dublerów" jest w naszym zasięgu, lecz nie umiemy go dostrzec.

Uważa się, że spisy ludzi, którzy podczas wojny przeszli przez Gibraltar, zawierają ich prawdziwe nazwiska. Jest jednak wyjątek od tej reguły, skoro w jednym z transportów, który pod koniec lipca 1943 roku wypłynął z Gibraltaru do Afryki Północnej, był Jerzy Nowakowski, strzelec piechoty, pseudonim Paweł Pankowski (po co strzelcowi piechoty pseudonim?). Wiemy przecież, że taki człowiek nie istniał. A więc fałszywy Jan Gralewski zniknął ostatecznie, a jego „autentycznym" nazwiskiem stał się chwilowo drugi („hiszpański") pseudonim prawdziwego Gralewskiego.

Dariusz Baliszewski wspomina również o wielu innych tajemniczych Polakach w Gibraltarze. Takich, którzy przylecieli tam z Londynu dopiero po zamachu, a byli agentami wywiadu, i takich, którzy powinni byli się tam znajdować już od dawna. W wypadku tych ostatnich chodzi o zarządzenie 2586 Naczelnego Wodza z 23 lipca 1942 roku, powołujące Polską Misję Wojskową w Gibraltarze w składzie pięciu oficerów i dwudziestu trzech podoficerów. Łubieński do końca życia twierdził, jak to już wyżej zaznaczono, że misja ta była dwuosobowa. Być może zarządzenie Sikorskiego nie zostało wykonane?

Mowa jest także o tym, że wśród dziewięćdziesięciu pięciu ludzi zwanych mirandczykami co najmniej dwudziestu przybyło z Bliskiego Wschodu lub z Algierii i ukrywało swoje nazwiska i stopnie wojskowe, ponieważ byli to oficerowie służb specjalnych. Zapewne dołączyli oni do kompanii porucznika Różyckiego dopiero w Gibraltarze, podobnie jak jeden z dwóch „dublerów" Gralewskiego. Wbrew pozorom było to łatwe. Internowani w obozie Miranda de Ebro przybywali do Gibraltaru małymi grupami, przez położony przy granicy hiszpańskiej niewielki portugalski port Vila Real de Santo António. Do grup już oczekujących w Gibraltarze na ewakuację mogły dołączać następne. Owych ponad dwudziestu oficerów mogło się znaleźć w Gibraltarze, zanim przypłynęli prawdziwi mirandczycy lub później. Mogli do nich dołączyć kilka dni przed zaprezentowaniem się Sikorskiemu i łgać o swoim internowaniu, ale byłoby to związane z dużym ryzykiem, że ktoś odkryje ich mistyfikację. Zapewne zostali więc włączeni do kompanii tuż przed jej prezentacją, żeby uniknąć niewygodnych pytań byłych internowanych.

Kwestia tożsamości domniemanych zamachowców jest najbardziej zawikłanym elementem całej zagadki; badacz porusza się we mgle domysłów, musi się opierać na fragmentarycznych poszlakach, a poszczególne postacie, wyłaniające się na moment z tej mgły, przenikają się wzajemnie. Wiemy tylko tyle, że kilku mężczyzn posługujących się przybranymi nazwiskami i nie swoimi pseudonimami niezależnie od siebie wyruszyło do Gibraltaru. Dwóch z nich dodatkowo posługiwało się nazwiskiem i pseudonimami autentycznego kuriera Armii Krajowej. Nie wiemy, czy spotkali się 4 lipca 1943 roku na gibraltarskim lotnisku, dlatego uznanie ich za zamachowców byłoby obecnie nieuprawnione. Jednak jeszcze większym błędem byłoby aprioryczne odrzucenie takiej hipotezy, gdyż zamykałoby ono jedną z dróg, które mogą prowadzić do poznania prawdy.

W każdym razie w przyszłych badaniach warto wziąć pod uwagę słowa sir Robina Coopera, byłego pilota, który przeanalizowawszy — z racji swoich obowiązków w sekretariacie rządu — wyniki brytyjskiego śledztwa prowadzonego w 1943 roku, napisał 24 stycznia 1969 roku w krótkim raporcie dla sekretarza gabinetu, sir Burke'a Trenda: „Ten dokument [materiały komisji] wyklucza możliwość zamordowania Sikorskiego przez Brytyjczyków. Nie można [...] wykluczyć, że zamordowały go jakieś nieznane osoby"*. To ostatnie zdanie przynosi zaszczyt sir Robinowi, czyniąc go pierwszym wysokim brytyjskim urzędnikiem, który nie zawahał się oficjalnie (choć poufnie) podważyć sensowności raportu Court of Inquiry i zbliżyć się do prawdy o kulisach katastrofy w Gibraltarze. W następstwie jego opinii

---

* „The possibility of Sikorski's murder by the British is excluded from this paper. The possibility of his murder by persons unknown cannot be so excluded". („The Times", 4 lipca 2003).

Niektórzy publicyści uważają, że dla Brytyjczyków „Generał stanowił tylko kłopot". Dlaczego więc w 1943 r. Churchill tak się martwił, że polska opozycja może odsunąć Sikorskiego od władzy?

Kreml, 4 grudnia 1941 r. Władysław Sikorski podpisuje deklarację o współpracy między Polską a ZSRR. Szesnaście miesięcy później stosunki polsko-radzieckie tak się zaostrzyły, że były bliskie zerwania. I wtedy wybuchła sprawa Katynia...

Pasażerska wersja *Liberatora*. W podobnym samolocie zginął Władysław Sikorski.

Kabina pilotów B-24 *Liberator*. Co się naprawdę stało 4 lipca 1943 r. w kokpicie samolotu generała Sikorskiego? Zeznania pierwszego pilota są niespójne i niewiarygodne.

Najbliżej miejsca katastrofy byli żołnierze kąpiący się w Zatoce Katalońskiej. Początkowo myśleli, że liberator generała Sikorskiego najzwyczajniej wodował, co w Gibraltarze zdarzało się całkiem często. Zaczęli nawet pokpiwać z pilota.

Wyławianie z morza zwłok pasażerów i załogi liberatora AL 523.

Komu przeszkadzał Władysław Sikorski?
Komu najbardziej zależało na jego śmierci?

Msza żałobna w Katedrze Westminsterskiej. Na zdjęciu po lewej Winston Churchill z żoną i Anthony Eden, po prawej – warta honorowa przy trumnie z ciałem Władysława Sikorskiego.

w sprawozdaniu Trenda dla premiera Harolda Wilsona znalazło
się ostrzeżenie, że „w raporcie ówczesnego Court of Inquiry RAF
są pewne słabości, które — gdyby zostały opublikowane —
mogłyby być wykorzystane w kłopotliwy sposób. [...] Jest tam
wyraźny cień wątpliwości; zdolny adwokat mógłby to dobrze
wykorzystać. W swojej książce *Wypadek* Irving wskazuje na słabości tego raportu [...]", zatem wznowienie śledztwa (co jest
zgodne z przepisami RAF i co postulował Irving) byłoby „krań-
cowo niemądre"*.

Gdyby ślad moskiewski był właściwym tropem, być może,
idąc nim, udałoby się pełniej niż dotąd zidentyfikować ekspo-
zyturę wywiadowczą NKWD w polskim Państwie Podziemnym
oraz jej działalność, gdyż misja Jana Gralewskiego nie była tajemnicą dla zamachowców. Wiadomość o jego wyjeździe mogła
się przedostać z KG AK do cywilnych struktur Państwa Podziemnego (poprzez nieformalne kontakty między obu struk-
turami), które — w przeciwieństwie do Komendy Głównej
AK — były spenetrowane przez radziecki wywiad**. Jednak
równie dobrze można rozumować odwrotnie: zidentyfikowanie
radzieckich agentów mogłoby się przyczynić do rozstrzygnię-
cia kwestii kierowniczej roli Kremla w zamachu na generała
Sikorskiego.

---

* Tekst powszechnie dostępny — wystarczy wpisać do wyszukiwarki internetowej hasło „Real History and the Death of General Sikorski", a następnie — po
kliknięciu linku końcowego „Churchill's War" — vol. ii: „Triumph in Adversity":
Appendix on death of General Sikorski, the contents of a Harold Wilson file,
s. 850–851.
** Patrz aneks 3J.

Rozdział 6

Zamach

Zamachu na generała Sikorskiego dokonano na terytorium brytyjskim, zatem choćby tylko z tego powodu jego przeprowadzenie wymagało współpracy z obywatelami brytyjskimi, którzy by go umożliwili, a być może byliby również przydatni lub niezbędni jako jego czynni uczestnicy. Są podstawy, by domniemywać, że co najmniej dwóch Brytyjczyków współpracowało z zamachowcami, jeden z nich jako łącznik między nimi a rozkazodawcą i organizator zamachu. Ktokolwiek to był, musiał zajmować na tyle wysokie stanowisko, aby mieć niemal wszędzie nieograniczony dostęp oraz duże możliwości organizacyjne i logistyczne. Zakładając, że kapitan Prchal nie był czynnym uczestnikiem spisku, drugi z poddanych Korony współdziałających z zamachowcami pełnił funkcję drugiego pilota. Aby podjąć próbę identyfikacji tych dwóch postaci, trzeba odtworzyć w ogólnych zarysach prawdopodobny przebieg zamachu.

Na wybór miejsca, w którym uderzą, zamachowcy mieli — licząc od dnia opuszczenia Londynu przez Sikorskiego — prawie sześć tygodni, a o wiele więcej, jeżeli dotarli do poufnych planów podróży generała, co wydaje się niemal pewne. Nadmorskie lotnisko w Gibraltarze, zbudowane w 1939 roku na terenie toru wyścigów konnych i następnie powiększane, stwarzało dogodne warunki do przeprowadzenia zamachu. Po pierwsze, do Gibraltaru można było stosunkowo łatwo przedostać się albo oficjalnie, albo korzystając z utartych szlaków przerzutowych stworzonych dla ludzi pragnących wyjechać z okupowanej przez Niemców części Europy do Wielkiej Brytanii. Po drugie, było pewne, że samolot odleci do Londynu wieczorem lub w nocy (samotne liberatory pasażerskie prawie nigdy nie latały na trasach europejskich w ciągu dnia), co ułatwi zamachowcom niezauważone dotarcie do niego przed startem i odwrót. Po trzecie, natychmiast po zamachu w bezpośredniej bliskości lotniska można było zainscenizować wypadek, a następnie spróbować zatrzeć ślady w morzu.

4 lipca 1943 roku o 22.30 (gubernator MacFarlane podaje „około 10 wieczorem", lecz o tej porze Prchal dopiero zawiadomił telefonicznie Sikorskiego, że jest gotowy do lotu) goście i odprowadzający ich gospodarze odjechali na lotnisko — według jednych źródeł, a według innych o tej godzinie już się na nim znaleźli. Wcześniej, między 21.00 a 22.00, na prośbę córki generała ludzie sierżanta Moore'a zamontowali w komorze bombowej liberatora AL 523 polowe łóżko dla Sikorskiego*. Między 22.30 a 22.45 wniesiono do samolotu bagaże pasażerów. Najpóźniej o 22.40 generał Sikorski, jak zwykle ostatni, wszedł do samolotu. Oprócz niego miało lecieć (?) i weszło na pokład liberatora (?) dziesięcioro pasażerów:

1. ppor. Zofia Leśniowska, córka, sekretarka i szyfrantka Sikorskiego (zaginęła; podobno pierwsi nurkowie widzieli jej

---

* Notabene ani nurkowie nie znaleźli tego łóżka, ani też nie zostało ono wyłowione z wraku liberatora. Informacja, że zamontowano je w samolocie, pochodzi od Prchala i Łubieńskiego.

ciało, lecz nie wydobyli go, przesądnie obawiając się, że do-
tknięcie włosów topielicy sprowadzi na nich nieszczęście*),

2. gen. bryg. Tadeusz Klimecki, szef sztabu Naczelnego Wodza (ciało wydobyto tuż po wodowaniu),

3. płk. dypl. Andrzej Marecki, szef oddziału operacyjnego
Sztabu Naczelnego Wodza (ciało fale wyrzuciły na brzeg 9 lipca),

4. Adam Kułakowski, sekretarz Sikorskiego (zaginął),

5. por. mar. Józef Ponikiewski, adiutant Sikorskiego (ciało
wydobyto 6 lipca),

6. kurier (płk. ?!) Jan Gralewski (?) (ciało wydobyto 8 lipca),

7. płk. Victor Cazalet, członek parlamentu i osobisty łącznik
Churchilla (ciało wydobyto 6 lipca)**,

8. John Percival Whiteley, członek parlamentu, doradca
wicekróla Indii, pracownik szefostwa wywiadu na Indie; Si-

---

* O. Terlecki, op. cit, s. 310. Także nurkowie Royal Navy, którzy przystąpili
do pracy 5 lipca o świcie, według słów ich dowódcy, por. Williama Baileya, nie
byli szczęśliwi, gdy wydano im rozkaz poszukiwania zwłok Leśniowskiej. 6 lipca agencja Reutera podała, że jej ciało zostało znalezione (D. Irving, Accident...,
s. 197, przyp. 46). Była to jednak informacja niezgodna z prawdą.

** Kpt. A. J. Perry, adiutant MacFarlane'a, tak wspomina, co powiedział mu
jego przyjaciel Cazalet: „Czy wiesz, że tylko ja przypinam się pasami podczas
startu?" Por. William Bailey, dowódca ekipy nurków Royal Navy, który znalazł
Cazaleta w jego fotelu wiele stóp od wraku, twierdził, że przypięty do fotela (rzeczywiście tylko on) Cazalet miał ponadto na sobie kamizelkę ratunkową i spadochron. Ten zwyczaj Cazaleta potwierdził L. Łubieński. Trudno jednak to sobie
wyobrazić, dlatego intuicyjnie większym zaufaniem obdarza się w tym wypadku
kpt. Alberta Morrisa Posgate'a, dowódcę drugiej motorówki ratunkowej, który
zeznał, że „Cazalet nie miał kamizelki ani spadochronu" na sobie (D. Irving, ibidem, s. 63, 78–79, 196, przyp. 41). Cazalet został wyrzucony w powietrze wraz
z wyrwanym z mocowań fotelem i doznał złamania podstawy czaszki (trzymam
się tu oficjalnej wersji przyczyny śmierci, do której należy podchodzić z wielką
nieufnością — T.A.K.). Może jednak taka była tylko przyczyna tego obrażenia,
a przyczyną śmierci był strzał w tył głowy na początku pasa startowego.

korski jeszcze w Kairze powiedział mu, że może skorzystać z wolnego miejsca w samolocie do Londynu (wydobyty tuż po wodowaniu, zmarł w łodzi wiozącej go na ląd),

9. Walter H. Lock, pracownik transportu wojennego w Zatoce Perskiej (zaginął),

10. Harry Pinder, szef stacji telegraficznej Royal Navy w Aleksandrii (ciało wydobyto).

Tożsamość dwóch ostatnich została potwierdzona w raporcie „General Sikorski", przekazanym 7 lutego 1969 roku przez sir Burke'a Trenda premierowi Haroldowi Wilsonowi. Brak dowodów pozwalających podważyć to świadectwo, chociaż niektórzy autorzy podejrzewają, że Lock i Pinder pracowali w SIS, a ten pierwszy był specjalnym kurierem królewskim. Jak pisze Irving, natychmiast po wylądowaniu 3 lipca „Tych dwóch cywilów wziął pod skrzydła przedstawiciel gibraltarskiej jednostki wywiadu wojskowego, który opiekował się nimi do odlotu samolotu następnego dnia"*. Ludwik Łubieński twierdził, że Pinder był szefem brytyjskich tajnych służb na Bliski Wschód. Wersja oficjalna i owe podejrzenia oczywiście nie wykluczają się wzajemnie.

Załoga samolotu liczyła sześć osób:

1. kpt. Eduard (Max) Prchal, pierwszy pilot (ocalał),

2. mjr William „Kipper" S. Herring, drugi pilot (według oficjalnej wersji zaginął, wedle trzech niezależnych źródeł ocalał),

3. chor. L. Zalsberg, nawigator (ciało wydobyto 7 lipca),

4. st. sierż. D. Hunter, strzelec-radiotelegrafista (zaginął),

5. st. sierż. C. B. Gerrie, strzelec-radiotelegrafista (ciało wydobyto 6 lipca rano),

---

* Ibidem, s. 53–54.

6. sierż. F. Kelly, mechanik pokładowy (ciało wydobyto 6 lipca rano).

5 lipca wieczorem, gdy dźwig okrętowy uniósł z dna morza skrzydła samolotu, znaleziono poprzednio uwięzione pod nimi ciało jednego z członków załogi*, zatem jedna z wyżej podanych dat wydobycia zwłok musi być błędna. 6 lipca znaleziono ciało nawigatora lub mechanika**, prawdopodobnie jednak mechanika, ponieważ zwłoki nawigatora znaleziono 7 lipca. Z tego wszystkiego wynikałoby, że ciało Gerriego znaleziono nie 6, jak podano wyżej, lecz 5 lipca.

Jak w maju 1967 roku powiedział William Bailey, dowódca ekipy nurków Royal Navy, którzy o świcie 5 lipca 1943 roku rozpoczęli poszukiwania ofiar katastrofy, zastąpiwszy miejscowych nurków, „Przede wszystkim nikt, jak się zdawało, nie wiedział, ilu ludzi było w samolocie"***. Chociaż źródła oficjalne wymieniają siedemnaście osób (łącznie z Sikorskim), które weszły do liberatora, „te same dokumenty mówią o 12 bagażach osobistych wniesionych na pokład". Wydaje się jednak, że dwunasty bagaż należał do prawdziwego Jana Gralewskiego, który jednak nie wszedł na pokład samolotu. Bagaż ten musiał wnieść któryś jego „dublerów" („pułkownik Gralewski"?). Przy okazji można wskazać jeszcze jeden zadziwiający punkt w zeznaniach Prchala. Jak już wiemy, po południu zgodził się on przyjąć na pokład dwunastego pasażera. Dlaczego zatem nie zareagował na meldunek mechanika, że na pokładzie znajduje się tylko jedenastu pasażerów, dlaczego nie wspomniał o tej niezgodności

---

* Ibidem, s. 73.
** Ibidem, s. 79.
*** Ibidem, s. 86 i 199, przyp. 81.

komisji, dlaczego komisja nie zainteresowała się tą sprawą? Są to oczywiście pytania retoryczne.

Gubernator MacFarlane w swojej relacji z 18 lipca 1945 roku, opublikowanej przez Carlosa Thompsona*, podał, że na pokład samolotu weszły dwadzieścia dwie osoby: „Przez tę noc i w następnych dniach odszukano ciała wszystkich, którzy byli w samolocie, z wyjątkiem czterech osób; córka Sikorskiego, sekretarz i dwaj członkowi załogi nigdy nie zostali odnalezieni. Ogółem znaleziono osiemnaście ciał [...]". Na pierwszy rzut oka jest to informacja dość deprymująca, ponieważ wiemy, że nie odnaleziono także ciała Waltera H. Locka, a więc zaginęło pięć osób (potwierdzają to wszystkie oficjalne źródła brytyjskie, a za nimi „Times"), nie zaś cztery, ponadto wiadomo nam, że odnaleziono — łącznie z Prchalem — tylko dwanaście osób. Jeśli zatem wierzyć MacFarlane'owi, to do samolotu oprócz sześciu członków załogi weszło szesnastu pasażerów, nie jedenastu. A nawet siedemnastu, jeśli uwzględnić, że gubernator przeoczył jednego zaginionego. Czyli w sumie w liberatorze AL 523 znajdowałyby się dwadzieścia dwie, a być może nawet dwadzieścia trzy osoby. Jednak relację gubernatora, mimo jego oczywistej pomyłki w kwestii liczby zaginionych, może uwiarygodniać to, że sierżant Henry Carr i jego koledzy, którzy z oddali obserwowali przygotowania do startu i sam start samolotu (nie wiedząc, kto nim podróżuje), z nudów naliczy-

---

* C. Thompson, *The Assassination...*, relacja dostępna również po wpisaniu do wyszukiwarki internetowej hasła „Real History and the Death of General Sikorski", a następnie kliknięciu linku końcowego „Private account dated July 18, 1945 by Lt.-Gen Sir Noel Mason Macfarlane, Governor of Gibraltar, of the night Sikorski was killed"; także w: *The Death of General Sikorski. Search and Salvage, The Funeral, The Controversy, The Last Journey*, w: „After the Battle", No. 20, ed. by Winston G. Ramsey, London 1978.

li, że weszło do niego od dwudziestu do dwudziestu czterech osób. A więc od trzech do siedmiu więcej niż według źródeł oficjalnych. Być może pięciu (według MacFarlane'a) lub sześciu dodatkowych pasażerów, którzy — zakładamy — zginęli, było pracownikami Secret Intelligence Service i ich zwierzchnicy nie uznali za właściwe upubliczniać ich nazwisk, a nawet tego, że nie żyją. Trudno jednak uwierzyć, aby osoby odpowiedzialne za załadunek zaakceptowały tak znaczne dodatkowe obciążenie samolotu, bo spowodowałaby to problemy z jego wyważeniem, przede wszystkim zaś dla dodatkowych pasażerów nie byłoby już miejsca na pokładzie.

Kapitan Prchal zeznał: „około godz. 22^{40} zająłem miejsce w samolocie [...]. Zezwolenie na start otrzymałem o godz. 23^{10} i natychmiast wystartowałem". Tymczasem sierżant Carr i jego koledzy zeszli na plażę w Catalan Bay (Zatoka Katalońska), aby się wykąpać. Byli najbliżej liberatora, gdy samolot ten, lecąc bardzo nisko, w pełni sterowny, wedle relacji Carra „wpadł do kałuży", czyli po prostu wodował. „Na ten widok wszyscy zaczęli się śmiać i żartować z nieudolności pilota. W tym, co oglądali, nie było nic tragicznego ani niezwykłego. Podobne wypadki zdarzały się na Gibraltarze często — tutejsze lotnisko należało do bardzo niebezpiecznych. Nikt w nich nie ginął, a następnego dnia niefortunne załogi stawały się obiektem żartów"*.

Według wyników śledztwa, przeprowadzonego na miejscu przez późniejszego (od 14 lipca) ministra spraw zagranicznych Tadeusza Romera, wodowanie nastąpiło nawet jeszcze później — o 23.24. Jednak w komunikacie komisji brytyjskiej po-

---

* Za: D. Baliszewski, *Trumna*, „Newsweek Polska", nr 26/2002, s. 91. Niestety autor nie podaje źródła, z którego zaczerpnął relację sierż. Carra, złożoną przez niego na początku lat 90.

dano godzinę 23.07. Te różnice w ocenie czasu tego zdarzenia są dość zagadkowe.

Jak już podkreśliłem, zeznania Prchala złożone w lipcu i sierpniu 1943 roku (i jego późniejsze relacje) dotyczące przebiegu lotu są sprzeczne z prawdą. Jednak wydaje się, że pilot ów mijał się z prawdą wyłącznie relacjonując przebieg lotu. Jeśli chodzi o procedurę startową, musiało mu się to wydawać zbędne, a ponadto ryzykowne, bo łatwe do sprawdzenia w dokumentach wieży kontroli lotów. Zwróćmy uwagę, że mówiąc, kiedy zajął miejsce w samolocie, użył słowa „około", jednak czas startu określił precyzyjnie. Dlaczego jednak komisja stwierdziła, że stało się to trzy minuty wcześniej? Można być prawie pewnym, że dlatego, iż — jak stwierdził kapitan Albert Morris Posgate, dowódca drugiej łodzi motorowej, która o 23.20 otrzymała rozkaz wypłynięcia na miejsce zatonięcia samolotu i przybyła tam sześć minut później — zegarki czterech osób wyłowionych z morza tuż po katastrofie (byli to Prchal, Whiteley, Sikorski i Klimecki) zatrzymały się właśnie na 23.06 i 23.07. Przyjmując, że właśnie w tej chwili samolot „uderzył" w powierzchnię morza i wtedy też w wyniku owego „uderzenia" zginęli lecący nim ludzie, komisja przeszła do porządku dziennego nad sprzecznością między faktem stwierdzonym przez Posgate'a a zeznaniem Prchala określającym moment startu (w żadnym innym punkcie komisja nie podważyła zeznań czeskiego pilota).

Skoro jednak wiemy, że samolot nie uderzył w powierzchnię morza, lecz wodował, to śmierć ludzi nie była związana z tym wydarzeniem, a zatem ich zegarki nie zatrzymały się w chwili wodowania. Stało się to albo wcześniej, albo później. Do tej ważnej kwestii jeszcze powrócimy.

Zgodnie z procedurą przedstartową, po zajęciu miejsca za sterami pilot grzeje silniki i przeprowadza ich próbę. W wypadku liberatora generała Sikorskiego trwało to około pół godziny. W tym czasie, według zeznań świadków, do samolotu weszło ponad dwadzieścia osób, załadowywano (i być może także wyładowywano) wiele worków. Gdyby sierżant Carr i jego koledzy nie zeszli na plażę Catalan Bay, być może powiedzieliby również, czy i ile osób opuściło samolot przed startem. Niestety nie wiemy tego. W każdym razie chwilę później zamachowcy mieli okazję urzeczywistnić swój plan, samolot bowiem odkołował do odległej, zachodniej części lotniska, na początek pasa startowego, z dala od osób żegnających polską delegację i od wieży kontroli lotów, ponadto huk silników, po raz ostatni sprawdzanych na pełnej mocy, zagłuszał wszelkie inne dźwięki, a przed samym startem na lotnisku rutynowo zgaszono światła. Później zamachowcy mogliby albo po prostu wyjść z lotniska, korzystając z zamieszania, jakie powstało po jego przeciwległej, wschodniej stronie, gdzie wodował liberator, albo bez trudu ewakuować się, na przykład czekającą na nich łodzią, na odległy stąd zaledwie o nieco ponad sto metrów na południe cypel Passenger Wharf przy nabrzeżu North Mole.

Jeżeli chodzi o to, jak zamachowcy dostali się do samolotu, to można rozważyć kilka możliwości.

Ekspert polskiego Ministerstwa Spraw Wewnętrznych, inżynier Tadeusz Ullman, w swoim raporcie z 7 września 1943 roku stwierdził, że porządek na lotnisku w Gibraltarze i dozór nad samolotem pozostawiały wiele do życzenia. Również obie polskie komisje działające pod przewodnictwem pułkownika pilota Piotra Dudzińskiego zwracały na to uwagę w raportach z 4 września i 27 listopada 1943 roku, sformułowały to jednak niezwykle elegancko i łagodnie („na lotniskach angielskich panują warunki wzajemnego zaufania"). Podobnie brytyjskie śledztwo wykazało między innymi, że sierżant Norman John Moore, szef jednostki technicznej dywizjonu 511 w Gibraltarze, wbrew przepisom dotyczącym ochrony samolotów VIP-ów wpuścił na pokład liberatora wartownika, a według relacji Mac-Farlane'a w samolocie był komandos i strażnik RAF-u (samolot powinien być opieczętowany po wylądowaniu i chroniony wyłącznie przez posterunki zewnętrzne). Z kolei kapral Walter Titterington ze wspomnianej stacji ADRU zeznał, że w sobotę, 3 lipca, godzinę po wylądowaniu liberatora AL 523, wyniósł z niego pięć worków z pocztą, a w niedzielę o siódmej rano jeszcze dwa. Odkładając na bok pytanie, dlaczego wszystkich worków z zapewne ważną i pilną pocztą dyplomatyczną nie wyładowano od razu, trzeba zwrócić uwagę na tę część zeznania Titteringtona, w której mówi on, że ani wieczorem, ani rano nie widział w liberatorze wartownika z wojsk lądowych, nikt go też nie zatrzymywał na zewnątrz, natomiast rano zastał w samolocie kaprala z RAF-u, który tam spał. Wartownikiem tym był kapral Francis Hopgood, który potwierdził poranną wizytę Titteringtona. Natomiast szeregowy F. C. Callow z wojsk lądowych — ów „komandos" — zeznał, że pełnił wartę w samolocie od szóstej do ósmej rano i „podczas mojej służby nikt nie zbliżał się, nie wszedł i nie opuścił samolotu"*. Zeznania Titteringtona i Hopgooda są więc sprzeczne z zeznaniem Callowa, który twierdząc, że był na pokładzie liberatora, potwierdził relację gubernatora, jednak tylko częściowo, bo dołączył do strażnika z RAF-u dopiero rano.

---

* D. Irving, *Accident...*, s. 111.

Chyba wszyscy polscy autorzy piszący na ten temat potępiają sposób zabezpieczenia samolotu Sikorskiego podczas postoju w Gibraltarze. Wydaje się, że nie można tego oceniać tak jednoznacznie. Niemieccy agenci obserwujący przez lornetę z terytorium Hiszpanii gibraltarskie lotnisko byli zdziwieni tym, że liberatora AL 523 (nie wiedzieli, kto nim podróżuje), w przeciwieństwie do innych maszyn bardzo pilnie strzeżono. Tuż po przylocie tego samolotu z Kairu sierżant Moore, dowódca jednostki technicznej dywizjonu 511 w Gibraltarze, wezwał kaprala Williama A. L. Davisa i rozkazał mu wyznaczyć strażnika, który spędziłby noc w liberatorze w pobliżu tylnego luku. Davis przekazał rozkaz trzem innym kapralom, którzy wylosowali spośród siebie wartownika. Był nim wspomniany Francis Hopgood, który natychmiast udał się do samolotu i opuścił go dopiero o siódmej następnego dnia rano. W tym samym czasie kapitan Jack Williams z sił lądowych wyznaczył posterunki zewnętrzne, które również natychmiast zajęły się ochroną AL 523 aż do jego odlotu. Irving pisze, że „Stąd nie było jasne, czy straż RAF-u była tylko rozwiązaniem doraźnym [*stopgap*], czy dodatkowym w stosunku do warty wystawionej przez wojska lądowe"*. Trzeba jednak zauważyć, że gdyby rozkaz Moore'a był tymczasowy, to chyba odwołałby on swojego wartownika, zobaczywszy, że siły lądowe wystawiły posterunki zewnętrzne. Niemiecki agent obserwujący lotnisko meldował do Berlina, że tego wieczora „w ostrym blasku reflektorów stał liberator RAF, wokół którego kroczyli brytyjscy żołnierze z karabinami gotowymi do strzału i z nasadzonymi bagnetami". Także Łubieński twierdził, że gdy około północy wraz z sekretarzem Sikorskiego,

---

* Ibidem, s. 190, przyp. 13.

Adamem Kułakowskim, udał się do samolotu, by wydobyć z bagaży kasetkę z odznaczeniami, zagrodziło im drogę dwóch wartowników, a następnie luk został otwarty od wewnątrz przez żołnierza w mundurze RAF-u*.

Analiza całej tej kwestii prowadzi do wniosku, że przydzielenie tak silnej ochrony samolotowi Sikorskiego, w tym zwłaszcza wystawienie wewnętrznej warty RAF, było wynikiem rozkazu MacFarlane'a, do którego nie chciał się on później przyznać, bo tym samym przyznałby też oficjalnie, że albo sam spodziewał się sabotażu lub zamachu, albo nakazała mu wydać ten rozkaz żywiąca takie obawy jakaś bardzo wysoko postawiona osobistość z Londynu. Trudno bowiem sądzić, że sam sierżant Moore miał wystarczające podstawy do samodzielnego zastosowania nadzwyczajnych środków ostrożności.

Inną sprawą jest realizacja tego rozkazu. Na podstawie dostępnych nam danych nie sposób bezdyskusyjnie wyjaśnić sprzeczności między zeznaniami Hopgooda i Titteringtona z jednej strony, a Callowa z drugiej. Wynikałoby z nich, że od szóstej do siódmej rano w samolocie była podwójna straż, jeśli Callow rzeczywiście objął służbę o szóstej, a Titterington o siódmej widział Hopgooda. Dlaczego jednak Titterington nie widział wieczorem Hopgooda? Dlaczego rano nie widział Callowa? Być może wieczorem Hopgood, a rano Callow usadowili się w części samolotu, do której Titterington nie zaglądał. Jest to jednak tylko spekulacja, ponieważ Hopgood stwierdził, że opuszczając samolot o siódmej rano (aby przyjąć lądujący dziesięć po siódmej liberator AM 914), nie tylko nie widział na jego pokładzie żadnego innego wartownika, ale na-

---

* Ibidem, s. 57.

wet nie wiedział, że wojska lądowe jakiegoś wystawiły. Nie ulega natomiast wątpliwości, że demonstracyjnie liczne posterunki zewnętrzne sił lądowych nie pilnowały najlepiej liberatora AL 523, gdyż nie zatrzymywały zmierzających do niego osób w mundurach brytyjskich, a ponadto opuszczający tę maszynę Hopgood spostrzegł wartowników w pobliżu parkujących nieopodal mosquitoes i był przekonany, że pilnują oni właśnie tych maszyn, a nie liberatora Sikorskiego*. Wydaje się, że zeznanie Hopgooda ma większą wartość niż zeznanie Callowa i wspierającego go kaprala (po zakończeniu śledztwa wszczęto postępowanie dyscyplinarne wobec oficerów wojsk lądowych odpowiedzialnych za ochronę lotniska). W rezultacie zachodzi podejrzenie, że po siódmej rano 4 lipca ochrona liberatora AL 523 była raczej iluzoryczna.

Na pokład samolotu Sikorskiego zamachowcy mogli się dostać na kilka sposobów. Mogli po prostu wejść na lotnisko w polskich mundurach, korzystając z zaufania, jakim cieszyli się polscy wojskowi wśród Brytyjczyków (jednak nie było gwarancji, że to na pewno się uda, ponieważ od osiemnastej trzydzieści trzeba było okazać wartownikom przy bramie specjalną przepustkę) i albo ukryć się w samolocie przed przybyciem polskiej delegacji, albo wejść na pokład razem z nią, albo też podczas załadunku jej bagaży. Jednak wydaje się, że każdy z tych trzech wariantów byłby obarczony ryzykiem dekonspiracji, gdyż członków delegacji niemal na pewno by zdziwiło, że oto zjawili się nowi, przez nikogo nie zaproszeni i nikomu wcześniej nie przedstawieni pasażerowie. Zamachowcy nie mogliby natychmiast wykonać swojego zadania i uciec, bo mieliby

---

* Ibidem, s. 111–112 i 206, przyp. 27.

na to za mało czasu — Sikorski zawsze wchodził na pokład ostatni — a w pobliżu samolotu stały osoby odprowadzające polską delegację i ludzie z obsługi naziemnej. Jednak jest jeszcze czwarta ewentualność: zamachowcy mogli przypłynąć z North Mole pod osłoną nocy i na zachodnim krańcu lotniska oczekiwać na podkołowanie samolotu. Liberator zbliżył się do początku pasa startowego, zawrócił i z nosem skierowanym na wschód zatrzymał się, czekając na zezwolenie na start. Wtedy zamachowcy mieli okazję dostać się na pokład. W tym wariancie można logicznie wyjaśnić rolę fałszywego Gralewskiego (mirandczyka-Nowakowskiego-Suchego?). Wszedłby on do samolotu z całą delegacją, żeby wpuścić do niego pozostałych zamachowców w dogodnym dla nich miejscu i czasie.

Zamach bombowy, choć znacznie ogranicza możliwość dekonspiracji sprawców, nie daje pewności, że osoba, w którą jest wymierzony, zginie. Gwarancję skuteczności mogły dać celnie, najlepiej z bliska, wystrzelone kule. Aby zrealizować taki plan, potrzebnych było kilku ludzi. Jak jednak mieliby się oni dostać do samolotu? Uprzednia obecność jednego z zamachowców na pokładzie rozwiązywała ten problem. Jest zresztą pośrednie potwierdzenie takiej wersji wydarzeń: wyłowione z morza ciało generała Sikorskiego nie było okryte kurtką mundurową, którą wydobyto osobno. Zapewne zdjął on ją po wejściu do samolotu, szykując się do snu. Zamachowcy nie zaatakowali więc natychmiast, gdy tylko zamknięto luk pasażerski, lecz dopiero po kilku lub kilkunastu minutach, kiedy samolot odkołował na zachodni kraniec pasa startowego, gdzie jak się zdaje zostali wpuszczeni na pokład. Trudno bowiem sobie wyobrazić, że zdołaliby się tak długo ukrywać po wejściu pasażerów do samolotu, gdyby znaleźli się tam przed nimi, albo że tak długo zwlekaliby z wykonaniem zadania, gdyby weszli na pokład wraz z nimi i musieli w jakiś sposób usprawiedliwić swoją obecność.

Można sobie wyobrazić i piątą możliwość. Zamachowcom udałoby się zapewne wejść do samolotu z innymi pasażerami, nie wzbudzając podejrzeń zarówno brytyjskiego personelu lotniska, jak i polskiej delegacji, gdyby byli w brytyjskich mundurach. Należy bowiem wątpić, aby Polacy indagowali nieznanych sobie Brytyjczyków, czy mają oni prawo wejść do samolotu wraz z nimi. Jeśli jednak zamachowcami byli trzej (?) fałszywi kurierzy z Polski, to mistyfikacja musiała się wydać tuż po zamknięciu luku: pozostali pasażerowie zdaliby sobie bowiem sprawę, że dla przybyszów po prostu nie ma miejsca na pokładzie, a próbując to z nimi wyjaśnić, zorientowaliby się, że nie mają do czynienia z Brytyjczykami. W tej sytuacji zamachowcy musieliby wykonać swoje zadanie natychmiast, zanim jeszcze samolot zaczął kołować i oddalił się od osób żegnających Sikorskiego. Jednak w takim wypadku generał chyba nie zdążyłby rozpocząć swoich przygotowań do snu. Z drugiej strony za taką wersją przebiegu wypadków przemawiają relacje MacFarlane'a i Carra, według których na pokład weszło od dwudziestu dwóch do dwudziestu czterech osób.

Którykolwiek z wyżej wymienionych pięciu wariantów wejścia zamachowców do liberatora jest zgodny z prawdą, nie ma to znaczenia dla sprawy zasadniczej, czyli dla tego, że dokonano zamachu na generała Sikorskiego. Natomiast dla próby rekonstrukcji dalszej fazy zamachu oraz identyfikacji jego organizatorów i ich mocodawców fundamentalne znaczenie ma ustalenie roli pilotów.

Z prawdopodobieństwem bliskim pewności można przyjąć, że zamachowcy opuścili samolot przed startem, założywszy w nim ładunek wybuchowy. Jak już wspomniałem w rozdziale 2. *Wypadek czy zamach?*, na wschodnim odcinku pasa startowego znaleziono drugi worek z pocztą, który najwidoczniej wypadł z samolotu, gdy ten zadarł dziób, wzbijając się w powietrze. Wydaje się to wskazywać, że po wykonaniu swojego zadania na zachodnim krańcu lotniska zamachowcy zeskoczyli na ziemię przez dolny luk, ale nie zdołali już zamknąć klapy. Worek, widocznie leżący z przedniej strony luku, ześlizgnął się do tyłu i wypadł na pas startowy. Co prawda Air Commodore (odpowiednik brygadiera) Sturley Philip Simpson, dowódca RAF w Gibraltarze, oraz pułkownik Guy A. Bolland, komendant lotniska North Front, byli przekonani, że zauważyliby, gdyby klapa tylnego luku nie była zamknięta, jednak to tylko ich przekonanie, które należałoby udowodnić w porównywalnych warunkach. Inny worek znalazł strzelec William Joseph Miller, około czterystu jardów od początku pasa startowego. Jerzy Maryniak wskazuje, że nie jest pewne, czy ten worek wypadł z tego samolotu*, jednak Guy Bolland ustalił, że z pewnością należał on do bagażu AL 523**. Natomiast zeznanie Eduarda Prchala, że mechanik zameldował mu, iż wszystkie luki są zamknięte, i jego sugestia, że pierwszy worek musiał wypaść przez szczelinę w przedziale przedniego koła, a drugi zablokował ster wysokości, można tu pominąć z uwagi na wątpliwą ogólną wartość zeznań czeskiego pilota.

Tak czy inaczej, zamach był tylko połową zadania, które spiskowcy mieli do wykonania. Drugą połową, najwidoczniej równie ważną z punktu widzenia ich rozkazodawców, było zama-

---

* J. Maryniak, *Śmierć gen. Władysława Sikorskiego — kontrowersje, znaki zapytania, skrywane dowody*, „NIT", nr 1/2005.
** D. Irving, ibidem, s. 107.

skowanie zamachu, czy raczej zmistyfikowanie go. W samolocie oprócz zabitych i ciężko rannych (między innymi brygadiera J. P. Whiteleya, który po wyłowieniu z wody zmarł w łodzi wiozącej go na ląd) znajdowali się dwaj piloci. Mieli posadzić samolot na wodzie i uratować się (czy obaj?), ale wcześniej ich — a może jednego z nich — zadaniem było dopełnienie mistyfikacji: mieli umożliwić zatarcie śladów zamachu, nadając mu cechy wypadku.

W grudniu 1943 roku porucznik Tadeusz Sikorski-Ciekański z polskiego wywiadu spotkał w Gibraltarze kapitana Prchala. W swojej relacji podał, że Czech był rozgoryczony, iż podejrzewa się go, że w jakiś sposób przyczynił się do katastrofy, i argumentował, że byłaby to dla niego misja samobójcza*. Wielu polskich historyków bezkrytycznie powtarza tę ocenę, wielokrotnie uczynił to również Jan Nowak-Jeziorański. Tymczasem jest ona kolejnym czynnikiem podważającym zaufanie do prawdomówności Prchala.

Podczas drugiej wojny światowej setki alianckich samolotów bojowych, myśliwców i bombowców, wodowało na morzu. Były to maszyny uszkodzone, z niepełnosprawnymi sterami lub silnikami, czasem w płomieniach, nierzadko lecące na ostatnich kroplach paliwa. Ich załogi często były wyczerpane walką i wielogodzinnym przebywaniem w powietrzu, czasem ranne, a powierzchnia morza — wzburzona. Mimo to większość wodowań zakończyła się pomyślnie, ponieważ piloci byli teoretycznie przygotowani na taką ewentualność. Co więcej, samoloty wyposażano w nadmuchiwane łodzie i tratwy ratunkowe, w których znajdowały się między innymi rakietnice, przeznaczo-

---

* „Trybuna Mazowiecka", 29 maja 1981.

ne do dawania sygnałów samolotom i okrętom poszukującym rozbitków. Należy to uznać za argument na rzecz tezy, że główne niebezpieczeństwo dla załóg wodujących samolotów stanowiło nie samo wodowanie, jeżeli było przeprowadzone poprawnie, lecz wyczerpanie i wychłodzenie na skutek długotrwałego przebywania w wodzie już po pomyślnym wodowaniu. Trudno bowiem sądzić, by kamizelki, łodzie i tratwy ratunkowe oraz inne wyposażenie miało odgrywać wyłącznie lub przede wszystkim rolę czynnika podnoszącego morale załóg wyruszających w lot bojowy. Wkrótce po wodowaniu samolot tonął, a wymieniony ekwipunek miał ocalić życie załogi, które było cenniejsze od maszyny nie tylko z przyczyn humanitarnych, ale również z czysto wojskowej kalkulacji: wyprodukowanie samolotu trwało godziny, natomiast wyszkolenie nowej załogi i zdobycie przez nią doświadczenia bojowego — miesiące.

Jednym z najbardziej obecnie znanych pilotów okresu drugiej wojny światowej jest były (1989–1993) prezydent Stanów Zjednoczonych, George H. W. Bush. Nie ukończył on akademii wojskowej, lecz jedynie dziesięciomiesięczny kurs pilotażu. Niemniej wystarczyło to, aby 19 czerwca 1944 roku pomyślnie wykonał przymusowe wodowanie na Pacyfiku, ratując siebie i załogę. 2 września 1944 roku kolejny pilotowany przezeń samolot został trafiony pociskiem japońskiej obrony przeciwlotniczej. Tym razem Bush wydał rozkaz ewakuacji ze spadochronem. Sam się uratował, jednemu z dwóch pozostałych członków załogi nie otworzył się spadochron, los drugiego jest nieznany. Niektórzy koledzy Busha uważają, że podjął on błędną decyzję, gdyż w ich opinii wodowanie było jeszcze możliwe i dawałoby większą szansę uratowania wszystkich członków załogi niż skok ze spadochronem.

Opinie pilotów z okresu drugiej wojny światowej mają większą wartość niż zdanie pilotów współczesnych, nie tylko dlatego, że ci pierwsi sami doświadczyli przymusowych wodowań lub byli ich świadkami. Chodzi przede wszystkim o to, że samoloty bojowe z okresu drugiej wojny światowej charakteryzowały się większą powierzchnią płatów nośnych w stosunku do masy startowej i mocy silników niż współczesne maszyny. Ta cecha konstrukcyjna pozwalała im na kontrolowany lot bez przepadania ze stosunkowo małą prędkością, co oczywiście znacznie ułatwiało i czyniło bezpieczniejszym ewentualne wodowanie. Niewiele współczesnych samolotów bojowych może latać z prędkością umożliwiającą bezpieczne wodowanie, jak na przykład amerykański niszczyciel czołgów A-10 *Thunderbolt II*, nie wspominając o brytyjskim samolocie pionowego startu i lądowania *Harrier*.

Niedawno opinia publiczna otrzymała kolejny dowód, że wodowanie nie tylko nie jest manewrem samobójczym, ale wręcz ratującym życie. 6 sierpnia 2005 roku turbośmigłowy samolot ATR-72 tunezyjskich linii Tuninter wodował awaryjnie na pełnym morzu 13 kilometrów od brzegów Sycylii, na wysokości Palermo. Spośród 35 pasażerów i 4 członków załogi 23 osoby przeżyły i zostały uratowane przez ścigacze włoskiej straży przybrzeżnej i śmigłowce wojskowe, 13 zginęło, a 3 uznano za zaginione.

Wszyscy uratowani (w tym pierwszy pilot, Szafik Garbi) byli ranni, wielu ciężko. Pierwszy pilot powiedział, że nad Sycylią oba silniki straciły ciąg i zmuszony był posadzić samolot na morzu. Uprzednio nadał do wieży meldunek: „Nie mogę wylądować, woduję". Wyjaśnił też, że słaby ciąg silników utrudnił prawidłowe przeprowadzenie tego manewru i maszyna zderzyła się z powierzchnią wody pod zbyt dużym kątem, zanurzając się przednią częścią kadłuba*. To tłumaczy, dlaczego wiele osób zginęło, a wszystkie pozostałe zostały ranne. Gdyby silniki pracowały prawidłowo, jak — na przykład — w liberatorze wiozącym generała Sikorskiego, to kapitan Garbi utrzymałby samolot pod właściwym kątem i maszyna nie zderzyłaby się z powierzchnią morza, lecz dotknęła jej ogonem, i być może ofiar śmiertelnych nie byłoby w ogóle, a z pewnością znacznie mniej. Mimo to aż 59 procent ludzi obecnych na pokładzie przeżyło bardzo silne zderzenie maszyny z wodą.

Niektóre osoby zaraz po przymusowym wodowaniu skoczyły do morza, a siedmioro wyszło na skrzydła maszyny i gestykulując, wzywało pomocy. Wkrótce nadleciały dwa śmigłowce wojskowe z bazy w Trapani. Nie podano, jak długo trwało, nim samolot zatonął, lecz biorąc pod uwagę czas potrzebny na dotarcie śmigłowców i ścigaczy oraz fakt, że maszyna utrzymywała się na wodzie jeszcze po podjęciu rozbitków, było to prawdopodobnie co najmniej kilkanaście minut. A zatem nawet ze zmiażdżonym dziobem samolot nie zatonął natychmiast. Nieudane wodowanie nie spowodowało również zniszczenia dolnej części kadłuba.

David Irving pisze, że „Liberatory były znane jako samoloty, którymi prawie nie można było bezpiecznie wodować, ponieważ rzadko unosiły się długo na wodzie; [...] pokrywa luku bombowego niezmiennie była miażdżona ciężarem samolotu i morze w ciągu sekund zalewało wnętrze maszyny"**. Brytyjski autor uważa, że ta cecha liberatorów była przyczyną zniszczenia poszycia dolnej części kadłuba AL 523. Opinia ta wydaje

---

* AFP — PAP, MFi, 6 sierpnia 2005, za: http://wiadomości.onet.pl/ /1144393,12,item.html
** D. Irving, ibidem, s. 95.

się jednak błędna. Gdyby woda zaczęła się wdzierać przez luk bombowy, to samolot rzeczywiście zacząłby tonąć, ale poszycie nie zostałoby zniszczone, jak to widać na zdjęciu, ponieważ ciężar wody napływającej do wnętrza byłby równoważony przez napór morza od spodu, na zewnętrzną powierzchnię kadłuba. Jeśli zaś chodzi o uwagę, że liberatory „rzadko unosiły się długo na wodzie", to należy stwierdzić, że do ewakuowania się z samolotu wystarczą sekundy — przynajmniej osobom niezbyt ciężko poszkodowanym. Co więcej, AL 523 schodził do wodowania z wysokości około dziewięciu metrów (trzydziestu stóp) i ze stosunkowo (w porównaniu do samolotów schodzących z dużego pułapu) małą prędkością (około 165 mil na godzinę), iloczyn masy i prędkości był więc tak mały, że uszkodzenia kadłuba prawdopodobnie były niezbyt duże, skoro samolot utrzymywał się dość długo na wodzie (Eric Howes z załogi pneumatycznej łodzi ratowniczej zeznał, że „widział" samolot unoszący się na wodzie przez sześć do ośmiu minut po tym, jak „usłyszał" kraksę*).

Trzeba też dodać, że jeśli to nie ciężar wody napływającej do kadłuba zniszczył dolną część jego poszycia, to mógł tego dokonać jedynie wybuch. Można by podnieść wątpliwość, że skoro kraksę usłyszało wielu świadków, to powinni oni byli również usłyszeć odgłos eksplozji, a nie ma takich świadectw. Jest to jednak wytłumaczalne. W chwili wodowania silniki samolotu były wyłączone, na lotnisku panowała względna cisza, a uwaga świadków była skoncentrowana na samolocie. Kilka minut później po lotnisku niósł się warkot silników samochodowych i krzyki ludzi, którzy wydawali rozkazy lub pędzili je wyko-

---

* Ibidem, s. 193, przyp. 3.

nywać, albo z własnej woli biegli w stronę miejsca katastrofy. W tych warunkach detonacja niewielkiego ładunku wybuchowego mogła być niesłyszalna.

Jak pisze amerykański pilot Lin Hendrix, który latał na B-17, B-24D i B-29, a także na myśliwcach, piloci liberatorów „byli szkoleni w manewrach wodowania i bezlitośnie informowani, że szanse przeżycia całej załogi podczas wodowania B-24 są bardzo małe. Najsłabszą częścią B-24 była [...] komora bombowa. Kiedy liberator uderzał w wodę, nieważne jak łagodnie, miał tendencję do przełamywania się w obszarze komory bombowej, [po czym] samolot tonął w ciągu 30 sekund"*. Trudno byłoby znaleźć osobę bardziej kompetentną w rozważanej tu kwestii niż Hendrix, trzeba jednak podkreślić, że „tendencja do przełamywania się" nie była równoznaczna z nieuchronnością, a trzydzieści sekund to mnóstwo czasu. Nie dysponuję statystyką wodowań liberatorów, warto jednak przytoczyć jeden z licznych przykładów. 11 września 1943 roku ciężko uszkodzony B-24, pilotowany przez Eddy'ego White'a, wracał z wyprawy nad Hanower. Ogień niemieckiej artylerii przeciwlotniczej (lub myśliwców) spowodował spustoszenie: z silnika nr 1 odstrzelono turboregulator, silniki nr 3 (odstrzelone dwa cylindry) i nr 4 płonęły, interfon zniszczony, olbrzymia dziura w lewym skrzydle. Dowódca postanowił jednak zrezygnować z pierwotnego pomysłu wylądowania w okupowanej Holandii i zdecydował, że dociągnie do wschodniej Anglii. Załoga miała to szczęście, że była eskortowana przez myśliwiec, którego pilot postawił w stan pogotowia służby ratownicze Royal Navy, co

---

* Lin Hendrix, *Requiem for a Heavyweight: A Combat/Test Profile of a Consolidated B-24 Liberator*, w: „Wings", February 1978, Vol. 8. No. 1; także w: http://members.aol.com/dheitm8612/requiem.htm.

okazało się przewidującym posunięciem, ponieważ nad Morzem Północnym liberator ostatecznie utracił sterowność z braku mocy — tu przypomina się uwaga kapitana Neugebauera, że „na ciężkich typach maszyn przy lądowaniu główną rolę grają silniki (skok śmigła), a stery spełniają funkcję pomocniczą". Na domiar złego załoga, wyrzucając elementy wyposażenia, by odciążyć maszynę, uszkodziła prawy statecznik poziomy. „30 mil od Yarmouth uderzyliśmy [*hit* — podkr. T.A.K.] o wodę — maszyna prawie zupełnie poza kontrolą — wznosząc się, opadając, przechylając itd. Morze spokojne i rozsłonecznione — bardzo dobre warunki. Uderzyliśmy w wodę o 14.45, zataczając się na prawą stronę ze straszliwym trzaskiem. Uderzyliśmy z prędkością 105 mil na godzinę — spód połowy samolotu oderwał się, od komór bombowych po luk aparatu fotograficznego. Wieżyczka tylnego strzelca i ogon całkowicie się oderwały. Kiedy tylko uderzyliśmy [o wodę], samolot zarył się nosem, a ogon poszedł w górę. Wszystko było w wielkim nieładzie, ale większości z nas udało się wydostać". Nie udało się to radiooperatorowi i przedniemu obserwatorowi. „Ośmiu z nas wyłowiono w ciągu 15 minut. Tylko trzech wydostało się na tratwę ratunkową [*raft*]. Obrażenia: pilot — żadnych, drugi pilot — rana na prawej kostce, bombardier — żadnych, mechanik — potłuczony, nawigator — wybity lewy bark i złamany nos. Przedni nawigator — utonął, radiooperator — utonął. Tylny strzelec — wybity palec u nogi i zraniona głowa, prawy strzelec — zranione ramię i głowa, lewy strzelec — zraniona szyja i usta. Samolot zatonął w 15 minut [podkr. T.A.K.]"*.

---

* Col. Myron Keilman, *I Remember Eddy White*, http://www.b-24.net/stories/Keilman4.htm.

Mamy więc kolejny (po katastrofie ATR-a) przykład, że nawet wymuszone nieprawidłowe wodowanie nie powoduje natychmiastowego zatonięcia samolotu, i to nawet gdy — jak w wypadku liberatora pilotowanego przez Eddy'ego White'a — spód samolotu zostanie zniszczony.

Kapitana Prchala uznawano za znakomitego pilota, jego maszyna zaś była w pełni sprawna. Pilot i załoga byli wypoczęci, pogoda i stan morza idealne, a Prchal około dziewięćdziesięciu razy lądował i startował w Gibraltarze*. Dlatego też opinii, że jego ewentualne świadome uczestnictwo w zaplanowanym zamachu, który miał się zakończyć wodowaniem, byłoby misją samobójczą, nie można uznać za prawdziwą. Wreszcie ostatecznym argumentem na rzecz tezy, że Prchal wiedział, jak zakończy się lot liberatora, jest to, że chociaż n i g d y nie wkładał kamizelki ratunkowej, tym razem to zrobił, co potwierdzili liczni świadkowie, którzy widzieli go po wyłowieniu z morza. Wbrew temu Prchal uparcie twierdził, że przed startem nie włożył kamizelki i nie wie — chociaż ani na chwilę nie stracił przytomności — jak się to stało, że miał ją na sobie. (Prchal stracił przytomność dopiero później, na lądzie. Jak pisze Stanley Mew, w szpitalu Czech „był nieprzytomny i majaczył przez 24 godziny, [i] dopiero powoli zaczął odzyskiwać kontrolę nad zmysłami"**). W późniejszym

---

* Informację tę otrzymałem dzięki uprzejmości śp. prof. Jaroslava Valenty (list z 12–18 listopada 2002 r. w moim posiadaniu — T.A.K.), który uzyskał ją z dwóch tomów dziennika pokładowego Prchala, wypożyczonych w 1968 r. od jego kuzyna i zmikrofilmowanych (RAF Form 414, Pilot's Flying Log Book, dwa tomy, w pierwszym zapisy od 23 lipca 1940 r. do 3 czerwca 1944 r. w drugim — do końca wojny. Papiery Valenty, *Czechosłowacki pilot Eduard Prchal*, sygn. gibpl- -czpilot-opr, s. 10.). Dokładnie rzecz ujmując, do końca czerwca 1943 r. Prchal „startował i lądował w Gibraltarze w sumie 43 razy" (tamże, s. 17).

** „Sunday Telegraph", 22 grudnia 1968.

okresie Prchal w ogóle nie chciał ustosunkować się do tej kwestii, między innymi nie odpowiedział na kilkakrotne listowne zapytania brytyjskiego wydawcy książki Davida Irvinga. Gubernator MacFarlane zawsze popierał wersję wypadku, chociaż 4 lipca prosił Sikorskiego, żeby nie leciał tym samolotem, a przynajmniej nie pozwolił na to córce; również Churchill, zanim Sikorski wyruszył w swoją ostatnią podróż, co najmniej dwa razy dzwonił do Zofii Leśniowskiej z prośbą, by pozostała w Wielkiej Brytanii. Wedle dość niezbornej relacji MacFarlane'a, podczas pięciominutowej rozmowy przed startem Prchal „był absolutnie normalny", ale nieco dalej były gubernator wyraża przypuszczenie, że pilot „musiał mieć jakieś zaburzenia umysłowe, które doprowadziły go, po raz pierwszy od lat, do tego, że włożył maewestkę"*. (Dalsze rozważania, snute na ten temat przez MacFarlane'a w celu uprawdopodobnienia wersji wypadku, nie zasługują na poważne potraktowanie.) Jeżeli przyjąć tę supozycję i założyć, że pierwszy pilot był w takim stanie umysłu, ponieważ wiedział, do czego zaraz dojdzie, to nie ma się co dziwić, że włożył kamizelkę ratunkową i — choć już odstąpił od swoich zwyczajów — nie uznał za stosowne włożyć spadochronu. (To wyjaśnienie wydaje się bardziej naturalne i prostsze niż hipoteza Dariusza Baliszewskiego, że Eduard Prchal i inne osoby z liberatora zostały przed lotem potraktowane narkotykami.) Jeżeli zaś, już po wodowaniu, najpierw ratownicy (starszy szeregowy Derek Qualtrough: Prchal „był przytomny, aczkol-

---

* Popularna nazwa nadmuchiwanej kamizelki ratunkowej, przyjęta od imienia i nazwiska amerykańskiej aktorki filmowej Mae West (1893–1980), jednej z pierwszych przedwojennych sex bomb, obdarzonej niebywale obfitymi kształtami. Nazwa ta ostatecznie przyjęła się oficjalnie, gdy Mae West — z satysfakcją — ją autoryzowała.

wiek nie mógł z nami rozmawiać"), a następnie major lekarz Daniel Canning stwierdzili, że Prchal był w szoku, to z pewnością tego wstrząsu nie wywołało łagodne posadzenie samolotu na powierzchni spokojnego morza. Zapewne była to reakcja na odgłosy (a może i widok) rzezi dokonanej w liberatorze, kiedy samolot stał na początku pasa startowego, oraz na jeszcze jeden element zamachu, o którym niżej. Z dużym prawdopodobieństwem można przyjąć, że Prchal, już gdy wchodził na pokład, nie był zdolny do pilotowania samolotu, a z całą pewnością nie był do tego zdolny po zamachu na lotnisku. Czym wyjaśnić niektóre spośród jego obrażeń (do najpoważniejszych należało zranienie twarzy i złamania obu nóg powyżej kostek)*, jeśli nie tym, że nie mógł zapanować nad nerwami i skoordynować ruchów na tyle, aby poprawnie i bez zwłoki opuścić samolot przez luk awaryjny w górnej części kabiny pilotów?** (Niektóre

---

* Według prof. Valenty, który w 1968 r. korespondował z Prchalem, pilot miał „złamane obie nogi, w Gib.[raltarze] stwierdzono złamanie i zagipsowano tylko jedną nogę. Poza tym miał rozerwany policzek od ust do ucha, chyba po lewej stronie (obecnie nie mam pewności co do strony)". 3 września ożenił się z czeską dziennikarką Dolores (według Irvinga Dorothy) vel Dolly Šperkową, która „go «wyleczyła», bo po kraksie był psychicznie złamany, no może nie złamany, ale na dnie [...] dotknęło to jego hardość i może nawet pychę zawodowca" (list z 12–18 listopada 2002 r.). W innym miejscu Valenta podaje bardziej dokładnie za Thompsonem (*The Assassination...*, op. cit., s. 246–247), że pierwszej nocy w szpitalu gibraltarskim zszyto Prchalowi rozerwany lewy policzek i zagipsowano prawą nogę, złamaną powyżej kostki. Nieco później Prchal z własnej inicjatywy, wbrew przekonaniu lekarzy, doprowadził do tego, że prześwietlono mu lewą nogę, która również okazała się złamana. Kości zaczęły się już nawet zrastać i było za późno na założenie gipsu, na skutek czego noga zrosła się krzywo. Treningowo latał już w drugim tygodniu września, a w swój pierwszy lot operacyjny, 9 tygodni po katastrofie, poleciał 14 września do Karaczi via Gibraltar i Kair (Papiery Valenty, *Druhý pilot major Herring*, sygn. Gibcz-druhý1-oprav-adrKlubPol, s. 6; tamże, *Jeszcze raz o pilocie Prchalowi* [tak w oryginale], sygn. gibpl-jeszcze, s. 1–2).

** Prchal wyjaśniał, że w chwili zetknięcia się samolotu z wodą został wyrzu-

spośród tych obrażeń można tłumaczyć jeszcze inaczej, o czym dalej). Jaroslav Valenta sądził, że „Prchal miał niewątpliwie szok powypadkowy, ale lotnik z łodzi wiosłowej, która go wyłowiła [...], powiedział po latach, że pilot bełkotał coś w całkowicie niezrozumiałym języku — w szoku widocznie Prchal mówił po czesku, co jest normalne"*. Było to więcej niż normalne, bo typowe: tak dalece posunięta regresja zachowań (cofnięcie się do zachowań właściwych wcześniejszym stadiom rozwoju osobniczego, w tym wypadku do posługiwania się swoim pierwszym językiem — ten szczególny przypadek występuje często u osób w stanie terminalnym) świadczy o nadzwyczajnej głębokości i intensywności wstrząsu.

Jeżeli pierwszy pilot mówił prawdę, twierdząc, że nie włożył kamizelki ratunkowej, znaczyłoby to, że włożył mu ją ktoś inny, bez jego wiedzy. Mogłoby do tego dojść wyłącznie już po wodowaniu, kiedy Prchal był w szoku, a miałby tę możliwość jedynie drugi pilot. Warto zwrócić uwagę, że tylko takie wyjaśnienie sprawy kamizelki podawałoby w wątpliwość jaki-

---

cony przez pleksiglasowe okno kabiny pilotów. Niektórzy uważają, że to nieprawdopodobne. Jednakże wydaje się to nieprawdopodobne wyłącznie przy rozpatrywanym tu łagodnym, poprawnym wodowaniu, kiedy wywołane hamowaniem o wodę ujemne przyspieszenie działające na pilota, nb. przypiętego pasami do fotela, było stosunkowo małe. Zdarzało się bowiem, że pilota rzeczywiście wyrzucało przez przednią szybę kabiny. „Późnym wieczorem 8 stycznia [1944 roku] *Wellington* z gibraltarskiej eskadry 179 Dywizjonu RAF, pilotowany przez W. F. M. Davidsona, odnalazł radarem [niemiecki okręt podwodny] U-343. Zauważony w świetle księżyca, pomimo silnego i celnego ognia artylerii przeciwlotniczej okrętu, rzucił 6 bomb głębinowych. Posiekany pociskami *Wellington* spadł do morza. Zginęła cała załoga poza Davidsonem, którego siła zderzenia wyrzuciła przez okno kabiny pilotów. Pływającego na tratwie ratunkowej, odnalazła jakiś czas potem aliancka ekspedycja ratunkowa" (Clay Blair, *Hitlera wojna U-bootów. Ścigani, 1942–1945*, Wydawnictwo Magnum, Warszawa 1999, s. 546).
* List prof. Valenty z 12–18 listopada 2002 r.

kolwiek (bierny lub czynny) udział Prchala w zamachu, ponieważ świadczyłoby, że czeski pilot liberatora do końca nie
wiedział, jak ma się zakończyć jego lot, a raczej start. Jednak
takie wyjaśnienie wydaje się mało prawdopodobne, przede
wszystkim dlatego, że gdyby Prchal nie został wtajemniczo-
ny w zamiary spiskowców, a drugi pilot byłby jedynym czynnym uczestnikiem spisku obecnym wówczas na pokładzie, to
mocodawcy drugiego pilota nakazaliby mu zapewne uśmiercić
Prchala, a nie ratować go. Poza tym nie wydaje się możliwe, aby
z uwagi na ograniczony czas utrzymywania się samolotu na
wodzie drugi pilot mógł włożyć kamizelkę ratunkową osobie
w szoku, z którą miał utrudniony kontakt lub nie miał go wcale.
A trzeba dodać, że kamizelka Prchala była włożona i zapięta
zgodnie z instrukcją oraz całkowicie wypełniona powietrzem.
Właściwie już sama sprawa maewestki stanowi wystarczającą
zdroworozsądkową podstawę do uznania, że przyczyną katastrofy liberatora Sikorskiego był zamach, ponieważ wynika
z niej, że pierwszy pilot w i e d z i a ł, jak zakończy się krótki lot
AL 523. Żadna z dwóch komisji powołanych przez marszałka
Slessora nie rozpatrzyła wnikliwie oczywistej sprzeczności między stanem faktycznym, z którym zgodne były zeznania wielu
świadków, a absurdalnym zaprzeczeniem Prchala. Taka postawa
tych komisji nie dziwiłaby jednak, gdyby ich członkom nakaza-
no... nie dociekać prawdy. Natomiast komisje polskie skoncen-
trowały się na technicznych aspektach katastrofy odnoszących
się do samolotu i również przeszły do porządku dziennego nad
osobliwą kwestią kamizelki ratunkowej.

Sam kapitan Prchal musiał zdawać sobie sprawę z absurdal-
ności zaprzeczenia, przy którym obstawał, skoro w 1953 roku
zdecydował się zmienić swą dotychczasowa wersję wydarzeń:

„Później słyszałem, że rozpaczliwie ściskałem w lewej ręce swoją maewestkę [...]". David Irving skomentował to następująco: „Ktokolwiek powiedział mu, że «ściskał» maewestkę*, z pewnością nie był tamtej nocy w łodzi pneumatycznej", której załoga uratowała Prchala. Kilka zdań dalej Prchal znowu skłamał: „Odzyskałem świadomość czwartego dnia"**. Rzeczywiście, osoby usiłujące odwiedzić Prchala w szpitalu przed upływem tego czasu nie były do niego dopuszczane i informowano je, że pilot ciągle jest nieprzytomny, jednak wiemy z relacji Stanleya Mewa, który dzielił salę szpitalną z Prchalem, że Czech był nieprzytomny tylko przez dobę***. Warto zauważyć, że komisje brytyjskie niezbyt dociekliwie indagowały czeskiego pilota, on zaś do końca życia rewanżował się Brytyjczykom, podtrzymując różne sprzeczne z faktami teorie. Jak drażliwa była dla Prchala sprawa maewestki, świadczy to, że kilkanaście lat później nie odpowiadał na dotyczące jej listowne zapytania, a w grudniu 1968 roku podczas programu w brytyjskiej Thames TV uchylił się od włożenia kamizelki ratunkowej, aby można było sprawdzić, ile czasu to zajmuje. Ta postawa nie przeszkodziła mu jednak nazywać podejrzeń co do jego roli w zamachu na Sikorskiego „największym oszczerstwem stulecia".

3 lipca 1943 roku podczas lotu powrotnego z Kairu do Gibraltaru generał Sikorski zaszedł do kokpitu i w dowód sympatii i uznania dla umiejętności Prchala podarował mu kupioną w Kairze srebrną papierośnicę z wygrawerowaną dedykacją

---

* W angielskim zapis tej potocznej nazwy nadmuchiwanej kamizelki ratunkowej nie różni się od zapisu nazwiska Mae West.
** D. Irving, ibidem, s. 125 i 209, przyp. 58; „Dziennik Polski i Dziennik Żołnierza", 29 lipca 1953.
*** „Sunday Telegraph", 22 grudnia 1968.

dla pilota. W złożonej profesorowi Valencie pisemnej relacji kapitan Leslie Swabey wspomniał, że wieczorem 4 lipca, podczas kolacji w mesie oficerskiej lotniska w Gibraltarze, „Prchal z radością mu się upominkiem pochwalił"*. Trudno komentować i interpretować to zachowanie Prchala inaczej niż w dobrej wierze. Niewątpliwie nie miał on powodu nie lubić Sikorskiego, a podarunek generała z pewnością sprawił mu przyjemność. Jeżeli jednak zestawimy opisaną przez Swabeya scenę z tym, co — niezgodnie z prawdą — powiedział Prchal porucznikowi Sikorskiemu-Ciekańskiemu na temat szansy przeżycia wodowania, to pozornie uprawniona mogłaby się również wydawać interpretacja, że ostentacyjnie okazując Sikorskiemu ciepłe uczucia, Prchal tworzył jeden z elementów swojego alibi (oparty na argumencie emocjonalnym, czy nawet moralnym) na okoliczność wydarzeń, co do nieuchronności których miał pewność, jak sugeruje choćby relacja MacFarlane'a na temat jego stanu psychicznego tuż przed startem. Jednak najbardziej prawdopodobne z psychologicznego (i nie tylko) punktu widzenia wydaje się inne wyjaśnienie, stawiające czeskiego pilota w lepszym świetle, a mianowicie, że propozycję nie do odrzucenia przedstawiono Prchalowi dopiero przed startem, że został nią zaskoczony. Coś musiało się bowiem wydarzyć między kolacją, podczas której był on swobodny i odprężony, a chwilą poprzedzającą start liberatora, gdy Prchal „nie był sobą". Gdyby już wcześniej wiedział, jaką rolę mu wyznaczono, to jest doprawdy wątpliwe, czy umiałby się zdobyć na tak swobodne zachowanie kilka godzin przed kulminacją wypadków

---

* Papiery Valenty, *Morze pełne banknotów jednofuntowych*, sygn. gibpl-funty-dopln platy, s. 7.

i czy zmiana jego nastroju byłaby aż tak radykalna. Co więcej, informując pilota o wyznaczonej mu roli o wiele wcześniej (w Wielkiej Brytanii, w Kairze, lub nawet w Gibraltarze po południu 4 lipca), organizatorzy zamachu ryzykowaliby, że podejmie on jakieś zdecydowane działania (ostrzeże przyszłe ofiary, okaleczy się, żeby nie lecieć itp.), które zniweczą ich plan.

W cytowanym już raporcie dla Harolda Wilsona sir Burke Trend ostrzegł premiera, że historyk David Irving jest znany z sympatii profaszystowskich, a ponadto jego i Rolfa Hochhutha, niemieckiego dramaturga, działalność jest być może — choć nie ma na to „dowodu" — „częścią długoterminowej radzieckiej operacji «dezinformacyjnej» przeciw Zachodowi". Niemniej koordynator do spraw wywiadu, sir Dick White, w swoim nieco wcześniejszym memorandum przesłanym Trendowi napisał, że David Irving „poprowadził swoją książkę tak jasno, jak tylko mógł, nie ryzykując wniesienia skargi o zniesławienie", do czego zapewne by doszło, gdyby dobitniej wykazał, „że pilot liberatora, Edward Prchal, «pomagał w sabotażu samolotu»"*. Analiza wyżej wymienionych elementów zachowania i zeznań Prchala skłania jednak do opinii, że pierwszy pilot rzeczywiście „pomagał w sabotażu samolotu", ale wyłącznie

---

* Tekst powszechnie dostępny po wpisaniu do wyszukiwarki internetowej hasła „Real History and the Death of General Sikorski", a następnie kliknięciu linku końcowego „Churchill's War", vol. ii: „Triumph in Adversity": Appendix on death of General Sikorski, the contents of a Harold Wilson file, s. 850–851. Można dodać, że w świetle słów koordynatora wywiadu, który zwracał uwagę, że Irving ostrożnie adresuje oskarżenia związane ze śmiercią Sikorskiego, dziwi opinia prof. Hugh Trevora-Ropera, że Irving twierdzi, iż „generał Sikorski, który zginął w katastrofie samolotowej w Gibraltarze, został «zamordowany» przez Winstona Churchilla, dla którego w rzeczywistości jego śmierć była politycznym nieszczęściem" („London Sunday Times Weekly Review", June 12, 1977).

poprzez zaniechanie, a ujmując to precyzyjniej — samą swoją obecnością w kabinie pilotów.

„Kpt. Prchal nie został w żaden sposób obwiniony" — brzmiał wyrok brytyjskiej komisji z sierpnia 1943 roku. David Irving pisał w 1967 roku, że brytyjskie komisje mogły wydać jedynie werdykt albo „winny", albo „niewinny". „Dziś narasta w RAF opinia, że byłoby statystycznie bardziej użyteczne, gdyby dopuszczono trzeci werdykt — «nie udowodniono [winy]»"*. Można jednak zauważyć, że w konkretnym przypadku Prchala również taki werdykt byłby nieodpowiedni. Prchal nie przyczynił się bowiem do katastrofy, a tym bardziej do śmierci kilkunastu osób, z technicznego, czy też operacyjnego punktu widzenia. Przyczynił się natomiast w sensie moralnym, ale akurat obie brytyjskie komisje były ciałami najmniej powołanymi do ferowania wyroków w tak delikatnej materii.

Kapitan Eduard Prchal nie należał do czynnych uczestników spisku, jego rola była wyłącznie bierna (można nawet powiedzieć, że był kimś w rodzaju ofiary). Jeśli zgodził się wziąć udział w locie pod wpływem szantażu, jak twierdzi „Człowiek stamtąd", to spiskowcy nie mogli mieć pewności, czy w ostatniej chwili nie załamie się i nie wycofa pomimo szantażu. („Człowiek stamtąd" napisał o „groźbie ujawnienia szczegółów z jego prywatnego życia", co szczególnie drażniło Valentę, przekonanego o nieskazitelności Prchala. Być może rzeczywiście nie chodziło o jakieś skandaliczne szczegóły, być może szantaż polegał na przykład na groźbie odebrania życia jego przyszłej żonie.) Prchal mógł przecież zawrócić na lotnisko albo nawet przerwać start. Dlatego właśnie zamachowcy do ostatniej chwili musieli mieć

---

* D. Irving, *Accident..*, s. 209, przyp. 64.

w samolocie swojego człowieka, którego kompetencje zawodowe i lojalność gwarantowałyby całkowite wykonanie planu. Tym człowiekiem mógł być jedynie drugi pilot. Na podstawie obecnej wiedzy podejrzenia można kierować wyłącznie w stronę jednego, znanego z nazwiska człowieka.

(Przy okazji można wyrazić wątpliwość, czy pozostali czterej członkowie załogi — Zalsberg, Hunter, Gerrie i Kelly — należeli do spiskowców. Najpoważniejszym argumentem przeciw takiemu podejrzeniu jest śmierć trzech z nich i zaginięcie czwartego. Po drugie, nie byli oni potrzebni do realizacji planu. Po trzecie, mogli się okazać odporni na próby skaptowania. W takim wypadku — po czwarte — mogli zadenuncjować spiskowców lub czynnie im się przeciwstawić. Ponieważ owi czterej członkowie załogi byli Brytyjczykami, a ponadto w zamachu zginęło jeszcze trzech innych Brytyjczyków, w tym dwóch parlamentarzystów, a jeden zaginął, stanowi to silną przesłankę przemawiającą zarówno przeciw temu, że zamach był inspirowany przez władze i instytucje Wielkiej Brytanii, jak i temu, że główni wykonawcy zamachu byli Brytyjczykami. Z doświadczenia historycznego płynie bowiem wniosek, że w przeciwieństwie do państw totalitarnych, państwa demokratyczne niechętnie szafują życiem swoich obywateli. Mówiąc 6 czerwca 1944 roku Milovanowi Djilasowi, jakoby Beneš oskarżył rząd brytyjski o zamordowanie Sikorskiego, Stalin wzmocnił swoje ostrzeżenie dla marszałka Josipa Broza-Tity refleksją na temat Brytyjczyków: „poświęcić dwóch lub trzech ludzi za Titę? Oni nie oszczędzają swoich!"*

---

* Za: Papiery Valenty, *Stalin powiedział, że samolot Sikorskiego Anglicy fajnie zestrzelili*, sygn. gibpl-uloż: všeobtx-djilas-opr, s. 7. Prawa do swego rękopisu w języku serbsko-chorwackim Djilas sprzedał na wyłączność amerykańskiemu wydawnictwu i wszelkie kolejne tłumaczenia pochodzą z angielskiego przekła-

Była to projekcja jego własnego podejścia do wartości życia ludzkiego, o czym świadczy choćby to, że w okresie sukcesów wojsk hitlerowskich w 1942 roku wydał absurdalny rozkaz numer 227 „ani kroku wstecz"*, a po przejściu do ofensywy wysyłał masami radzieckich żołnierzy, aby własnymi ciałami wysadzali niemieckie pola minowe**, podczas gdy naczelną zasadą Churchilla było „oszczędzanie angielskiej krwi" i walka z Niemcami do ostatniego Rosjanina.

---

du w wersji amerykańskiej. Tłumacz rękopisu wiernie przełożył tekst, lecz w wyniku błędu (przeoczenia) maszynistki z tekstu amerykańskiego pierwodruku (a w konsekwencji także z kolejnych przekładów na inne języki) wypadły m.in. cytowane tu słowa: „to sacrifice two or three men for Tito? They don't spare their own!" (tamże, s. 6–7).

* Identyczny w treści rozkaz wydał Hitler w 1941 r. przed bitwą o Moskwę, nie zdając sobie sprawy z tragicznej sytuacji swoich wojsk: żołnierze marli od mrozu, bo nie mieli zimowej odzieży, a silniki i broń zamarzały z braku zimowych olejów i smarów.

** Bezpośrednio po wojnie władze ZSRR przyznawały się zaledwie do 5–7 mln ofiar (zabitych), co było liczbą wystarczającą do uznania ZSRR za ofiarę Hitlera. Po śmierci Stalina w 1953 r. liczbę tę podwyższono do 15 mln, nieco później do 20 mln (z tego prawie połowę miała stanowić ludność cywilna i jeńcy wojenni), a pod koniec lat 80. M. Gorbaczow podał, że Związek Radziecki utracił 27 mln obywateli, w tym 12 mln żołnierzy, z których prawie 4 mln do dziś nie doczekały się pochówku (ich szczątki leżą w rosyjskiej ziemi tam, gdzie padli w walce). Z wyjściowego stanu osobowego Armii Czerwonej na 22 czerwca 1941 r. wojnę przeżyło 5 proc. żołnierzy i oficerów. Pozostali zginęli w boju lub w niemieckiej niewoli, gdzie byli traktowani z wyjątkowym okrucieństwem, którego nie usprawiedliwiało to, że ZSRR nie przystąpił do IV konwencji haskiej z 1907 r. dotyczącej praw i zwyczajów wojny lądowej. W czerwcu 1941 r. w obozach GUŁagu znajdowało się 1,264 mln więźniów, z czego wcielono do wojska 975 tys. osób. To one w dużej mierze uzupełniły ubytki pierwotnego stanu armii i to tych żołnierzy najczęściej wysyłano na pewną śmierć. Niektórzy rosyjscy historycy utrzymują, że liczba radzieckich ofiar wojny wynosi w rzeczywistości od 35 do ponad 40 mln osób. Podczas drugiej wojny światowej zginęło natomiast około 3,5 mln żołnierzy niemieckich (w tych latach w Wehrmachcie służyło ogółem 18 mln) i około 2 mln osób cywilnych.

Wypada zgodzić się z opinią Jaroslava Valenty, że „nie ma poważnych podstaw do tego, by utrzymywać, że prezydent Beneš, będąc w Moskwie w [grudniu] 1943 r., powiedział Stalinowi, że winą za śmierć Sikorskiego obarczyć należy Brytyjczyków. Odwrotnie, należy to uważać za zręczny blef Stalina"*. Można postawić pytanie, czy celem intrygi Stalina było wyłącznie zasianie podejrzliwości wobec Brytyjczyków w umysłach jugosłowiańskich komunistów, aby bliżej związać ich z Moskwą, czy również skierowanie na fałszywy trop podejrzeń związanych z inspiratorami zamachu na Sikorskiego? Oczywiście podejrzeń tych, przynajmniej skierowanych przeciwko Kremlowi, jugosłowiańscy komuniści w owym czasie nie żywili, lecz Stalin mógł liczyć, że rozpowszechnią oni jego insynuacje wśród przedstawicieli państw zachodnich. Być może szczególnie zależało mu na polskich politykach i polskiej opinii publicznej, co byłoby zrozumiałe po sprawie katyńskiej.)

Tu można by zapytać, dlaczego Sikorski wracał innym samolotem niż liberator AL 616, którym leciał na Bliski Wschód (być może dokonana w Kairze zamiana wynikała z przyczyn organizacyjnych lub technicznych; ten ostatni powód podał Prchal Thompsonowi), jednak wydaje się, że ta kwestia nie ma szczególnego znaczenia. Ważniejsze pytanie brzmi: dlaczego z poprzedniej załogi ubył drugi pilot, chociaż pozostałych pięciu członków załogi się nie zmieniło? To również nie tajemnica. W samolotach dywizjonu 511, wedle informacji zebranych przez profesora Valentę, „większość załogi wprawdzie była stała i do zmian w niej nie dochodziło często, ale drugi pilot się

---

* Papiery Valenty, *Co do Sikorskiego, tego nie mówię ja, rzekł mi Beneš*, sygn. gibpl-Stalin2/opr-dodej Mastn?, Svedé, rok Spies, s. 18.

zmieniał. Prchal nie miał własnego drugiego pilota. Praktyka w 511. dywizjonie była taka, że każdy pilot, który tam przyszedł, był bez względu na stopień naprzód sadzany na fotel drugiego pilota i latał pod dowództwem i nadzorem doświadczonego pierwszego pilota, zanim mu była powierzana odpowiedzialna funkcja pierwszego pilota. Od stycznia do czerwca 1943 r. Prchal latał z ośmioma drugimi pilotami, Herring był dziewiąty". Niektórzy z tych pilotów latali z Prchalem i jego załogą raz lub kilka razy, inni miesiąc albo i dłużej, czasem powracali do tej załogi*.

Natomiast zupełnie nie wiadomo, dlaczego drugim pilotem w załodze Prchala został akurat Herring. Co więcej, brak nawet informacji, kiedy Herring rozpoczął służbę w dywizjonie 511. Być może formalnie nigdy nie należał do personelu tej jednostki. Dziennik pokładowy Herringa, który powinien zawierać te dane, studiowała brytyjska komisja śledcza, ale później, według wdowy po Herringu, zagubił się on gdzieś w Ministerstwie Lotnictwa podczas procedury uznawania jej męża za zmarłego**. Co więcej, jakiś czas po katastrofie pani Herring otrzymała bagaż (*zavazadlo*, wedle określenia Valenty), kombinezon lotniczy i mundur męża nie noszące śladów przebywania w morskiej wodzie. Wyjaśnił to kapitan W. Lynton Watson w rozmowie z Davidem Irvingiem: po prostu Herring poleciał w kombinezonie tropikalnym, który pożyczył właśnie od Watsona. Valenta przypuszcza, że Herring albo nie zdążył wyfasować kombinezonu tropikalnego, albo został wezwany do lotu w tak nagłym trybie, że nie zdążył zabrać go z domu. Pierwsza

---

* Papiery Valenty, *Druhý pilot major Herring*, sygn. Gibcz-druhý1-opravadrKlubPol, s. 3.
** Ibidem, s. 4.

możliwość wzmacniałaby podejrzenie, że Herring nigdy nie
służył w dywizjonie 511, druga jest mniej prawdopodobna,
lecz możliwa. Powrotny lot Sikorskiego był zaplanowany na
tyle wcześnie (chwilowe zamieszanie z wyznaczeniem przez Sikorskiego ostatecznej daty opuszczenia Egiptu nie miało wpływu na termin wylotu Prchala i Herringa z Londynu)*, że nagła

---

* Wokół terminu powrotu Sikorskiego do Londynu powstało chwilowe zamieszanie. Po przylocie z Iraku „jego stan psychiczny poważnie niepokoił przyjaciół. Generał stał się niebywale nerwowy, łatwo tracił panowanie nad sobą, był
zgryźliwy i dokuczliwy nawet wobec córki. Sprawiał wrażenie człowieka rozgo-
ryczonego, który został niespodziewanie oszukany i stracił wiarę w swe ideały,
pogrzebał z dawna pielęgnowane plany. [...] 29 czerwca pod wpływem perswazji
generał Sikorski postanowił odłożyć swój powrót do Londynu i zatrzymać się na
krótki wypoczynek w Luxorze lub Asuanie. Ale kiedy nazajutrz [podczas lunchu]
nadeszła depesza Churchilla, zmienił zdanie i postanowił wracać natychmiast.
Był jakby odmieniony. [...] Depesza Churchilla nie zawierała nic znamiennego.
Premier wyrażał w niej zadowolenie z sukcesu wizyty Sikorskiego na Środkowym
Wschodzie oraz w konwencjonalnej formie dawał wyraz swej radości, iż wkrótce
powita Sikorskiego w domu. Wszelako Sikorski, zwłaszcza w ówczesnym stanie
fizycznym [chyba psychicznym?], gotów był interpretować grzecznościową depeszę
Churchilla znacznie szerzej, niż na to zasługiwała; sądził, iż oznacza ona wezwanie
do Londynu". (Włodzimierz T. Kowalski, *Walka dyplomatyczna o miejsce Polski
w Europie (1939–1945)*, wyd. szóste uzupełnione, Książka i Wiedza, Warszawa
1985, część I, s. 276–277.). W rezultacie Sikorski postanowił nie przedłużać swojego pobytu w Egipcie.

Z porównania dat wynika, że całe to zamieszanie nie mogło mieć jednak wpływu na termin wylotu z Londynu liberatora AL 616, z Prchalem i Herringiem za
sterami. Wystartowali oni z Lyneham 27 czerwca, a przybyli do Kairu wieczorem
28 czerwca, czyli na dzień przed tym, jak Sikorski zdecydował, że zostanie dłużej
w Egipcie. Nie można natomiast wykluczyć, że rozkaz zmiany maszyny, który
Prchal otrzymał (według tego, co powiedział Thompsonowi) „na drugi dzień" po
przybyciu do Kairu, czyli 29 czerwca, miał jakiś związek z podjętą właśnie tego dnia
decyzją Sikorskiego o udaniu się na wypoczynek. Prchal twierdzi, że już wtedy,
równocześnie, przydzielono mu inną maszynę, liberatora AL 523. Jeżeli rzeczywiście tak było, to decyzja ta zapadła, zanim jeszcze AL 523 pod dowództwem
kpt. J. E. F. Ware'a wystartował z Gibraltaru 30 czerwca o 20.30 i wylądował
w Kairze następnego dnia rano. Liberator AL 616 miał polecieć do Indii za-

zmiana drugiego pilota, sugerowana przez Valentę, musiałaby być wyłącznie konsekwencją nagłej niedyspozycji lub wypadku osoby pierwotnie przewidzianej do lotu. Nie można wykluczyć, że była to niedyspozycja na rozkaz, ale rzecz jasna niezwykle trudno byłoby coś takiego udowodnić.

Z dziennika pokładowego Prchala wiadomo jedynie tyle, że Herring po raz pierwszy leciał w jego załodze właśnie 27 i 28 czerwca, z Londynu przez Gibraltar do Kairu po generała Sikorskiego, a następnie 3 lipca, już z polską delegacją i kilkoma Brytyjczykami na pokładzie, z Kairu do Gibraltaru. Przy okazji należy stwierdzić, że wbrew spostrzeżeniu profesora Maryniaka* nie ma sprzeczności między poglądem profesora Valenty, iż mitem jest, „jakoby wtedy w Gibraltarze" przydzielono Prchalowi rzekomo niedoświadczonego w pilotowaniu liberatorów Herringa, a zeznaniem Prchala: „Nie znałem go długo. Był on moim drugim pilotem w tej podróży z Anglii. Przedtem nigdy z nim nie latałem". Rzeczywiście jest bowiem mitem, że Herring dopiero 4 lipca w Gibraltarze dołączył do

---

miast liberatora AL 523, któremu pozostawało już tylko nieco ponad 20 godzin do okresowego przeglądu w macierzystej bazie (C. Thompson, *Assassination…*, op. cit., s. 247.). Lot z Kairu do Wielkiej Brytanii miał trwać 17–20 godzin, zatem mieścił się w granicach regulaminowego resursu AL 523, natomiast w wypadku lotu z Kairu do Indii i z powrotem do Wielkiej Brytanii AL 523 przekroczyłby tę granicę, stąd uzasadnienie jego zamiany na AL 616 nie powinno budzić zastrzeżeń. Być może nawet spodziewano się, że AL 616 zdąży wrócić z Indii, nim Sikorski zakończy swój niespodziewany urlop, i generał odbędzie podróż do Londynu właśnie tą maszyną, która go przywiozła do Kairu, a anulowanie urlopu spowodowało ostatecznie, że przydzielono mu inny samolot — AL 523. Trzeba też dodać, że terminy przeglądów wszystkich maszyn (można założyć, że szczególnie tych używanych przez VIP-ów) są określane z uwzględnieniem sporego zapasu nalotu w stosunku do terminu ich zużycia technicznego.

*J. Maryniak, *Śmierć gen. Władysława Sikorskiego — kontrowersje, znaki zapytania, skrywane dowody*, „NIT", nr 1/2005.

załogi Prchala, a może nawet po raz pierwszy usiadł wtedy za sterami liberatora. 4 lipca wieczorem Herring miał już za sobą trzy loty z Prchalem (Londyn–Gibraltar, Gibraltar–Kair, Kair–Gibraltar).

Major William „Kipper" S. Herring był znakomitym pilotem. Jak już wspomniałem w rozdziale drugim, zanim wyruszył z Kairu, wylatał na liberatorach ponad pięćdziesiąt godzin, w tym półtorej godziny jako pierwszy pilot. Miał wyższą oficjalną ocenę niż Prchal, lecz ciągle latał jako drugi, mimo że jego nalot na liberatorach był ponad sześć razy większy niż Prchala (osiem godzin), gdy Czech pierwszy raz usiadł w fotelu pierwszego pilota. Trudno uwierzyć, że po o tyle dłuższym treningu niż Prchala umiejętności Herringa wciąż były za małe, żeby mógł objąć funkcję pierwszego pilota. Profesor Valenta przypuszczał, że w dywizjonie 511 mogło chwilowo nie być wakatów na tej funkcji*. To rozsądne wytłumaczenie, jednak warto byłoby sprawdzić, czy w tym okresie pierwszymi pilotami w dywizjonie 511 zostali poza Prchalem jacyś inni piloci mający, jak on, krótszy nalot na liberatorach niż Herring. Trzeba też rozważyć konsekwencje uwagi Valenty, że gdyby wspomniane w rozdziale drugim relacje Capesa i Swabeya, wedle których Prchal po katastrofie podawał w wątpliwość, czy Herring miał kwalifikacje do pilotowania liberatorów, były prawdziwe, to dowódca samolotu miał obowiązek „odmówić [przyjęcia] takiego nieprzeszkolonego pilota do załogi, na lot z VIP-em"**. Oczywiście relacje Capesa i Swabeya mogły być przesadnie kategoryczne lub stronnicze, jednak podejrzenie, że obaj mieli

---

* Papiery Valenty, *Druhý pilot major Herring*, sygn. Gibcz-Druhý1-opravadrKlubPol, s. 4.
** Ibidem, s. 3.

skłonność do emfatycznej konfabulacji, jest bezpodstawne, a podejrzewanie ich o kłamstwa nie ma sensu, ponieważ — jak już zaznaczyłem w rozdziale drugim — nic by na tym nie zyskali. Ponadto, jak już wiemy, Prchal także, zeznając przed Court of Inquiry, delikatnie sugerował, że Herring popełnił pomyłkę. Dlatego trzeba szukać innego wyjaśnienia, a można znaleźć co najmniej dwa. Albo wątpliwości co do kwalifikacji Herringa Prchal „nabrał" ex post, aby całkowicie oczyścić się z podejrzeń, że to on mógł spowodować katastrofę, albo — gdyby rzeczywiście miał zastrzeżenia do profesjonalizmu brytyjskiego kolegi — był zmuszony mimo to zaakceptować kandydaturę Herringa. Jeśli wziąć wszystko pod uwagę, powstaje wrażenie, że Herring miał być drugim pilotem dopóty, dopóki nie nadarzy się okazja, by zasiadł za sterami samolotu generała Sikorskiego. Tożsamość pierwszego pilota i numer identyfikacyjny samolotu nie miały dla niego żadnego znaczenia. Tak jak Prchalowi, gdy nie mógł lecieć swoją maszyną, oddano AL 523, bo Sikorski życzył sobie, żeby to on pilotował, tak Herring poleciałby z kimkolwiek innym niż Prchal, gdyby to ten inny miał pilotować samolot Sikorskiego. Pech kapitana Eduarda Prchala polegał na tym, że znakomicie mówił po francusku, którym to językiem — w przeciwieństwie do angielskiego — Sikorski dość dobrze władał.

Od 1967 roku znana jest relacja porucznika D. F. Martina, który owego dnia w 1943 roku pełnił służbę radiooperatora w tajnej stacji nasłuchu i łączności SOE, mieszczącej się w pomieszczeniach wykutych we wschodnim zboczu Skały Gibraltarskiej. Gdy dowiedział się z prasy o kontrowersjach związanych ze sztuką Rolfa Hochhutha *Soldaten*, wysłał list do redakcji „Observera" (opublikowany w wydaniu z 22 października 1967 roku), w którym napisał, że po wodowaniu samolotu (*pancaking*, nie *crashlanding*) przez dłuższą chwilę widział na jego prawym skrzydle jakąś sylwetkę przypominającą nadmuchiwaną postać z reklamy opon Michelina. Wywnioskował, że człowiek posuwający się po skrzydle ma na sobie kamizelkę ratunkową. (Powiedzmy od razu, że raczej nie mógł to być Prchal, ponieważ w liberatorze pierwszy pilot wychodzi na lewe skrzydło, a wątpliwe, by obaj piloci zamienili się miejscami, tym bardziej że widziały ich osoby żegnające Sikorskiego.)

Carlos Thompson przeprowadził z Martinem długi wywiad, który zamieścił w swojej wydanej w 1969 roku książce. Ostatecznie z relacji porucznika Martina wyłania się następujący obraz.

Stacja SOE znajdowała się na wysokości 120–150 m nad poziomem morza. Zabudowania miejskie Gibraltaru znajdują się po przeciwnej, zachodniej stronie Skały i ich światła nie są widoczne od wschodu. Światła na lotnisku zostały rutynowo wygaszone przed startem liberatora. „Było ciemno, jednak nie była to noc czarna jak smoła i może Pan być pewien, że rzeczy wydają się jaśniejsze, gdy patrzy się na nie z góry". Przyjrzawszy się samolotowi, Martin — który nie wiedział, że znajdowała się w nim polska delegacja rządowa — zatelefonował na lotnisko, by powiadomić o wypadku, i usłyszał w odpowiedzi, że wysłano już łódź ratunkową (prawdopodobnie była to druga łódź, która wypłynęła z portu po zachodniej stronie Skały Gibraltarskiej). Następnego dnia podzielił się swoimi spostrzeżeniami w biurze SOE, ale jego opowiadanie nikogo nie zainteresowało.

Wiarygodność relacji porucznika Martina nie budzi wątpliwości, tak ze względu na jego umiejętność oddzielania spostrzeżeń od własnych ich interpretacji, jak i z racji kompetentnego przeprowadzenia wywiadu przez Carlosa Thompsona*. Thompson nie potrafił jednak wyjaśnić sprzeczności między stanowczym stwierdzeniem Martina, że samolot nie rozbił się o powierzchnię morza, a stanem samolotu po znalezieniu go przez ratowników. Wyraził nawet przypuszczenie, że być może Martin widział katastrofę jakiegoś innego samolotu. Dziś wiemy, że w relacji Martina nie ma tej sprzeczności.

Jednak Jaroslav Valenta, zdecydowany zwolennik wersji wypadku**, postanowił udowodnić, że wyrażone mimochodem

---

* D. Irving dyskredytuje Thompsona, męża aktorki Lilli (Lily) Palmer, pisząc m.in., że „przepraszała ona Rolfa Hochhutha, że jej mąż nie jest przy zdrowych zmysłach i ciągle przebywa w klinikach i z nich wychodzi" (tekst Irvinga w Internecie: należy wpisać do wyszukiwarki hasło „Real History and the Death of General Sikorski", a następnie kliknąć link „Summary of Public Record Office file AIR 2/15113").

** Wydaje się, że do bezwarunkowego opowiedzenia się za wersją wypadku skłoniło Valentę to, iż uznał za pewnik, że liberator rozpadł się na trzy części, gdy zetknął się z wodą. Tymczasem gdyby tak było, samolot w żadnym razie nie mógłby utrzymywać się na wodzie 6–8 minut. Valenta nie mógł nie zdawać sobie z tego sprawy, dlatego można sądzić, że bezkompromisowo trwał przy swoim stanowisku i w ogóle zajął się sprawą śmierci Sikorskiego dlatego, że pilot liberatora był Czechem i cień podejrzenia padł również na niego. W tym kontekście w liście z 5 grudnia 2002 r. do prof. Valenty napisałem, iż „źle się stało, że pilot nie był Polakiem, bo to zapobiegłoby stawianiu zarzutów o «polski mesjanizm» [tak Valenta w liście do mnie] i ułatwiłoby dotarcie do prawdy. Polskie komisje lotnicze działające w 1943 r. nie interesowały się narodowością pilota, a jedynie odrzuciły kuriozalne oświadczenia Brytyjczyków, że «przyczyna katastrofy jest nieznana, lecz nie był nią sabotaż», i nie mogły przyjąć do wiadomości niespójnych zeznań Prchala". Trzeba jednak przyznać, że już wkrótce po katastrofie po stronie polskiej rozległy się głosy krytykujące pierwszego pilota jedynie z uwagi na jego narodowość. Warto również przypomnieć, że sam Sikorski prosił, aby to Prchal pilotował jego samolot także w drodze powrotnej z Kairu do Wielkiej Brytanii. W dywizjonie 511 oprócz Brytyjczyków służyło tylko trzech cudzoziemców: Holender (stale stacjonujący w Egipcie), Norweg i właśnie Prchal, zatem nie było możliwości, by liberatora Sikorskiego pilotował Polak. Zresztą w listopadzie 1943 r. za sterami samolotu Beneša lecącego z Londynu przez Gibraltar do Moskwy siedział

przypuszczenie Thompsona było słuszne. W swoim wywodzie*
za punkt wyjścia przyjął nie stan samolotu, lecz ową tajemniczą
postać na prawym skrzydle.

Samolot wodował ponad sześćset metrów od linii brzego-
wej. Punkt obserwacyjny Martina znajdował się około stu pięćdziesięciu metrów nad powierzchnią morza. Valenta przyjął,
że Martin był około ośmiuset metrów od samolotu (wielkość
wynikająca z różnicy wysokości i różnicy odległości w rzucie
poziomym między stacją SOE a linią startu i lotu liberatora).
Martin nie wspomniał, by obserwował całe zdarzenie przez
lornetkę. Valenta wyciągnął z tego wniosek, że widziany z takiej odległości człowiek byłby obiektem „pomijalnie małym"
(punktem), czyli nie można by go było spostrzec, a co dopiero
analizować jego wygląd i ruchy w panujących wówczas warunkach: jaśniejszy pas nieba na wschodnim horyzoncie był bardzo
odległy od prostej łączącej punkt obserwacyjny Martina i obiekt
jego obserwacji, a w efekcie samolot unoszący się na falach
i chodzący po jego prawym skrzydle człowiek (stacja SOE była
na południe od lotniska, zatem Martin widział prawe skrzydło
samolotu, który wystartował w kierunku wschodnim) znajdo-

Brytyjczyk, a nie Prchal, natomiast 15 października 1944 r. samolot norweskiego
następcy tronu, księcia Olafa, pilotował Prchal, a nie Norweg Dag Krohn, co
świadczy o tym, że dowództwo dywizjonu 511 nie brało pod uwagę narodowości
swoich pilotów. Wg Llewellyna umiejętności wszystkich pilotów dywizjonu 511
były wysokie, toteż o wyznaczeniu Prchala do pilotowania samolotu Sikorskiego
w drodze na wschód zadecydowały jego walory lingwistyczne (znał m.in. francuski
i niemiecki, podobnie jak Sikorski). W drodze powrotnej doszła jeszcze do tego
wspomniana prośba Sikorskiego (Papiery Valenty, *Czechosłowacki pilot Eduard
Prchal*, sygn. gibpl-czpilot-opr, s. 15–16, i *Dlaczego właśnie czechosłowacki pilot*,
sygn. gibpl-dlaczp-doplnit poznamky, s. 4–5).
    * J. Valenta, *Obserwator z lotu ptaka*. Maszynopis (15 stron, po 1987 r.)
w moim posiadaniu – T.A.K.

waliby się na tle ciemnego morza. Valenta nazwał ten argument trygonometrycznym.

Następnie postanowił sprawdzić, jakie warunki pogodowe (jasność nieba, widoczność) panowały tej nocy. Wszyscy świadkowie obecni na lotnisku utrzymywali, że noc była ciemna, na skutek czego podczas startu samolotu widzieli tylko płomienie z rur wydechowych, a w najlepszym razie jego sylwetkę. Martin stwierdził, że „był to bardzo jasny wieczór, nie było prawdziwych ciemności, [lecz] ciemniej niż o zmierzchu i jaśniej niż w mroku". Valenta stwierdził, że gdyby przyjął bez zastrzeżeń wersję świadków z lotniska, to musiałby uznać, że Martin zmyślił całą swoją opowieść, ponieważ nie mógł w ogóle niczego widzieć. Dlatego z pomocą osób kompetentnych odwołał się do efemeryd (tablic podających czas i przebieg zjawisk astronomicznych) na rok 1943. Okazało się, że poprzedniej nocy, z 3 na 4 lipca 1943 roku, był nów. W nocy z 4 na 5 lipca księżyc zaszedł niedługo po dwudziestej, zatem o dwudziestej trzeciej niebo był zupełnie ciemne (jeśli nie liczyć jaśniejszego pasa na horyzoncie, co nie miało żadnego znaczenia dla obserwacji porucznika Martina). Valenta wyciągnął stąd wniosek, że „Charakterystyka warunków widoczności, jak podaje je Mr. Martin, nie może się w żadnym wypadku odnosić do krytycznej nocy, w tej nocy nie mógł obserwować na odległość 800 metrów" (stylistyka oryginału). Valenta przychylił się więc do przypuszczenia Thompsona. Jak napisał, Martin „dokładnie zrelacjonował swe obserwacje, poczynione jednak nie w nocy 4 lipca, a w którejś innej nocy. [...] Sam zresztą w rozmowie z C. Thompsonem przyznał, iż o całej rzeczy właściwie całkowicie zapomniał, dawne wydarzenie wypłynęło w świadomości dopiero po przeczytaniu artykułu o namiętnym sporze o sztukę

Hochhutha. Przypomniał więc sobie owo nie identyczne, tylko analogiczne zdarzenie".

Być może ten wniosek profesora Valenty jest słuszny i porucznik Martin widział wodowanie innego samolotu. Nie wyklucza to jednak tezy o udziale w zamachu drugiego pilota. Według wersji oficjalnej ciała majora Herringa nigdy nie odnaleziono, może jednak nie powinno to dziwić, skoro kilkakrotnie już tutaj cytowany sierżant Carr utrzymywał, że kilkadziesiąt minut po wodowaniu liberatora wraz ze swoimi żołnierzami rozmawiał „z żywym i całkowicie zdrowym drugim pilotem, który o własnych siłach dopłynął do plaży". Co więcej, David Irving pisze, że „Wdowa po drugim pilocie Herringu (ponownie wyszła za mąż i stała się panią Joyce Robinson) powiedziała mi, że jest pewna, iż dzwonił on do niej dzień po katastrofie — żywo to pamiętała, ponieważ była w szpitalu rodząc ich pierwsze dziecko [syna Grahama] — a później odkryła, że zostawił on w domu swój szczęśliwy kombinezon lotniczy"*. Ze słowami Carra i wdowy koresponduje nie potwierdzona informacja, że tuż po zamachu Herring był widziany w szpitalu, w Gibraltarze, skąd go szybko ewakuowano. (W każdym razie w pierwszych, wysłanych przed północą brytyjskich depeszach z Gibraltaru do Londynu podano, że z morza wyłowiono trzy ranne osoby, wobec tego oprócz Prchala i Whiteleya w grę mógł wchodzić tylko Herring. Depesze te byłyby zatem już czwartym źródłem potwierdzającym pośrednio, że Herring przeżył. Wprawdzie nie został on „wyłowiony", jeśli wierzyć relacji Carra, ale ten, kto układał owe depesze, mógł nie znać jeszcze wszystkich szczegółów katastrofy i akcji ratunkowej — na przykład podano, że

* D. Irving, ibidem.

samolot „rozbił się" aż około mili od brzegu — a poza tym ich
odbiorcy w Londynie mogli to uznać za nieistotny szczegół.)

Zresztą jest o b i e k t y w n y   n e g a t y w n y   d o w ó d, że Herring, podobnie jak Prchal, m u s i a ł opuścić samolot. Tonący po
kilku minutach utrzymywania się na wodzie liberator najpierw
oparł się dziobem o dno, a dopiero potem przewrócił na plecy.
Według ekspertów liberatory miały bardzo miękki nos, dlatego w AL 523 został on całkowicie zgnieciony. Gdyby któryś
z pilotów (obaj byli przypięci pasami) siedział wtedy — ranny
lub martwy — w fotelu, to zostałby zmiażdżony i tak też by go
odnaleziono.

Być może jednak nie tylko sierżant Carr i jego żołnierze widzieli po wodowaniu żywego Herringa (nie licząc bliżej nieokre-
ślonych świadków ze szpitala). Niewykluczone, że porucznik
Martin także widział wodowanie liberatora generała Sikorskiego, wbrew trygonometrycznej i astronomicznej argumentacji
profesora Valenty. Aby to udowodnić, należałoby wykazać, że
w obserwacji poczynionej przez Martina było pomocne jakieś
inne źródło światła niż naturalne.

Wiadomo, że światła miasta Gibraltar nie docierają na
wschodnie wybrzeże półwyspu. Wiadomo również, że światła
lotniska zostały wygaszone przed startem, co robi się zawsze
„aby uniknąć blasku przeszkadzającego pilotowi" (MacFarlane). Starszy strzelec Derek Qualtrough zeznał, że miejsce
wodowania oświetlono, dopiero gdy na miejsce przybyła łódź
ratownicza. Co prawda MacFarlane napisał o „szperaczach
[searchlights], które zapalono natychmiast po katastrofie na kilka
[several] minut", znaczyłoby to jednak, że po kilku minutach je
wyłączono, co — nawiasem mówiąc — jest niezrozumiałe. Od
czasu ujawnienia relacji oficera z włoskiej miniaturowej łodzi

podwodnej (bazującej na internowanym w pobliskim porcie Algeciras i opuszczonym statku *Olterra**), który kilka minut po wodowaniu wszedł do liberatora i ujrzał ciała „zmasakrowanych ludzi", wiadomo, że zbliżająca się łódź ratunkowa przeszukiwała powierzchnię morza reflektorem, ale Martin o tym nie wspomina, więc najwidoczniej był już wtedy znowu w stacji i dzwonił na lotnisko; zresztą włoski oficer nie zauważył już nikogo na skrzydle (może zresztą podpłynął z lewej strony samolotu; jeżeli relacja jest zgodna z prawdą, to miał szczęście, że nie przybył później, gdyż mógłby paść ofiarą wybuchu). Wiadomo także, że miejsce katastrofy oświetlono (na dłużej) reflektorami z Gibraltaru dopiero po mniej więcej dziesięciu minutach od wodowania, kiedy samolot już zatonął. Jest zatem pewne, że w tej niedługiej chwili, kiedy drugi pilot szedł po prawym skrzydle samolotu, Brytyjczycy nie oświetlali miejsca wodowania.

Po północnej stronie półwyspu, na którym położony jest Gibraltar, niedaleko lotniska, tuż za granicą z Hiszpanią, znajduje się wspomniane już miasteczko La Linéa. Nie można wykluczyć a priori, nie zbadawszy świadectw z okresu drugiej wojny światowej, że powierzchnię morza co noc rozjaśniała poświata z La Linei. Porucznik Martin obserwował unoszący się na wodzie samolot, patrząc na północny wschód, La Linéa zaś leży w kierunku północno-zachodnim od miejsca wodowania. Martin znajdował się prawie dokładnie na południe od La Linei,

---

* O tajnej niemiecko-włoskiej bazie na statku *Olterra* pisze m.in. Marshall Pugh w książce *Commander Crabb*, Macmillan, London 1956. Bazę tę założono na początku lipca 1942 r., a już 13 lipca 12 włoskich nurków przepłynęło przez Zatokę Gibraltarską z Algeciras do Gibraltaru i zatopiło tam materiałami wybuchowymi 4 statki alianckie. Notabene na podstawie książki Pugha brytyjski reżyser William Fairchild nakręcił w 1958 r. film *The Silent Enemy*.

z tym że był oddalony od samolotu o mniej więcej (jak przyjął Valenta) osiemset metrów, a La Lineę dzielił od samolotu dystans około półtora kilometra. Jeżeli z miasteczka dobiegała jakakolwiek poświata, to Martin miał ją po lewej stronie, prawie dokładnie (licząc w poziomie) pod kątem dziewięćdziesięciu stopni. Prawdopodobnie nie widział samej La Linei, więc jej światła go nie oślepiały. Każdy, kto — jak Martin — w nocy patrzył na morze z wysokiego wzgórza, obok którego znajduje się jakieś miasto, wie, że łuna jego świateł rozjaśnia powierzchnię wody na dużą odległość (Martin: „r z e c z y w y d a j ą s i ę j a ś n i e j s z e , g d y p a t r z y s i ę n a n i e z g ó r y"). Ten poblask jest niewidoczny z poziomu morza — widać stąd tylko bezpośrednie odbicia portowych świateł w wodzie, a noc wydaje się jeszcze czarniejsza. Tak więc tego, co powiedzieli świadkowie przebywający na lotnisku (na poziomie morza) o widoczności, nie można uznać za miarodajne, jeśli zamierza się zweryfikować relację Martina. Ludzie stojący na lotnisku patrzyli w czarne niebo, Martin zaś — ze stanowiska na Skale — na powierzchnię morza. Kwestię, jak daleko sięgała w morze poświata z La Linei, mógłby rozstrzygnąć eksperyment przeprowadzony na miejscu; rzecz jasna należałoby wziąć poprawkę na prawdopodobne zwiększenie od 1943 roku natężenia poświaty La Linei.

Ktoś mógłby powiedzieć, że nawet silna poświata wydobywałaby z mroku tylko lewe skrzydło liberatora, a człowiek, którego widział porucznik Martin, szedł po prawym. To prawda, że prawe skrzydło byłoby w cieniu kadłuba, jednak w tych samolotach jest ono osadzone tak wysoko, że kadłub nie zasłaniałby idącej po nim postaci — byłaby ona tym lepiej (a raczej tym więcej) widoczna, im bardziej zbliżałaby się do końca skrzydła, ponieważ ma ono lekki wznios. I wreszcie trzeba dodać, że patrzącemu z góry porucznikowi Martinowi mogła rozjaśniać powierzchnię morza poświata latarni morskiej, znajdującej się za nim, po jego prawej stronie, na wysokim cyplu Punta de Europa (Europa Point), niższym mniej więcej o sto metrów od jego stanowiska. Tę ewentualność można sprawdzić nawet dziś. Konkludując, nie można uznać, że argumenty Jaroslava Valenty ostatecznie rozstrzygają, którego samolotu wodowanie opisał D. F. Martin. Trzeba natomiast dodać, że zaobserwowanym przezeń człowiekiem idącym po skrzydle mógł być wspomniany włoski oficer. Nie podważa to jednak relacji sierżanta Carra, że Herring się uratował, natomiast tak czy inaczej potwierdzałoby, że Martin widział i opisał wodowanie właśnie samolotu Sikorskiego. Warto by sprawdzić, jaki regulaminowy ubiór nosiły załogi włoskich miniaturowych łodzi podwodnych — czy ich sylwetki mogły się kojarzyć z reklamą Michelina?

Nic nie wskazuje na to, by po wodowaniu Herring próbował ratować Prchala. Świadczyłoby to dodatkowo na korzyść Prchala w tym sensie, że dla rzeczywistych spiskowców był on najpierw niezbędną „przyzwoitką", czy też „elementem maskującym", a następnie już tylko niewygodnym świadkiem, którego najchętniej by się pozbyli. Niewykluczone, że Herringa nawet namawiano, żeby zabił Prchala po pomyślnym wodowaniu. Być może natychmiast odrzucił tę domniemaną sugestię, podejmując się wyłącznie zadania przewidzianego dla pilota, być może postanowił ograniczyć się do niego już podczas akcji (czy kazał też Prchalowi włożyć maewestkę?), być może jednak zaatakował Prchala natychmiast po wodowaniu, powodując przynajmniej część jego obrażeń (lewy policzek?) i pogłębiając szok. Gdyby to ostatnie przypuszczenie było zgodne z prawdą, to bardzo przekonująco tłumaczyłoby, dlaczego Prchal obciążał Herringa odpowiedzialnością za „wypadek" — byłby to wyraz zemsty, jeśli nie na drugim pilocie, to na pamięci o nim, a pośrednio również na jego mocodawcach.

Przeciwnicy tezy o zamachu i wymuszonym, biernym udziale w nim Prchala zadają naiwne pytanie, dlaczego czeski pilot prędzej czy później nie został zlikwidowany przez byłych zamachowców. Oczywiście dlatego, że byłoby to jaskrawe potwierdzenie tezy o zamachu, zwłaszcza że drugi z ocalałych pilotów już tajemniczo zniknął. Zdematerializowanie się obu wzbudziłoby podejrzenia, które należałoby wyjaśnić publicznie. Nie wchodziły tu więc w grę wyrzuty sumienia, jak ironicznie pytał profesor Valenta, lecz chłodna kalkulacja. Ponadto, kiedy po zamachu ocalonego Prchala ujrzały dziesiątki osób, w żywotnym — w pełnym tego słowa znaczeniu — interesie czeskiego pilota, który de nomine stał się jednym z zamachowców, było zachować milczenie lub podtrzymywać wersję wypadku.

Podobnie naiwna jest ta część argumentacji Jaroslava Valenty, że Eduard Prchal po katastrofie do połowy 1945 roku pilotował samoloty, wioząc między innymi rząd norweski in corpore, rząd belgijski, marszałka lotnictwa Portala z małżonką i wiele innych ważnych osobistości, należy więc to uznać za „wystarczający i przekonywujący dowód, że nawet po katastrofie gibraltarskiej Prchal nie utracił pod żadnym względem, ani jako pilot, ani jako człowiek, zaufania swych brytyjskich przełożonych. [...] Orzeczenie komisji RAF, która nie przypisała mu żadnej winy na kraksie, nie było więc tylko formalnością"*. Prchal rzeczywiście nie dał żadnego powodu, by ktokolwiek utracił zaufanie

---

* Papiery Valenty, *Jeszcze raz o pilocie Prchalowi*, sygn. gibpl-jeszcze, s. 3.

do niego jako do pilota, jednak orzeczenie komisji RAF, nawet wielu Brytyjczyków rażące wewnętrzną logiczną sprzecznością, właśnie w odniesieniu do Prchala ma charakter — być może niesłusznie — raczej „umorzenia sprawy z powodu niemożności udowodnienia winy" niż uniewinnienia, by posłużyć się terminologią z zakresu prawa karnego, chociaż werdykt brzmiał explicite „niewinny". Niektórzy Brytyjczycy mogli natomiast ufać Prchalowi „jako człowiekowi" z tej racji, że konsekwentnie wbrew oczywistym lukom i niedorzecznościom w swoich zeznaniach trzymał się raz ustalonej wersji katastrofy i umiał milczeć. Prchal podtrzymywał wersję komisji RAF, a Brytyjczycy podtrzymywali jego wiarygodność jako świadka, wciąż powierzając mu pilotowanie samolotów z VIP-ami — nic przy tym nie ryzykując, ponieważ był on doskonałym pilotem.

2 czerwca 1945 roku Eduard Prchal po raz pierwszy po wojnie odbył lot do Czechosłowacji — po międzylądowaniu w Pilźnie dotarł do Pragi. 5 czerwca państwu Prchalom urodziła się córka, Eduarda Jana. Prchal podjął pracę w ČSA, Czechosłowackich Liniach Lotniczych. Prawdopodobnie pod koniec lipca do kraju wróciła Dolly Prchal z córką. 5 października 1945 roku trzy mile od lotniska Blackbush rozbił się transportowy liberator czechosłowackiego dywizjonu 311 — zginęła cała pięcioosobowa załoga. Była to pierwsza w Europie katastrofa lotnicza po Victory Day. Tego samego dnia Prchal „pilotował Dakotę C-12-1 z Pragi poprzez Brno do Bratysławy i z powrotem", czego dowodem jest zapis w jego dzienniku pokładowym*.

---

* Papiery Valenty, *Dlaczego właśnie czechosłowacki pilot?*, sygn. gibpl-dlaczp-doplnit poznamky, s. 3, 6–7; udzielona Valencie informacja VHU z 20 października 1987 r. z powołaniem się na dokument inspektoratu lotnictwa nr 6080/45, tamże, s. 6.

Całkowicie nieprawdziwa jest więc rewelacja Strumpha Wojtkiewicza, jakoby samolot, którym grupa czechosłowackich pilotów wracała po wojnie do ojczyzny, rozbił się nad Niemcami i wszystkie lecące nim osoby zginęły, Prchal zaś nie podzielił losu kolegów tylko dlatego, że w ostatniej chwili zrezygnował z powrotu do kraju*.

Po przewrocie komunistycznym w Czechosłowacji, do którego doszło w lutym 1948 roku, Prchala zaczęli nachodzić agenci służby bezpieczeństwa i coraz częściej pojawiały się plotki o jego śmierci. O ile inwigilowanie i szykanowanie wojskowych (byłych lub w służbie czynnej), którzy spędzili wojnę na Zachodzie, nie było niczym niezwykłym w satelickich państwach ZSRR okresu stalinizmu i często poprzedzało uwięzienie, tortury i proces o szpiegostwo, o tyle rozpuszczanie plotek o śmierci Prchala było nietypowe. Należałoby to uznać za przygotowanie opinii publicznej na informację o rzeczywistej śmierci Prchala, zapewne w wyniku jakiegoś zaaranżowanego wypadku. Ponieważ czechosłowacka ŠtB była całkowicie podporządkowana radzieckim tajnym służbom, mielibyśmy kolejną poszlakę wskazującą na kierowniczą rolę Kremla w zamachu na Sikorskiego. Dlaczego bowiem radzieckim mocodawcom ŠtB miałoby zależeć na uśmierceniu Prchala, gdyby zamach został przeprowadzony na przykład na polecenie rządu brytyjskiego?

W październiku 1950 roku skradzioną dakotą Prchal umknął z żoną do Wielkiej Brytanii, a w końcu wyemigrował do Ameryki. Zamieszkał w Kalifornii, gdzie odbył z nim rozmowę Carlos Thompson i dokąd w 1968 roku wysłał do niego list Jaroslav Valenta, który w marcu tegoż roku otrzymał adres Prchala od

---

* S. Strumph Wojtkiewicz, *Wbrew rozkazowi*, op. cit., s. 336–337.

generała doktora Karela Janouška, generalnego inspektora czechosłowackiego lotnictwa w Wielkiej Brytanii podczas wojny (zmarł w 1971 roku). W grudniu 1968 roku Prchal przyleciał do Londynu, by wraz z Davidem Irvingiem i Kennethem Tynanem, który w 1967 roku wyreżyserował sztukę *Soldaten* Hochhutha dla National Theatre Company, 22 grudnia wziąć udział w telewizyjnym programie (jednym z trzech poświęconych katastrofie w Gibraltarze) Davida Frosta w komercyjnej stacji Thames TV. Jak pisał Llewellyn w liście z 2 lutego 1969 roku do marszałka Slessora: „Prchal przyszedł mnie tu odwiedzić 18 grudnia, natychmiast po tym, jak przyleciał z Kalifornii. Nie widziałem go 25 lat. Do 1967 r. wiódł skromną, szczęśliwą egzystencję drugiego bibliotekarza w jakiejś małej bibliotece... w Los Altos w pobliżu San Francisco"*. Później, prawdopodobnie w 1969 lub 1970 roku, przeprowadził się do innej miejscowości i Valenta stracił z nim kontakt. Według „Timesa" Prchal zmarł w roku 1984, według Valenty — w 1990. Informacja profesora Valenty jest błędna. Eduard Prchal zmarł w 1984 roku w miasteczku Calistoga w Kalifornii, a jego ciało pogrzebano w czechosłowackiej kwaterze na Brookwood Cemetery w Anglii**.

W programie „Rewizja Nadzwyczajna" podano pewną nie zweryfikowaną informację, łącząc ją z Herringiem. Otóż nie wymieniony z nazwiska Polak mieszkający w Paryżu stwierdził, że pewien oficer RAF-u powiedział mu, iż w 1943 roku zaproponowano mu udział w zamachu na generała Sikorskiego. Ofi-

* Za: D. Irving, „Summary of the contents of PRO file AIR 2/15113", op. cit. Nie dotarłem niestety do informacji, czy po ucieczce z Czechosłowacji Prchal pracował jeszcze na Zachodzie jako pilot — T.A.K.
** Vide: http://www.forumgarden.com/forums/archive/index.php/t-814.html

cer ten odrzucił ofertę, lecz przyjął ją niejaki porucznik Johnson i dwa tygodnie później awansował do stopnia pułkownika.

Ta informacja rodzi wiele pytań. Kiedy oficer RAF-u podzielił się tą rewelacją z owym Polakiem? Kiedy złożono mu tę propozycję — na przykład w styczniu, kwietniu czy czerwcu 1943 roku? To pytanie ma sens zarówno w kontekście rzekomych dat wyruszenia z Polski (?) trzech fałszywych kurierów, jak i daty politycznego kryzysu katyńskiego, a więc odpowiedź na nie dałaby również wskazówkę, kiedy zapadła decyzja o zgładzeniu Sikorskiego. Czy porucznik Johnson awansował dwa tygodnie po tym, jak przyjął tę propozycję, czy po zamachu? Kto podpisał wniosek o jego awans?

Jaroslav Valenta napisał: „por. Johnson, awans na pułkownika? Czy Pan wierzy, że można tak awansować? Ja nie, można awansować w wyjątkowych wypadkach o 2 stopnie, ale nie tak! W takim razie trzebaby dodać facetowi całkowicie nową tożsamość itd. i przesunąć go do Burmy, aby tam szybko poległ, bo ciągle istniałoby w ramach Empire ryzyko, że go spotka ktoś ze znajomych"*. Rzeczywiście, nawet awans o dwa stopnie jest ewenementem, a cóż dopiero o cztery. Jednak z formalnego punktu widzenia porucznika Johnsona nie można w tej mierze uznać za rekordzistę. Jak napomknąłem już w rozdziale 3. *Preludium*, człowiek znany jako Edward Szarkiewicz awansował — według oficjalnych danych — o sześć stopni, od polskiego podporucznika do brytyjskiego brygadiera. Niezależnie od tego, że prawdopodobnie jego faktyczny polski (a także brytyjski) stopień wojskowy był początkowo o wiele wyższy od pod-

---

* List prof. Valenty z 12–18 listopada 2002 r. w moim posiadaniu — T.A.K.

porucznika, nasuwa się pytanie, jakie zasługi i dla kogo położył
Szarkiewicz, że otrzymał tak wysoką szarżę w brytyjskich siłach
zbrojnych? Jednym z szefów brytyjskich tajnych służb (z siedzi-
bą w Kairze) na obszar Półwyspu Iberyjskiego, Afryki Północnej
i Włoch był sowiecki agent Harold „Kim" Adrian Russell Philby, któremu w Gibraltarze podlegał podpułkownik John Alfred
Codrington (warto byłoby sprawdzić jego dossier)*. Gdyby to
Philby był organizatorem zamachu, a Szarkiewicz przyjmował
rozkazy od Philby'ego, to czy zwolennik Piłsudskiego domy-
ślałby się, że wykonuje polecenia Kremla? A może ten dziwny
piłsudczyk kierujący podejrzenie o zorganizowanie zamachu
w stronę innego piłsudczyka, generała Andersa (vide rozdział
3. *Preludium*), również był agentem Kremla?

Jeżeli jednak potraktować tę informację poważnie i dosłownie,
to Williama Herringa nie można by utożsamiać z porucznikiem
Johnsonem z tej prostej przyczyny, że miał stopień majora.

Thompson podaje, że Rolf Hochhuth w rozmowie z Lauren-
ce'em Olivierem wyraził przypuszczenie, że Herring otrzymał
nową tożsamość i żyje w odległym zakątku świata. Powtarza
tę opinię David Irving w niemieckim wydaniu swojej książki
*The Accident***. To możliwe, ale bardzo mało prawdopodobne

---

  * Podstawowe informacje nt. Codringtona (ur. 1898 r.) można znaleźć w Internecie (po wpisaniu hasła Lt Col Codrington) na stronie „AIM25: Liddell Hart
Centre for Military Archives, King's College"; m.in. w 1937 r. przeniesiony do
rezerwy (w wieku 39 lat), oddelegowany do Foreign Office w latach 1939–1942,
zastępca szefa sztabu w Gibraltarze w latach 1942-1943, specjalny oficer łącznikowy w Algierze w latach 1943–1944, w 1948 r. honorowy podpułkownik, zmarł
w 1991 r. W archiwum znajdują się dwa pudła o objętości 0,02 m³, zawierające
jego opublikowane i nie opublikowane papiery.
  ** D. Irving, *Mord aus Staatsräson?*, Rütten & Loening, Bern–München 1969.
Irving pisze („Summary of Public Record Office file AIR 2/15113", w: „Real
History and the Death of General Sikorski"), że w niemieckim wydaniu znalazły

z psychologicznego punktu widzenia. Herring wiedział, że ma się urodzić jego pierwsze dziecko. Zadzwonił do leżącej w szpitalu żony, co świadczy, że było to dla niego ważne wydarzenie. Zapewne jeszcze większym wydarzeniem było to dla jego żony, dlatego nie ma powodu wątpić, że dobrze zapamiętała, iż mąż zadzwonił do niej do szpitala już po katastrofie. Zdaje się to dowodzić, że Herring nie zamierzał samotnie umknąć i zaszyć się do końca życia gdzieś na końcu świata, ale chciał połączyć się z rodziną, w Wielkiej Brytanii — dlaczego bowiem nie miałby złożyć przed brytyjską komisją równie dla niej wiarygodnego zeznania jak Prchal? — lub w jakimkolwiek innym kraju. (Takie nonszalanckie podejście do swojego udziału w zamachu, co zakładamy hipotetycznie, byłoby jeszcze jednym argumentem za tym, że wodowanie, zwłaszcza zaplanowane i przeprowadzone przez doskonałego pilota, nie stanowiło większego problemu technicznego, a tym bardziej zagrożenia dla życia; perspektywa wodowania nie przeszkadzałaby mu snuć planów na przyszłość.) Gdyby więc William Herring został ewakuowany w jakieś egzotyczne strony, to jakiś czas później żona dołączyłaby do niego z synem, a nie zostałaby w Wielkiej Brytanii i nie wychodziłaby powtórnie za mąż (chociaż niewykluczone, że dla kamuflażu wystąpiłaby o uznanie Herringa za zmarłego, jak to rzeczywiście zrobiła przed powtórnym zamążpójściem). Ponadto z dwóch żywych pilotów większe niebezpieczeństwo

---

się nie uzgodnione z nim wstawki autorstwa jego brytyjskiego wydawcy, Williama Kimbera, m.in. jedna dotycząca hipotezy Llewellyna, że katastrofa mogła być wypadkiem spowodowanym przesunięciem się bagażu w przedziale przedniego koła. W rozdziale 2 wspomniałem, że ppłk. Stevens i kpt. Buck empirycznie wykluczyli możliwość zablokowania sterów poprzez zakleszczenie się w jakiejkolwiek części usterzenia ciała lub przedmiotu.

przedstawiał dla spiskowców właśnie Herring, a nie Prchal. Bynajmniej nie dlatego, że mógłby ujawnić tajemnicę zamachu na Sikorskiego, ale z tej przyczyny, że mógł go rozpoznać któryś z byłych kolegów, uważających go przecież za zmarłego. W liście do ministerstwa obrony z 19 marca 1971 roku wdowa po Herringu, przekonana o śmierci męża, napisała: „Prchal byłby mi powiedział, gdyby Kipp [Herring] żył, jestem pewna. Mam od niego [Prchala] wieści od czasu do czasu".

Wydaje się, że Rolf Hochhuth i David Irving mylili się, natomiast zarówno Joyce Herring-Robinson, jak i Jaroslav Valenta mieli rację. To, że William Herring wedle co najmniej trzech świadectw wydostał się z samolotu, wcale nie jest jednoznaczne z tym, że nie zginął wkrótce potem, z tą poprawką, że prawdopodobnie przeprowadzono to szybciej i mniej subtelnie, niż wyobrażał sobie profesor Valenta (skrytobójstwo w odległym kraju, na przykład w Birmie). Ze strony organizatorów zamachu byłaby to nie tylko kara za nieuśmiercenie Prchala, ale przede wszystkim środek ostrożności, konsekwencja tego, że zawczasu nie rozważyli oni, co może się stać, jeśli pospiesznie ogłoszą Herringa za zmarłego, lecz pozostawią go przy życiu. Nie można również wykluczyć, że Herring został aresztowany (być może także osądzony) i stracony na rozkaz władz brytyjskich, które wykryły spisek wymierzony w Sikorskiego. W takim razie to Herring, a nie Sikorski, byłby ofiarą *Mord aus Staatsräson* (by użyć tytułu niemieckiego wydania książki Davida Irvinga). Drugą ofiarą był Jan Gralewski. W wypadku Herringa „racja stanu" byłaby brytyjska, w wypadku Gralewskiego polska, chociaż w owym czasie ściśle związana z tą pierwszą.

Trzeba wreszcie postawić pytanie, czy to możliwe, że drugiego pilota szantażowano podobnie jak kapitana Prchala. Organizatorzy zamachu, licząc na zaskoczenie, mogli mu na przykład zagrozić tuż przed lotem, że jeśli nie będzie chciał wystartować i doprowadzić do wodowania, jego żona i dziecko poniosą przykre konsekwencje. Wiele jednak — jeśli nie wszystko — przemawia przeciwko takiej wersji wydarzeń. Po pierwsze, osobliwy brak nazwiska majora Herringa w spisie personelu dywizjonu 511. Po drugie, tajemnicze zaginięcie jego dziennika pokładowego. Po trzecie — to, że dziwnie długo terminował w charakterze drugiego pilota na liberatorach dywizjonu 511, co sprawia wrażenie (jak już zaznaczyłem), że Herring czekał na okazję, by zasiąść za sterami samolotu z generałem Sikorskim na pokładzie. Po czwarte, dlaczego Prchal zmuszony wziąć udział w zamachu doznał narastającego szoku, który prawdopodobnie uniemożliwił mu pilotowanie maszyny, a Herring nie zareagował podobnie? Bardzo możliwe, że zamachowcy wzięli to pod uwagę i drugiego pilota o wiele wcześniej przygotowali psychicznie do zadania, dzięki czemu podszedł do niego z chłodnym profesjonalizmem. Co nie wyklucza, że mógł to zrobić wbrew własnej woli.

Jak już napisałem, major William S. Herring jest j e d y n ą z n a n ą z n a z w i s k a osobą, która mogła się podjąć udziału w zamachu na Sikorskiego w charakterze drugiego pilota (chyba że przyjmiemy poważnie pogłoskę o tajemniczym poruczniku Johnsonie; w takim razie trzeba by uznać, że Herring, podobnie jak Prchal, był wyłącznie biernym świadkiem zamachu, zmuszonym do odegrania swojej roli). Skierowane przeciw niemu podejrzenia wzmacniane są przez niejasności związane z jego przynależnością do personelu latającego dywizjonu 511. Rozpatrywanie tej hipotezy nie oznacza jednak, że to on musiał przeprowadzić wodowanie liberatora AL 523. Jak napisał David Irving,

Królewski sekretarz sir Alan Lascelles w liście do lorda Chandosa [członka rady The National Theatre] stwierdził, że w samolocie [Sikorskiego] był Charles William Bowes Massey, oficer RAF o bardzo dziwnej karierze. 20 lutego 1968 r. zadzwoniłem do drzwi jego domu w South Kensington, aby przeprowadzić z nim wywiad, lecz jego zarządca [*landlord*] powiedział, że nagle zniknął on na dobre, «ulotnił się» [«*done a bunk*»], we wrześniu 1967 r., w czasie gdy rozpętał się spór o Sikorskiego; jego córka, jego ulubiona córka, skontaktowała się ze mną w sierpniu 1996 r., aby powiedzieć, że od tamtego dnia nie zobaczyła go ponownie — ale właśnie się dowiedziała, że nie zmarł, jak jej powiedziano, lecz żył z nową tożsamością w Cheltenham*, gdzie zmarł w poprzednim roku, w czerwcu 1996 r.** Wykonawca jego testamentu opisał jej, jak na jego skromny pogrzeb przybył z Londynu samochód z powiewającym proporczykiem głównego marszałka lotnictwa***. Nie ma wielu głównych marszałków lotnictwa i ona wytropiła tego człowieka; był to [...] sir William Wratten, lecz wykręcał się on i odmówił rozmowy z nią. Oczywiście niewinne wyjaśnienie [tego zachowania] jest możliwe; nie prawdopodobne, ale możliwe.****

---

* Miasto, w którym znajduje się siedziba główna brytyjskiego wywiadu elektronicznego GCHQ (Government Communications Headquarters). Do 1983 r. władze brytyjskie nie przyznawały się do istnienia GCHQ.

** Niezgodność ostatnich dwóch dat podawanych przez Irvinga — któraś jest błędna, chyba że chodzi o „poprzedni miesiąc", co też nie byłoby ścisłe.

*** Air Chief Marshal — odpowiednik generała broni, druga ranga po Air Marshal of the RAF.

**** D. Irving, wstęp do „Summary of Public Record Office file AIR 2/15113", op. cit.

Ponieważ w krajach anglosaskich jest niestety dość częstą, choć pożałowania godną praktyką, że do rozstrzygania sporów historycznych angażuje się sądy*, David Irving przezornie powstrzymał się od jakichkolwiek dalej idących konkluzji, nie miał zresztą wystarczających podstaw do ich formułowania. Trzymając się jego linii, można jednak postawić pięć pytań. Co skłoniło Masseya do ucieczki we wrześniu 1967 r., do porzucenia własnej rodziny: strach czy ostrożność? Czy zdecydował się na ten krok z własnej inicjatywy, czy na rozkaz? Czym zasłużył się Massey, że jego pamięć uczcił Air Chief Marshal of the RAF?** Czy — jeśli Massey rzeczywiście był na pokładzie

---

* Praktyka ta jest coraz częstsza również w Polsce. Prof. Jacek Chrobaczyński opublikował książkę, w której przytoczył źródła sugerujące, że burmistrz Limanowej w latach 1941–1944 mógł być Volksdeutschem i niemieckim kolaborantem. Syn nie żyjącego już burmistrza pozwał historyka do sądu. Prof. Zygmunt Woźniczka pisze w związku z tym, że „Często [...] historyk badający czasy wojny i lata powojenne staje przed problemem różnej jakości zarówno źródeł, relacji, jak i pamięci żyjących świadków wydarzeń. Niekiedy w tych samych kwestiach źródła te dają inny obraz wydarzeń. Co w tej sytuacji robić? Uważam, że należy mimo wszystko podjąć się rekonstrukcji wydarzeń, chociaż jej obraz nie dla wszystkich będzie wygodny. [...] Dzisiaj sądy, często wbrew ich roli, są zmuszane do orzekania w sprawach dotyczących wyników badań historycznych czy nawet tzw. prawdy historycznej. Nie jest to rola sądu, ale właśnie badacza dziejów, historyka, który dysponuje nie tylko różnorodnymi archiwaliami, ale posiada także odpowiedni warsztat naukowy potrzebny do ich prawidłowego wykorzystania. Niestety, sądy niekiedy wykorzystywane są do kontrolowania badań i ustaleń historyków. Jest to praktyka szkodliwa, która [podkr. T.A.K.] o g r a n i c z a w o l n o ś ć b a d a c z y i u t r u d n i a p o z n a n i e w i e l u t r u d n y c h, a l e w a ż n y c h d l a n a s z e j n a j n o w s z e j h i s t o r i i, s p r a w” („Gazeta Wyborcza — Kraków”, 17 czerwca 2005, s. 11).

** Warto dodać, że w dniu pogrzebu Masseya Wratten nie był tylko jednym z Air Chief Marshals: od 14 lipca 1994 r. do 25 lipca 1997 r. pełnił on funkcję głównodowodzącego lotnictwa uderzeniowego (Strike Command — powstało z połączenia lotnictwa myśliwskiego, bombowego i Coastal Command), a tym samym był drugą osobą w RAF i pierwszym dowódcą liniowym.

samolotu Sikorskiego — jedynie widział zamach, czy też w nim uczestniczył? Jeśli to drugie, to czy mógł się podjąć pilotowania liberatora, czy też powierzono mu inne zadanie?

Podsumowując ten wątek, z bardzo dużym prawdopodobieństwem można uznać, że wkrótce po zamachu Herring został zabity. Jak już bowiem wspomniałem, z psychologicznego punktu widzenia jest bardzo mało prawdopodobne, by zaplanował, że porzuci żonę i pierworodne dziecko, którego nawet nie zdążył jeszcze zobaczyć, oraz by pozwolono mu na to bądź na połączenie się z rodziną w Wielkiej Brytanii lub gdziekolwiek indziej. Być może zginął, gdyż był niewygodnym, bo łatwym do rozpoznania świadkiem, być może dlatego, że okazał się niewiarygodnym lub/i nieudolnym wspólnikiem, bo nie zlikwidował Prchala, a być może z tego powodu, że władze uznały go za uczestnika spisku.

Podana w „Rewizji Nadzwyczajnej" informacja o nie zidentyfikowanym poruczniku Johnsonie sprawia dziwaczne wrażenie, że w 1943 roku wśród pilotów brytyjskich i sprzymierzonych prowadzono akcję werbowania zamachowców. Kto zatem werbował drugiego pilota i kto szantażował Prchala (a może i Herringa)? Czy werbownik nie obawiał się, że o jego poczynaniach zostanie powiadomiony kontrwywiad? Jeśli nie, to albo wybierał kandydatów spośród oficerów podatnych z jakichś względów na szantaż, a w takim razie chyba miał dostęp do ich teczek personalnych, co świadczyłoby, że sam pracował w kontrwywiadzie (casus Kima Philby'ego), albo wiązał ich przysięgą zachowania sprawy w tajemnicy, powołując się na rzekomy rozkaz najwyższych przełożonych (być może nawet rządu brytyjskiego). Notabene właśnie Philby spełniał warunki, które musiał spełniać łącznik rozkazodawcy z zamachowcami i organizator zamachu: zajmował wystarczająco wysokie stanowisko — był szefem jednostki kontrwywiadowczej MI6 na obszar Półwyspu Iberyjskiego, Afryki Północnej i Włoch — aby mieć niemal wszędzie nieograniczony dostęp, i posiadał znaczne możliwości organizacyjne oraz logistyczne. Kim Philby był dla Moskwy źródłem informacji, wedle określenia doktora Jacka Tebinki, historyka z Uniwersytetu Gdańskiego, „urzędnikiem", a nie człowiekiem od „mokrej roboty", ale też nie na zabijaniu polegałaby jego ewentualna rola w zamachu. Jednakże Kim Philby nie był zwykłym „urzędnikiem": przed rokiem 1941 nie tylko przeszedł szkolenie w zakresie sabotażu, ale i okazał się na tyle pojętnym uczniem, że sam został instruktorem w SOE.

Dlaczego jednak werbownik nie obawiał się zeznań Prchala? Najprawdopodobniej drugi pilot miał się postarać, aby Prchal nie przeżył. Być może jednak werbownik zabezpieczył się i zwerbował Czecha tak, aby ten nie potrafił go zidentyfikować. Ponadto mógł liczyć (a wraz z nim Prchal) na to, że wersja wypadku przedstawiona w śledztwie będzie na tyle wiarygodna, iż brytyjska komisja nie zdoła całkowicie jej obalić i nie dojdzie do oskarżenia. Przykład losów Philby'ego i pozostałych sowieckich agentów należących do „piątki z Cambridge" (która prawdopodobnie liczyła do dwunastu osób) najlepiej świadczy o tym, że brytyjskie tajne służby oskarżają tylko wtedy i dopiero wtedy, kiedy mają niezbite dowody winy podejrzanych, a nawet wówczas nie jest przesądzone, że ich oskarżą*. Werbownik mógł bowiem liczyć również na to, że rząd brytyjski uzna prawdziwą wersję wydarzeń za niedopuszczalną z punktu widzenia strategicznych interesów Korony, a komisja bez zastrzeżeń zastosuje

---

* Więcej ten temat w aneksie 3K.

się do woli rządu. Ostatnie pytanie dotyczące wątku drugiego pilota brzmi następująco: kto podjął decyzję, że nie można dopuścić, by zeznawał przed komisją, i trzeba go usunąć? Zamachowcy czy legalne władze brytyjskie?

23 stycznia 1963 roku, zdemaskowany po dwudziestu dziewięciu latach szpiegowania dla Związku Radzieckiego, Kim Philby uciekł z Bejrutu do Moskwy. 4 lipca 1963 roku, w dwudziestą rocznicę zamachu w Gibraltarze, otrzymał radzieckie obywatelstwo. Być może między tymi dwoma odległymi w czasie faktami nie ma żadnego związku, ale ta zbieżność jest zastanawiająca.

Po tym, jak obaj piloci opuścili samolot, w dolnej części kadłuba nastąpił wybuch. Przyspieszył on zatonięcie maszyny i poranił ciała ofiar; ślady zamachu zostały — w przekonaniu zamachowców — zatarte, dzięki czemu władze brytyjskie bez większych problemów przeforsowały wersję wypadku. Dowodem, że w ogóle doszło do wybuchu, jest nie tylko to, że — jak już stwierdziliśmy — całkowite zniszczenie dolnej części samolotu nie mogło być skutkiem łagodnego wodowania, ale również to, że odnaleziona srebrna puderniczka (papierośnica?) Zofii Leśniowskiej była mocno wygięta. Takiego odkształcenia nie spowodowałoby uderzenie samolotu o powierzchnię morza, z pewnością jednak mógł to być skutek wybuchu wewnątrz maszyny. (Wybuch ten również wyrzucił na powierzchnię wody niektóre ciała. Płuca wszystkich odnalezionych zwłok były wypełnione powietrzem, co dowodzi, że nikt nie zginął na skutek utonięcia.)

W tym miejscu należy wyeksponować ostatnią już przesłankę na poparcie hipotezy, że generał Sikorski i towarzyszące mu osoby zginęli przed startem samolotu. Otóż wiele źródeł opisuje zgodnie, że większość odnalezionych zwłok (między innymi Sikorskiego, Klimeckiego, Ponikiewskiego) była straszliwie okaleczona. Nikt tego jednak nie skomentował. Widocznie niektórzy autorzy, głównie zwolennicy wersji wypadku, uważają za oczywiste, że stan zwłok był efektem nie kontrolowanego silnego uderzenia samolotu o powierzchnię wody (tak sądził też Jan Nowak-Jeziorański, który uważał, że doszło do zamachu). Inni, opowiadający się za wersją zamachu, przypuszczalnie milcząco zakładają, że straszliwe rany są najlepszym dowodem, że ludzi tych uśmiercił wybuch, rozszarpując ich ciała. Warto odnieść się do obu wersji.

Kapitan Albert M. Posgate, zwolennik wersji wypadku, dzielił się z kolegami swoją hipotezą dotyczącą ofiar katastrofy. Założywszy, że samolot utrzymywał się na wodzie przez kilka minut oraz że katastrofę przeżyło jeszcze kilka osób oprócz Prchala i Whiteleya, uznał, iż osoby te, chociaż ranne, usiłowały wydostać się z maszyny. Według Davida Irvinga „To wyjaśniałoby, dlaczego VIP-ów odszukano natychmiast albo martwych (jak Sikorski i Klimecki), albo umierających (jak brygadier Whiteley)". Posgate uważał, że na przykład drugiemu pilotowi, Leśniowskiej i Kułakowskiemu „udało się wydostać z samolotu i możliwe, że przez krótki czas pływali, lecz następnie utonęli z powodu ran". Irving dodaje: „Zdryfowali w ciemnościach i zostali przeoczeni przez szybkie łodzie, które przybyły kilka minut później. Jeśli teoria Posgate'a jest poprawna, to oczywisty byłby wniosek, że gdyby więcej pasażerów przezornie włożyło kamizelki, jak Prchal, to być może nie tylko on by przeżył"*. Brytyjski historyk nie spostrzegł, że w swoim wniosku umieścił pułapkę, w którą natychmiast wpadł. Rzeczywiście, kamizelka

---

* D. Irving, *Accident...*, s. 100 i 203, przyp. 125.

uratowała życie Prchalowi, a być może także Herring miał ją na sobie. Irving mógł jednak znaleźć lepszy przykład dbałości o własne zdrowie i życie — mianowicie pułkownika Cazaleta, który w przeciwieństwie do swoich beztroskich towarzyszy zawsze przypinał się pasami, podobnie jak obaj piloci. A jednak Cazalet nie miał szansy użyć kamizelki, nawet jeśli miał ją na sobie, ponieważ mimo że przypiął się pasami, z niewiadomego powodu n i e   p r z e ż y ł   w o d o w a n i a. Wytłumaczenie musi być inne: Cazalet n i e   d o ż y ł   w o d o w a n i a, a nawet początku rozbiegu samolotu, podobnie jak prawdopodobnie większość pasażerów i członków załogi. Dopiero później wybuch cisnął bezwładnymi ciałami martwych lub ciężko rannych ludzi o ściany kabiny, powodując złamania kończyn i inne rozległe obrażenia. (Biorąc pod uwagę, że fotel z siedzącym w nim Cazaletem został wyrwany z mocowań, można by wyrazić niezobowiązujące przypuszczenie, że właśnie w pobliżu tego fotela zainstalowano ładunek wybuchowy.) Przypadek Cazaleta obala rzeczywiście interesującą hipotezę Posgate'a.

Wybuch w k r ó t c e   p o   w o d o w a n i u samolotu wyjaśnia również dwie inne kwestie. Po pierwsze, Herring nie czekał w pobliżu liberatora na ratowników, gdyż po prostu chciał odpłynąć jak najszybciej i jak najdalej od miejsca rychłej eksplozji (może też nie wierzył w dobre intencje ratowników), a prąd morski zniósł go (podobnie jak szczątki samolotu) daleko na południe, wprost na grupę sierżanta Carra. Dobrze świadczy o umiejętnościach pływackich i kondycji fizycznej Herringa, że dopłynął do brzegu mimo odpływu. Po drugie, ostry końcowy szok Prchala mógł być spowodowany (jeśli nie hipotetycznym atakiem Herringa) nie tylko i nie tyle odgłosami mordowania pasażerów, ale dopiero wybuchem. Czyżby nie wiedział, że ma on nastąpić? Może na skutek wcześniejszych „zaburzeń umysłowych" (MacFarlane), wywołanych świadomością zbliżającego się zamachu, zwlekał albo niezbornie usiłował opuścić kabinę i wybuch zaskoczył go w chwili, gdy dopiero wychodził z luku, ale jego nogi wciąż w nim tkwiły? To mogłoby tłumaczyć zarówno ich złamania, jak i ostry szok. Może nie odpowiadał na pytania ratowników, bo po prostu ich nie słyszał, ciągle ogłuszony wybuchem?

Tu musimy wrócić do kwestii czterech zegarków, których wskazówki zatrzymały się na 23.06 i 23.07. Czy aż cztery zegarki mogły stanąć w chwili zamachu, gdy ich właściciele, z wyjątkiem Prchala, zostali zastrzeleni? Oczywiście, gdyby uderzyli je zamachowcy lub gdyby właściciele uszkodzili je, padając. Jednak do Prchala, siedzącego w fotelu pilota, nikt nie strzelał, bo gdyby strzelał, nie chybiłby z bezpośredniej odległości. Przypadek Prchala zdaje się więc wykluczać związek między zatrzymaniem się tych czterech zegarków a bezpośrednim zamachem na ich właścicieli. Trzeba zatem wziąć pod uwagę przyczynę bardziej prawdopodobną w rozważanej tu sytuacji: zegarki te mogły jednocześnie zostać uszkodzone w momencie wybuchu, podobnie jak puderniczka Zofii Leśniowskiej. Takie założenie kwestionuje jednak wszystkie podane do wiadomości publicznej godziny startu (i praktycznie równocześnie wodowania) samolotu. W takim razie start, który rozpoczął się sześć do ośmiu minut przed wybuchem i zatonięciem samolotu, nastąpiłby między 22.59 a 23.01. W depeszy do prezydenta Władysława Raczkiewicza, wysłanej o 5.00, Ludwik Łubieński poinformował, że start nastąpił o 23.00*. Być może akurat ta

---

* Za: O. Terlecki, op. cit., s. 307.

informacja Łubieńskiego jest prawdziwa (korelowałyby z nią zeznania, że łódź pneumatyczna dotarła na miejsce kraksy przed 23.15, a pierwsza motorówka wyruszyła z portu o 23.10*, co byłyby nieprawdopodobne, gdyby start nastąpił o 23.10, jak podał Prchal), chociaż w wywiadzie telewizyjnym z 1987 roku Łubieński powiedział, że widząc zbliżający się do powierzchni morza samolot Sikorskiego, odruchowo spojrzał na zegarek i była 23.15**.

Brak obecnie podstaw umożliwiających bezsporne rozstrzygnięcie tej sprawy.

Zapisy wieży kontroli lotów na lotnisku w Gibraltarze, dotyczące startu liberatora nr AL 523, zostały zdekompletowane, jak to ujął Dariusz Baliszewski. Zresztą tak jak wiele innych dokumentów związanych z zamachem na generała Sikorskiego.

---

* D. Irving, ibidem, s. 69.

** Wypowiedź Łubieńskiego w: *Generał Sikorski — tajemnica śmierci*, film prod. Kontakt TV z 1987 r.

ROZDZIAŁ 7

Zmowa milczenia

Ktoś wydarł trzy kartki z obszernej relacji gubernatora MacFarlane'a, [...] ktoś zniszczył relację z rozmowy kuriera z Warszawy [którego?] z polskimi generałami" — pisze Dariusz Baliszewski. Archiwa zawierające depesze wymieniane przez polskie instytucje w Warszawie, Londynie i Gibraltarze w celu ustalenia faktów związanych z tragedią w Gibraltarze „zostały wyczyszczone". W raporcie Court of Inquiry, złożonym w Public Record Office w teczce AIR/AIR Ministry/2/9234, brakuje stron 9840 i 14215. Mieszczące się w około sześćdziesięciu skrzyniach londyńskie archiwum polskiego wywiadu (kopie setek tysięcy meldunków polskich agentów, których oryginały trafiły podczas wojny do Secret Intelligence Service), w lipcu 1945 roku przekazał władzom brytyjskim pułkownik Leon Bortnowski (zgłosił się po nie oficer łącznikowy MI6, komandor Wilfred Dunderdale; można się domyślać, że chodziło o to, by dokumentów tych nie przejął zdominowany przez komunistów Tymczasowy Rząd Jedności Narodowej lub jego sukcesor). Podobno zniszczono je jako „nieistotne dla historii" z początkiem lat pięćdziesiątych, chociaż w listopadzie 1999 roku premier Tony Blair napisał w liście do premiera Jerzego Buzka, że są one „rozproszone". Tak czy inaczej, zniknięcie tych dokumentów niewątpliwie ułatwiło brytyjskiemu wywiadowi przypisanie sobie części osiągnięć swego polskiego odpowiednika. Od 19 czerwca 2000 roku działa polsko-brytyjska komisja historyków poszukująca dokumentów z tego archiwum, nie słychać jednak, aby mogła się ona poszczycić wybitnymi osiągnięciami. W czerwcu 2005 roku ukazał się pierwszy tom jej prac, o którym trudno powiedzieć, by zawierał więcej niż fakty znane Polakom od lat 1942–1943*. W odniesieniu do katastrofy w Gibraltarze jeden z autorów tego tomu, profesor Christopher Andrew, słusznie dyskredytuje pogląd, że to Churchill mógł wydać rozkaz zabicia Sikorskiego i że to brytyjski wywiad wykonał ten rozkaz, jednak usiłując podważyć tezę, że Sikorski zginął w wyniku zamachu, Andrew powołuje się na tak mało wiarygodne — bo czysto polityczne — źródło, jak raport Trenda dla premiera Wilsona. Z kolei Joanna K. M. Hanson, również członkini komisji, na-

---

* *Intelligence Co-operation between Poland and Great Britain during World War II*. The Report of the Anglo-Polish Historical Committee, Volume I. Editors: Tessa Sterling, Daria Nałęcz, Tadeusz Dubicki, Foreword by Tony Blair and Marek Belka, Vallentine Mitchell Publishers, London 2005. Tom ten jest poświęcony między innymi reakcji (a raczej jej brakowi) aliantów zachodnich na wieści o przemysłowej zagładzie Żydów prowadzonej przez Niemców w obozach śmierci założonych przez nich na ziemiach polskich, potwierdza też i dokumentuje znany Polakom fakt, że podczas drugiej wojny światowej polski wywiad był największym i najważniejszym dostarczycielem informacji dla wywiadu brytyjskiego. Jak zauważył prof. Jan Ciechanowski, „44 proc. wiadomości, które Brytyjczycy otrzymywali z Niemiec, Polski i [pozostałych] krajów okupowanych w Europie, pochodziło ze źródeł polskich" („Gazeta Wyborcza", 5 lipca 2005, s. 9). Chociaż działalność polskiego wywiadu skupiała się głównie na terytorium Niemiec, Austrii, Polski i okupowanej przez Niemców części ZSRR, to jednak jego agenci byli obecni w niemal całej Europie, a także w obu Amerykach, w Afryce Północnej, na Bliskim Wschodzie, a nawet na Dalekim Wschodzie. „Tylko w 1944 r. polski wywiad dostarczył Brytyjczykom 37 tys. 894 raporty", z których 85 proc. było wysokiej lub bardzo wysokiej jakości.

pisała w sierpniu 2005 roku, że „Wszystkie dokumenty dotyczące okoliczności śmierci generała Sikorskiego w Gibraltarze w 1943 r., łącznie z raportem Komisji Śledczej RAF z 1943 r., znajdują się obecnie w sferze informacji publicznej i są dostępne w londyńskim Archiwum Narodowym dla wszystkich badaczy. Od chwili odtajnienia dokumenty te są przez cały czas dostępne dla publiczności"*. Podkreślanie wagi odtajnienia raportu Court of Inquiry prawie czterdzieści lat po tym, jak ze źródła tego korzystał David Irving, brzmi dość osobliwie, zwłaszcza że mogliśmy się przekonać, iż główna zaleta tego raportu polega na skompromitowaniu tezy wypadku, którą usilnie forsuje. Nawet raport Trenda więcej — choć pośrednio — mówi o rzeczywistym przebiegu zdarzeń w Gibraltarze niż raport komisji RAF. Czy oświadczenie Joanny Hanson oznacza, że „w sferze informacji publicznej" są na przykład raporty z autopsji zwłok ofiar katastrofy i zdjęcia obrażeń odniesionych przez ofiary, nie wspominając o końcowym raporcie z wewnętrznego śledztwa przeprowadzonego przez brytyjskie tajne służby? Autorowi tej książki nic na ten temat nie wiadomo. List pani Hanson wprowadza w błąd polskich czytelników, być może na skutek jakiegoś nieporozumienia.

Minister spraw zagranicznych Adam Daniel Rotfeld stwierdził w wystąpieniu z 4 lipca 2005 roku, z okazji publicznego zaprezentowania tegoż raportu, że komisja miała bezprecedensowy dostęp do archiwów brytyjskiego wywiadu. Trzeba jednak wyjaśnić, że ów „bezprecedensowy dostęp" polegał na tym, że jedynie główny historyk Foreign and Commonwealth Office otrzymał prawo wglądu do zasobów tychże archiwów,

---

* List Joanny K. M. Hanson, w: „Polityka", nr 33, 2005, s. 82.

natomiast historycy polscy skupili się na dokumentach ogólnie dostępnych w archiwach brytyjskich, amerykańskich, polskich, francuskich, hiszpańskich, portugalskich i rosyjskich. Chyba jednak krzywdząca byłaby opinia, że jeśli chodzi o katastrofę w Gibraltarze, polsko-brytyjska komisja przypomina na razie Wspólną Komisję PZPR i KPZR do spraw Historii Stosunków między PRL a ZSRR, powołaną w maju 1987 roku z inicjatywy Wojciecha Jaruzelskiego i Michaiła Gorbaczowa. W obu przypadkach historycy nie mają dostępu do fundamentalnych źródeł. Na szczęście dla prawdy historycznej, niekiedy nie trzeba znać tych źródeł, żeby ustalić podstawowe fakty, chociaż — niestety — niekompletność dowodów może czasem postawić badacza w sytuacji podobnej do tej, w jakiej znalazł się Jim Garrison, były prokurator okręgowy (a następnie sędzia) w Nowym Orleanie. Opierając się na zapisach filmowych i laboratoryjnych analizach balistycznych, bez wątpienia obalił on główną tezę raportu komisji Warrena, jakoby John Kennedy zginął z rąk samotnego strzelca, nie mógł jednak udowodnić procesowo, że prezydent padł ofiarą spisku.

Postępowanie rządu Zjednoczonego Królestwa w sprawie zamachu na generała Władysława Sikorskiego jest zaś podobne jak w sprawie zbrodni katyńskiej.

Wedle Jana Nowaka-Jeziorańskiego*, w połowie 1996 roku pewne nowojorskie studio filmowe zwróciło się do Public Record Office z prośbą o udostępnienie tych samych dokumentów, na które w 1967 roku powoływał się David Irving. Jak napisał „kurier z Warszawy":

---

* J. Nowak-Jeziorański, *Bielszy odcień bieli*. Katastrofa w Gibraltarze — cd., „Polityka" nr 17, 1998, s. 67–70.

Otrzymali odpowiedź, że są to akta wciąż utajnione. Było to sprzeczne z odpowiedzią na pytanie zadawane rządowi w Izbie Gmin w dniu 11 listopada 1993 r. [i ze zdrowym rozsądkiem]. Pytanie brzmiało: czy wszystkie dokumenty związane ze śmiercią generała Sikorskiego są dostępne dla publiczności? Pisemna odpowiedź Lorda Kanclerza była kategoryczna: wszystko, co znajdowało się w posiadaniu Rządu Jej Królewskiej Mości, jest dostępne w Public Record Office. Potwierdzają to dwa bardzo ciekawe artykuły Mariana Turskiego, (POLITYKA 27 i 28 z 1973 r.), Turski zapoznał się na miejscu z zawartością odtajnionych pięciu teczek i opisał je szczegółowo.

Tymczasem zapytania nowojorskiego studia filmowego przez osiemnaście miesięcy nie dawały żadnych rezultatów. Ponieważ poszukiwanych dokumentów nie było w Public Record Office, filmowcy zwrócili się do biura historycznego w Foreign Office (Records and Historical Services, the Classification, Library and Record Department). Liczne zapytania pod tym adresem również nie przyniosły rezultatu. Doprowadziło to filmowców do wniosku, że Anglicy usiłują zniechęcić ich do produkowania filmu o katastrofie gibraltarskiej.

W początkach stycznia br. [1998] przedstawiciel nowojorskiego studia filmowego interweniował osobiście w Foreign Office, także bezskutecznie. Kilka dni później zupełnie nieoczekiwanie nadszedł list datowany 13 stycznia br., informujący, że dokumenty „wypożyczone" historykom FO odnalazły się, zostały zwrócone do Public Record Office i są tam dostępne. Czy nie stało się to właśnie na skutek otwarcia sprawy na łamach „Polityki"? [Nowak-Jeziorański miał na myśli swój artykuł zamieszczony w „Polityce" nr 44/1997]. List Foreign Office wymienia dwie teczki: FO 371/34614A-B i AIR/AIR Ministry/2/9234.

Ewa Chapman z Gozdawa-Osuchowskich, sekretarz parlamentarny Adama Romera, dyrektora Biura Prezydialnego rządu polskiego w Londynie, powiedziała, że tylko część materiałów Public Record Office w Kew dotyczących generała Sikorskiego została udostępniona. Dokumenty w trzech drewnianych skrzyniach, umieszczone poza Kew, w wiadomym jej miejscu, opatrzono adnotacją „top secret" i „nie do otwarcia przed upływem 200 lat"*. (Warto dodać, że Cabinet Papers dotyczące tak zwanej afery komandora Crabba z 1956 roku zostały trzydzieści lat później utajnione do 2057 roku. Chociaż izraelski dziennikarz Yigal Serna i jego rozmówca Joseph Zverkin — w latach pięćdziesiątych szpieg radziecki pod przykryciem w Anglii, a następnie szef wywiadu radzieckiej marynarki wojennej, który w 1990 roku w wieku ponad dziewięćdziesięciu lat wyemigrował do Izraela — podali wiarygodne wyjaśnienie śmierci Crabba, to decyzja o stuletnim utajnieniu tej sprawy pozostaje w mocy**.)

Według Normana Daviesa dokumenty brytyjskiego wywiadu dotyczące tragedii w Gibraltarze spoczywają w dwóch teczkach, datowanych na 1943 rok. Jedną z nich, opatrzoną liczbą 25, odtajniono w 1968 roku. Na drugiej widnieje ponadto +35, co sugerowałoby, że miała zostać odtajniona w 2003 roku.

---

* Ewa Chapman, *Londyn ukrywa prawdę*, „Nasz Dziennik", 5–6 września 1998.

** *How Buster Crabb Died*, „Diver", June 1996; także www.divernet.com/history/crabb696.htm.

W 2000 roku ambasador Wielkiej Brytanii w Polsce John MacGregor oświadczył, że w brytyjskich archiwach nie ma jakichkolwiek „zatajonych dokumentów" dotyczących prowadzonego przez RAF śledztwa w sprawie śmierci Władysława Sikorskiego. Wbrew temu oświadczeniu Jacek Tebinka, badacz stosunków polsko-brytyjskich, podał*, że „Z katalogu brytyjskiego archiwum państwowego wynika jednak, że co najmniej dwie teczki o późniejszych reperkusjach tej kwestii są wciąż zamknięte dla badaczy. Teczka o numerze AIR 2/15113 została zatrzymana w departamencie rządowym, z którego pochodzi, choć z daty końcowej w jej tytule wynika, iż winna zostać przekazana do archiwum [Public Record Office] w 1994 r. Druga teczka AIR 2/18812 zostanie dopiero udostępniona zainteresowanym 1 stycznia 2002 r., jeśli oczywiście nie spotka jej los poprzedniczki. Najprawdopodobniej także zamknięta teczka ministerstwa obrony o sygnaturze DEFE 24/71 poświęcona jest sprawie śmierci polskiego Premiera".

W 2002 roku kolejny ambasador Wielkiej Brytanii w Warszawie, Michael Pakenham, oświadczył w liście do „Newsweeka Polska" (nr 22), że wszystkie znane rządowi brytyjskiemu dokumenty dotyczące śmierci Sikorskiego są dostępne w Londynie i nie ma innych dokumentów, które przeczyłyby oficjalnej wersji. Podejrzenie, jakoby władze brytyjskie „ukrywały pewne fakty", ambasador nazwał spekulacją. Jednak dwa miesiące wcześniej prasa potwierdziła obawę Jacka Tebinki: nie ujawnione dotąd archiwa dotyczące śmierci generała Sikorskiego zostały utajnione na kolejne pięćdziesiąt lat.

Ostatecznie teczka AIR 2/15113, zawierająca materiały od

---

* J. Tebinka, op. cit., s. 74–75.

1969 roku do pierwszej połowy 1972 roku włącznie, została odtajniona w czerwcu 2002 roku, co zadało kolejny kłam oświadczeniu ambasadora Pakenhama, że ujawniono wszystkie dokumenty. Ponadto David Irving, który badał jej zawartość w listopadzie tegoż roku, stwierdził, że „datowany 7 maja 1970 roku pięciostronicowy list", który powinien się w niej znajdować, „został zatrzymany 11 kwietnia 2002 r. w sekcji 3 /4/ Public Record Office, czyli wciąż jest tajny"*.

Oświadczenia ambasadorów Dworu Świętego Jakuba są doskonałą ilustracją znanego powiedzenia, że dyplomaci to uczciwi ludzie wysyłani za granicę, aby kłamać w interesie własnego państwa. Są też potwierdzeniem cytowanego już zapisku pułkownika Michała Protasewicza, że „Katastrofa nastąpiła na skutek wypadku, który stanowi tajemnicę państwową". Jest oczywiste, że to brytyjska tajemnica państwowa. Dlaczego jednak Antoni Chudzyński, sekretarz ministra spraw zagranicznych Tadeusza Romera, i kilku innych Polaków po kilkudziesięciu latach od śmierci generała Sikorskiego wciąż odmawiają ujawnienia tajemnicy, której szczegóły najwyraźniej znają? Czy tylko dlatego, że byli również oficerami brytyjskich służb specjalnych i ich lojalność wobec tych służb (lub obawa przed nimi — czyżby „zniknięcie" Herringa traktowali jako memento? Pułkownik Utnik jeszcze w latach dziewięćdziesiątych ostrzegał, że sprawą śmierci Sikorskiego nie powinni się zajmować ludzie dbający o własne bezpieczeństwo) jest silniejsza od lojalności wobec państwa polskiego? Czy też uważają, że jest to i nadal powinna być również polska tajemnica państwowa? Wydaje się to skrajnie nieprawdopodobne.

---

* D. Irving, „Summary of the contents of PRO file AIR 2/15113", op. cit.

Jacek Tebinka cytuje paragraf piętnasty raportu sir Burke'a Trenda dla premiera Harolda Wilsona z 7 lutego 1969 roku: „Należy zaznaczyć, iż uciekinier z KGB domniemał dwa lub trzy lata temu, że Sikorski został zamordowany przez NKWD. Jednakże uciekinier nie chciał rozwinąć tego twierdzenia i przedstawić jakichkolwiek dowodów. Jeżeli informacja ta byłaby prawdziwa, oznaczałoby to, że Rosjanie działają z pozycji siły, ponieważ jako jedyni wiedzą, co się stało w Gibraltarze. (Ten raport uciekiniera jest sprawą bardzo delikatną i nie można o nim wspominać publicznie)"*. Nie wiemy, o którego uciekiniera chodzi. Prawdopodobnie był to agent KGB średniego lub niskiego szczebla, który nie tyle nie chciał, ile nie mógł „rozwinąć tego twierdzenia i przedstawić jakichkolwiek dowodów", ponieważ ich nie miał. Jedynie o tym wiedział, usłyszawszy o tej sprawie przypadkowo i nieoficjalnie. Być może w kręgach KGB rozmawiało się o śmierci Sikorskiego niedługo przed ucieczką owego agenta, przy okazji nadania Philby'emu obywatelstwa ZSRR w 1963 roku.

Zdumiewające, że także niektórzy polscy historycy — pomimo szeregu wymienionych tu (od początku, czyli od 1943 roku, oczywistych) zastrzeżeń do materialnej podstawy oficjalnej brytyjskiej wersji wypadku lotniczego, pomimo niepodważalnego, chociaż pośredniego, dowodu zamachu, jakim są wyniki symulacji lotu liberatora AL 523 przeprowadzonej w 1992 roku przez Jerzego Maryniaka, oraz pomimo osobliwego zachowania się brytyjskich służb archiwalnych, które nie pozostawia wątpliwości, że coś one ukrywają — zdają się nie mieć zastrzeżeń do oficjalnej wersji wypadku. Czy już samo to, że

* J. Tebinka, op. cit., s. 75.

Brytyjczycy uporczywie ukrywają źródła, nie powinno stanowić wystarczającej przesłanki przynajmniej powzięcia podejrzeń, że oficjalna wersja wydarzeń nie jest prawdziwa? Być może taka postawa wynika z bezsilności, a nawet oportunizmu: nie warto zajmować się sprawą, której nie pozwalają rzetelnie zbadać nieprzekraczalne dotąd bariery archiwalne. Wygodniej referować ogólnie dostępne dokumenty i pisać na ich podstawie uczone rozprawy. Bez wątpienia jest rzeczą wielkiej wagi, aby reguły naukowego warsztatu historycznego były rygorystycznie przestrzegane, gdyż w przeciwnym razie nie byłoby mowy o uprawianiu nauki, a tym samym — o zachowaniu obiektywizmu w opisie i ocenie zdarzeń. Można jednak odnieść wrażenie, że wedle niektórych historyków doszło tylko do tych wydarzeń, które zostały uwiecznione w źródłach, zwłaszcza w oficjalnych dokumentach.

Historycy obnażają i piętnują nicość hipotez wysuwanych przez publicystów, dziennikarzy i hobbystów historii, czy jednak przyczyną pojawiania się tych hipotez nie jest bezczynność ich samych? Po drugie, czy historycy nie domyślają się, że niektóre osoby, zdegustowane ich wystudiowaną bezsilnością, ogłaszają swoje sensacyjne spekulacje, aby sprowokować do jakiejś reakcji stronę brytyjską?* Wreszcie po trzecie, czy trzeba przypominać,

---

* Przy okazji hipotezy D. Baliszewskiego, że Sikorski i inni członkowie polskiej delegacji — czy także brytyjscy pasażerowie i załoga liberatora? — mogli zostać zamordowani około szesnastej w pałacu gubernatora, wypada zauważyć, że autor niepotrzebnie skomplikował sprawę i naraził się na dodatkowe, uzasadnione zarzuty, wprowadzając element maskarady. Gdyby polska delegacja rzeczywiście zginęła około szesnastej, to wystarczyłoby po prostu ogłosić, że Sikorski z uwagi na zmęczenie zrezygnował zarówno ze zwiedzania twierdzy, jak i wizyt na przyjęciach u Amerykanów i gubernatora. Wysyłanie przebranych w polskie mundury brytyjskich dublerów byłoby zbędne i groziłoby ujawnieniem mistyfikacji, choćby na

że sztuka *Soldaten*, prezentująca hipotezę najbardziej nieprawdopodobną z politycznego punktu widzenia (Rolf Hochhuth napisał w niej, że to Winston Churchill wydał rozkaz zgładzenia Władysława Sikorskiego), przyniosła jednak pozytywne efekty w sferze źródłowej, a mianowicie przyczyniła się do wydania książki Carlosa Thompsona (z niewielką pomocą brytyjskich tajnych służb) i do sporządzenia raportu Burke'a Trenda, który niedawno został odtajniony?

Od zamachu na generała Sikorskiego w Gibraltarze upłynęło ponad sześćdziesiąt lat. Tak odległymi w czasie wydarzeniami z natury rzeczy zajmują się historycy, ponieważ zwykle już mogą skorzystać z oficjalnych źródeł pisanych. W tym wypadku tak nie jest. Co więcej, sprawa śmierci Sikorskiego wciąż czyni wrażenie historii bieżącej, którą zajmują się politolodzy. Z racji specyfiki swoich badań, polegającej na ubogiej i fragmentarycznej bazie źródłowej, politolodzy — aby dojść do jakichś konkluzji — oprócz angażowania źródeł muszą również podjąć ryzyko zaangażowania zdrowego rozsądku, doświadczenia i ogólnej znajomości działania mechanizmów politycznych. Wynikałoby z tego, że politologia w jeszcze większej mierze niż historia jest bardziej sztuką niż nauką. Gdyby politolodzy uważali za rzeczywistość wyłącznie fakty potwierdzone doku-

---

płaszczyźnie językowej. Ponadto hipoteza Baliszewskiego nie wyjaśnia, kto i po co uśmiercił brytyjskich pasażerów samolotu i czterech członków załogi. Ci ostatni na pewno nie byli obecni w pałacu gubernatora, a Lock i Pinder, jak już wspomniałem za Irvingiem, cały czas spędzili pod opieką brytyjskich tajnych służb, zapewne także poza pałacem. Hipoteza ta jest sprzeczna z wersją przeprowadzenia zamachu na lotnisku, która zdaje się logicznie wiązać większość dostępnych materiałów.

mentami, to na przykład do tej pory świat nie dowiedziałby
się, że w grudniu 1979 roku nastąpiła radziecka inwazja na
Afganistan. Nie ma bowiem dokumentu Biura Politycznego
KC KPZR nakazującego interwencję w tym kraju. Decyzję tę
podjęło bowiem czterech „najważniejszych członków" Biura
Politycznego, a została ona spisana na kartce papieru, o której
nawet nie wiadomo, czy się zachowała. Podobną naiwnością
wydaje się próba znalezienia dokumentu potwierdzającego hipotezę, że nieuchronną alternatywą wprowadzenia w Polsce 13
grudnia 1981 roku stanu wojennego była radziecka inwazja.
„Historia, zwłaszcza najnowsza, coraz częściej okazuje się historią urzędów i urzędników, a ostatnio także agentów". Ogra-
niczając się do prawdy zawartej w archiwach, „ryzykuje się, że
historia stanie się zapisem tego, co dany polityk powiedział
innemu politykowi, co urzędnik napisał do innego biurokraty,
albo co agent X doniósł na obiekt Y"*. Tymczasem w sprawach
poważniejszych niż odkrywanie zagadek historii, a mianowicie
w sądowych procesach o morderstwo, kiedy stawką może być
życie oskarżonego, sędziowie — nie odstępując od zasady domniemania jego niewinności — oprócz dowodów z dokumentów i zeznań świadków mogą dopuścić również poszlaki, jeśli
jest szansa, że na tej podstawie uda się im zbudować hipotezę
spójną i pozbawioną luk.

Polscy historycy powinni, zgodnie ze swoim powołaniem,
zająć się wyjaśnieniem kulis zamachu na generała Sikorskiego,
z jednej strony nie obawiając się wyciągania wniosków płyną-
cych z zastosowania procedur właściwych raczej politologom,

---

* Krzysztof Kosiński, *Najsłynniejszy polski historyk*, „Gazeta Wyborcza", 31
sierpnia 2004, s. 14.

a z drugiej — energicznie starając się uzyskać dostęp do źródeł archiwalnych. Przypadek nowojorskiego studia filmowego dowodzi, że takie starania nie muszą być skazane na niepowodzenie. Także David Irving, Carlos Thompson i Jaroslav Valenta, z których tylko ten ostatni był historykiem z wykształcenia, udowodnili, że mrówcza praca nie musi wprawdzie doprowadzić do ostatecznego rozwiązania problemu badawczego (szczególnie jeżeli badacz uznaje swoją hipotezę za polityczny dogmat, który za wszelką cenę stara się udowodnić), ale może wzbogacić wiedzę o tymże problemie, znacznie przybliżając poznanie prawdy. Aby się tak jednak stało, trzeba do tego trzech wartości prakseologicznych: chęci, umiejętności i możliwości. O te ostatnie trzeba się postarać, dwie pierwsze trzeba posiadać.

Wesley K. Wark, znany historyk wywiadu, nazwał kiedyś archiwa brytyjskich tajnych służb Never-Never Landem. Przed 1981 rokiem powiedziano bowiem ministerstwom, że tajne materiały wywiadowcze „nigdy nie są zwalniane do Public Record Office", natomiast w 1981 roku po opublikowaniu przez Komisję Wilsona Białej Księgi to podejście zostało zmienione i ministerstwa poinformowano, że „słowa «nigdy» nigdy nie należy używać". Komisja Wilsona uznała bowiem, że gdy „czas się dopełni", wszystkie tego rodzaju materiały znajdą się w sferze publicznej. Niemniej dla ludzi spoza Whitehall, londyńskiej ulicy ministerstw, to podwójne przeczenie sygnalizowało niewielką zmianę materialną, a archiwa tajnych służb pozostały „odległym miejscem", w którym żaden niezależny historyk nie powinien się znaleźć*.

---

* Vide aneks 2. *Porównanie amerykańskich i brytyjskich procedur archiwalnych.*

Zresztą kwerenda może przynieść dobre rezultaty także poza brytyjskimi archiwami. Na przykład warto byłoby sprawdzić, czy można przeprowadzić kwerendę dotyczącą okresu od czerwca do października 1943 roku w archiwach amerykańskiego Departamentu Stanu, US Navy, CIA oraz jej poprzedniczki OSS — Office of Strategic Services. Ocenia się, że w tym ostatnim, liczącym dziesiątki tysięcy teczek, od trzech do pięciu procent zawartości stanowią akta SOE, SIS i MI5. Są to zarówno dokumenty rozproszone, jak i całe teczki. A trzeba dodać, że w Stanach Zjednoczonych nie tylko w archiwum OSS można znaleźć dokumenty brytyjskich tajnych służb. Jednak z periodyku wydawanego przez CIA możemy się dowiedzieć, że „W 1993 r. były nie potwierdzone doniesienia, że rząd brytyjski wystąpił z prośbą do Rosjan, aby trzymali pod kluczem część zasobów swoich archiwów dotyczących Wielkiej Brytanii"*. Jeżeli doniesienia te były prawdziwe, to bez wątpienia rząd brytyjski musiał się bardzo zaniepokoić, gdy Borys Jelcyn przekazał 14 października 1992 roku Lechowi Wałęsie komplet podstawowych dokumentów dotyczących Katynia. Czy Brytyjczycy obawiali się, że następne mogą być dokumenty na temat śmierci generała Sikorskiego? Czy o to samo co Rosjan wiele lat wcześniej poprosili również Amerykanów? W takim wypadku próba zbadania amerykańskich archiwów byłaby stratą czasu.

Okoliczności śmierci generała Sikorskiego mogłyby też rozjaśnić poszukiwania w archiwach włoskich. Ze wspomnianej w poprzednim rozdziale relacji oficera Regia Marina, złożo-

---

* *Never-Never Land and Wonderland? British and American Policy on Intelligence Archives*, Contemporary Record, Vol. 8, No. 1 (Summer 1994), ss. 132–150, za: www.cia.gov/csi/studies/95unclass/Aldrich.html, s. 11.

nej polskiemu historykowi Januszowi Piekałkiewiczowi*, który następnie przekazał ją Piotrowi Jeglińskiemu, dyrektorowi wydawnictwa Editions Spotkania (wcześniej oficer ów złożył „pełny meldunek" w swoim dowództwie), wynika, że warto byłoby zbadać archiwum włoskiej marynarki wojennej w odniesieniu do lipca 1943 roku, w dziale broni podwodnej: operacje Decima Flottiglia MAS (X-MAS), dowódca Ernesto Forza, jednostka „żywych torped"**.

Co do archiwów watykańskich, to w 1973 roku został opublikowany zbiór dokumentów zawierający raport delegata apostolskiego w Iraku z przyjęcia w poselstwie polskim w Bagdadzie, które odbyło się 16 czerwca 1943 roku, oraz list Sikorskiego, datowany 4 lipca w Bejrucie, do kardynała Luigiego Maglione, sekretarza stanu Stolicy Apostolskiej (od 10 marca 1939 roku do śmierci 22 sierpnia 1944 roku)***. Raport de Jonghe'a jest opatrzony nagłówkiem „Wizyta generała Sikorskiego w Bagdadzie: zaniepokojenie bolszewizmem", a kluczowe zdanie raportu jest cytatem z wypowiedzi Sikorskiego: „Właśnie teraz rozpoczęliśmy walkę z bolszewikami i mamy nadzieję, że Watykan będzie po naszej stronie". Od siebie delegat dodaje, że oficerowie polscy byli „bardzo zaniepokojeni Rosjanami i dopytywali się, czy alianci rozumieją niebezpieczeństwo.

---

* Bratanek prof. Jana Piekałkiewicza, ekonomisty, delegata rządu emigracyjnego na kraj w latach 1942–1943, aresztowanego przez Gestapo w lutym 1943 r. i następnie zamordowanego.

** X Flotylla składała się z dwóch jednostek: dwuosobowych „żywych torped" i „ludzi-żab" (płetwonurków).

*** *Actes et Documents du Saint Siège relatifs à la Seconde Guerre Mondiale*, en 11 vol., vol. 7 (novembre 1942 — decembre 1943), edités par Pierre Blet, Robert Graham, Angelo Martini et Burkhart Schneider, Libreria Editrice Vaticana, Vatican City 1973.

Skądinąd w środowiskach Anglików i Amerykanów prawie nie krępowano się mówić, że po skończeniu z Niemcami należałoby wznowić zwalczanie Rosjan"*. Natomiast list Sikorskiego jest wzorowym przykładem dyplomatycznej dwuznaczności. Dziękując Piusowi XII za „publiczne przywołanie roli przez wieki odgrywanej przez Polskę w walce w obronie chrześcijaństwa i jej wkładu w rozwój kultury i cywilizacji", konkluduje on, że „To przesłanie Ojca Świętego umocni wszystkich Polaków w ich postanowieniu kontynuowania twardej walki przeciw barbarzyńskiemu pogaństwu"**. Wzmianka Sikorskiego o „k o n t y n u- o w a n i u twardej walki" dotyczy nazizmu, w czym upewnia nas to, że wcześniej zakomunikował on de Jonghowi, że „r o z p o- c z ę l i ś m y walkę z bolszewikami", jednak zwrot „barbarzyńskie pogaństwo" równie dobrze można też odnieść do bolszewizmu, a ponadto nic nie stoi na przeszkodzie, aby owo „kontynuowanie" interpretować jako rozszerzenie dotychczasowej walki na drugi front. Tak czy inaczej, archiwum watykańskie jest chyba jedynym miejscem (poza archiwami rosyjskimi i teczką Sikorskiego), w którym można by ewentualnie znaleźć potwierdzenie pogłosek, że Sikorski podczas pobytu na Bliskim Wschodzie prowadził tajne rozmowy z Rosjanami i że zakończyły się one całkowitym fiaskiem, co skłoniło go do otwartego wystąpienia przeciw Stalinowi na płaszczyźnie politycznej i dyplomatycznej.

Być może nie byłoby stratą czasu spenetrowanie archiwów hiszpańskich. Cennych informacji można się też spodziewać

---

* Ibidem, doc. 253, s. 435–436.
** Ibidem, doc. 276, s. 464–465. „Generał Sikorski powierzył to posłanie delegatowi apostolskiemu w Bejrucie, msgr. Remi Leprêtre'owi O.F.M. Ten dołączył je do swojego raportu (nr 326/43) z 4 lipca (A.E.S. 1965/43)".

w archiwach niemieckich, szczególnie w aktach Abwehry w Berlinie, chociaż te ostatnie zbadał David Irving jeszcze w latach sześćdziesiątych, gdy znajdowały się w Alexandrii koło Waszyngtonu. Wciąż czeka na potwierdzenie informacja „Człowieka stamtąd", że „Wiadomość o planowanej katastrofie dotarła do centrali Abwehry drogą okrężną dopiero pod koniec czerwca 1943 r." Chodziłoby nie tylko o ustalenie, czy Abwehra rzeczywiście otrzymała taką informację, ale i gdzie znajdowało się jej źródło.

Zachęcanie do przeprowadzenia kwerendy w archiwach rosyjskich byłoby obecnie absurdem. Jeżeli nawet dokumenty dotyczące zamachu na Sikorskiego znajdują się na Łubiance, to najprawdopodobniej są głęboko utajnione, o czym świadczy to, że w latach dziewięćdziesiątych nie udało się ich kupić — z tego, co nam wiadomo — nawet amerykańskim historykom hojnie zaopatrzonym w fundusze przez CIA. Jednak można sądzić, że z racji wagi tematu główna teczka Sikorskiego znajduje się nie na Łubiance, lecz w tym samym miejscu, w którym przez pięćdziesiąt lat spoczywała podstawowa dokumentacja sprawy katyńskiej (między innymi rozkaz Stalina i Berii z 5 marca 1940 roku nakazujący zamordowanie polskich oficerów). Tym miejscem jest znajdujące się na Kremlu dawne archiwum sekretarza generalnego Komitetu Centralnego Komunistycznej Partii Związku Radzieckiego, czyli obecne archiwum prezydenta Federacji Rosyjskiej. Wiemy, gdzie jest to archiwum, a nawet jak wyglądają złożone w nim pakiety. Nie znamy jednak ich tytułów, odnotowanych również w katalogu archiwum.

Na koniec trzeba wspomnieć o jeszcze jednej sprawie. Można przyjąć do wiadomości, że Brytyjczycy mają jakieś wstydliwe tajemnice, które ukrywają od ponad sześćdziesięciu lat i nadal zamierzają to robić, chociaż dotyczą one żywotnych, lecz w gruncie rzeczy przebrzmiałych, spraw innych narodów. (Być może chodzi również o to, że odtajnienie sprawy zamachu mogłoby zagrozić ujawnieniem personaliów zamieszanych weń pracowników i współpracowników brytyjskich służb specjalnych. Czy jednak agenci, którzy dopuścili się zdrady, mają cieszyć się przywilejem wiecznej anonimowości na równi z lojalnymi członkami tajnych służb? Trzeba jednak dobitnie podkreślić, że aby zanegować lub potwierdzić to tylko, iż 4 lipca 1943 roku doszło w Gibraltarze do zamachu, wystarczyłoby, żeby Brytyjczycy opublikowali autentyczne, nie sfałszowane protokoły wstępnych oględzin i sekcji zwłok wyłowionych ofiar.) Trudno jednak pogodzić się z tym, że rząd brytyjski przywłaszczył sobie większość polskich dokumentów państwowych, które znajdowały się w wyłowionej z morza (?) teczce generała Sikorskiego (czy znajdują się one w teczce DEFE 24/71? A może raczej w Foreign Office?*). Czyżby świadczyło to, że brytyjski rząd paternalistycznie troszczył się — i wciąż się troszczy — o niepogarszanie stosunków polsko-rosyjskich?

---

* „Teczka [piece] 34614b w centralnym archiwum Foreign Office jest teraz zatytułowana po prostu: «Death of General Sikorski». Kiedy pierwszy raz poszedłem ją zobaczyć, w późnych latach 60., była zamknięta, a nazwa jej pierwotnego tytułu [original title name] była zaklejona w katalogu («wyczyszczona») tak, aby nie mogła być odczytana; ciekawi mnie, jak ona [teczka] była pierwotnie nazwana" (D. Irving, komentarz do: „The Times", Jul. 4, 2003; *General Sikorski, the Polish wartime leader, died 60 years ago today*, op. cit.) Zważywszy, że płk Protasewicz napisał w 1943 r., że Jan Gralewski „razem z Naczelnym Wodzem został zabity", a w tytule relacji MacFarlane'a z 1945 r. użyto zwrotu „*Sikorski was killed*", można domniemywać, że pierwotny tytuł teczki 34614b zawierał rzeczownik *assassination* lub *murder*. Dokumenty dotyczące zamachu w Gibraltarze najpierw bowiem ukryto, a dopiero później, z upływem lat, dodatkowo zaczęto je maskować.

Byłoby wskazane, aby władze Rzeczypospolitej Polskiej zażądały od naszego ówczesnego i obecnego brytyjskiego sojusznika bezzwłocznego zwrotu wszystkich dokumentów z teczki generała Sikorskiego i wyjaśnienia, na jakiej podstawie i w jakim celu rząd brytyjski tak długo przetrzymywał cudzą własność. Byłoby też interesujące dowiedzieć się, jak ją przejął.

W sprawie śmierci generała Sikorskiego udowodniono dotychczas tylko to, że przyczyną jego śmierci był zamach. Większość pozostałych elementów tej sprawy, w tym rola znanego z nazwiska drugiego pilota, wciąż nie jest jasna. W tej książce próbowałem powiązać w logiczną całość te elementy układanki, które w większej lub mniejszej mierze zostały już zbadane.

Z hipotezy, którą tu postawiłem, wyłaniają się na tyle dramatyczne okoliczności śmierci generała Sikorskiego, towarzyszących mu osób i prawie wszystkich członków załogi liberatora AL 523, że gdyby brytyjskie (lub jakiekolwiek inne) władze ujawniły kiedyś ze szczegółami przebieg zamachu i jego międzynarodowe podłoże polityczne, informacje te zapewne nie stanowiłyby wielkiego zaskoczenia dla nikogo, kto ma pewne pojęcie o mrocznych stronach tak zwanej wielkiej polityki.

ZAKOŃCZENIE

Niektórzy twierdzą, że ważną rolę w zamachu na Władysława Sikorskiego odegrał Iwan Majski, radziecki ambasador w Londynie, który właśnie na początku lipca 1943 roku znalazł się w Gibraltarze w drodze do Moskwy. Ludwik Łubieński zanotował, że samolot Majskiego wylądował w Gibraltarze 4 lipca o czwartej, a wystartował w dalszą drogę do Kairu już o dziewiątej, jest to jednak informacja całkowicie mylna. Gubernator MacFarlane podaje w swojej cytowanej już pisemnej relacji z 18 lipca 1945 roku, że wiadomość o przylocie Majskiego otrzymał poprzedniego wieczora, 3 lipca, a godzinę przylotu Majskiego określa na „około 7 rano" (według Davida Irvinga było to „tuż po 7"). Dalsza część relacji gubernatora brzmi następująco: Sikorski i jego otoczenie zostali poproszeni o nieujawnianie swojej obecności do chwili opuszczenia przez Majskiego Gibraltaru, a start samolotu radzieckiego ambasadora, który rutynowo powinien był odlecieć do Algieru około piętnastej, został przyspieszony i odbył się o jedenastej, z uwagi na niepomyślną prognozę meteorologiczną dla Algieru. (Według MacFarlane'a, Majski tak skomentował śmierć Sikorskiego, o której podobno dowiedział się dopiero w Kairze: „To rzeczywiście niezwykle interesujące. To wyjaśnia, dlaczego MacFarlane tak strasznie się spieszył, starając się pozbyć mnie ze Skały". To, co insynuował w 1944 roku Stalin w rozmowie z Djilasem, nie było więc pierwszą radziecką próbą rzucenia podejrzenia na Brytyjczyków.) Warto przypomnieć, że kiedy samolot Majskiego wylądował w Gibraltarze, liberator Sikorskiego nie był strzeżony zbyt pieczołowicie, jeśli w ogóle był strzeżony. Dariusz Baliszewski słusznie pisze, że oprócz Gibraltaru Majski miał do wyboru kilka lotnisk w wyzwolonej już Afryce Północnej, lecz wyciąga stąd niczym nie poparty wniosek, iż „wiele wskazuje" (co mianowicie?) na to, że lądował w Gibraltarze z uwagi na zaaranżowane przez Brytyjczyków tajne rozmowy polsko-radzieckie. Wydaje mu się też „pewne, że ambasador Majski przebywał na Gibraltarze aż do poniedziałku 5 lipca". Wniosek ten opiera — po pierwsze — na ocenie informacji zamieszczonej przez Majskiego w jego *Wspomnieniach ambasadora radzieckiego*, że opuścił on Gibraltar 4 lipca, a do Kairu przybył dopiero 6 lipca rano; Baliszewski uważa tę informację za niewiarygodną, ponieważ lot z Gibraltaru do Kairu, nawet z międzylądowaniem, trwał zwykle około dwunastu godzin. Można by oponować, że Majski mógł się znów gdzieś zatrzymać na dłużej, na przykład w Algierze*, lecz rzeczywiście w odpowiedzi na zapytanie Hochhutha Majski w liście z 27 grudnia 1966 roku, a więc zaledwie rok po opublikowaniu w Związku Radzieckim ostatniego tomu *Wspomnień ambasadora*, przesunął datę swojego opuszczenia Gibraltaru na 5 lipca; skoro faktycznie tak było, to powinien był dowiedzieć się o śmierci Sikorskiego jeszcze przed odlotem

---

* Ciekawe, dlaczego w drodze z Gibraltaru do Kairu samolot Majskiego nie lądował rutynowo w Castel Benito koło Trypolisu, ale na pustynnym lotnisku wojskowym. Sprawia to wrażenie, jakby radziecka delegacja chciała zetknąć się z jak najmniejszą liczbą postronnych obserwatorów. Co miała do ukrycia?

z Gibraltaru. Po drugie, co ważniejsze, redaktor Baliszewski przywołuje zapis dokonany w dzienniku pracy kapitana R. B. Capesa, pełniącego wieczorem 4 lipca 1943 roku dyżur na wieży kontroli lotów w Gibraltarze, że wkrótce po katastrofie samolotu Sikorskiego został odwołany start następnej maszyny, którą był właśnie samolot Majskiego*. Z tego zapisu wynikałoby, że MacFarlane w swojej relacji i Majski w swoich *Wspomnieniach* kłamali, podając datę opuszczenia przez radzieckiego ambasadora Gibraltaru; być może niezgodne z prawdą jest też twierdzenie MacFarlane'a, że Majski dowiedział się o śmierci Sikorskiego dopiero w Kairze, choć ów komentarz na wieść o śmierci Sikorskiego radziecki ambasador mógł wygłosić właśnie w tym mieście.

W tym gąszczu sprzecznych informacji dwie rzeczy są pewne: Majski był 4 lipca w Gibraltarze, a następnie nieudolnie usiłował przedstawić ów pobyt tak, aby nie można go było zbyt łatwo powiązać ze śmiercią Sikorskiego, w czym — oczywiście całkiem niezależnie — wspomagał go MacFarlane. Ale jak Majski mógł pomóc w przeprowadzeniu zamachu? Chyba tylko przywożąc swoim samolotem zabójców.

Zastanówmy się nad tą ewentualnością. Jeżeli zabójcom rzeczywiście udało się wejść do samolotu Sikorskiego, to jak uniknęli odkrycia przez ludzi z ADRU, instalujących wieczorem łóżko dla Sikorskiego, a następnie wnoszących i układających bagaże pasażerów, oraz przez mechanika pokładowego, sierżanta F. Kelly'ego, który dokonywał ostatniej inspekcji samolotu przed startem? A jeżeli nawet udało im się ukryć w zakamar-

---

* D. Baliszewski, *Śmierć w Gibraltarze*, „Newsweek Polska", nr 27, s. 90; tenże, *Skała*, „Newsweek Polska", nr 23, s. 98.

kach maszyny, odczekać trzynaście–czternaście godzin i urządzić masakrę, to czy Stalin osiągnął swój cel? Tylko połowicznie. Sikorski zginął, ale jego samolot wciąż stał na pasie startowym. A przecież ktoś musiał zatrzeć ślady zamachu, przemienić go w wypadek. Czy któryś z zabójców był też znakomitym pilotem? I to pilotem tak dobrze znającym liberatory, że mógł bez ryzyka wodować w nocy? Nawet zakładając, że taki manewr przeprowadził jeden z zabójców, to kto później podjął tego człowieka z wody? (Plotka, że w zamach mógł być zamieszany późniejszy komandor Buster Crabb, znakomity nurek Royal Navy, wydaje się absurdalna.) Jaka była rola dwóch — a może nawet trzech — fałszywych kurierów z Polski i dlaczego zginął prawdziwy kurier z Warszawy, Jan Gralewski, skoro całą operację wykonali ludzie z Moskwy, którzy w Gibraltarze z nikim się nie kontaktowali, którym nikt nie pomagał? Jak wydostali się z Gibraltaru? Jeśli samolotem Majskiego, to jak do niego dotarli, skoro jego start został odwołany, a oni po wykonaniu zadania prawdopodobnie czekaliby na pasie startowym? Wreszcie ostatnie pytanie: czy skorzystanie z uprzejmości ambasadora ZSRR było dla zamachowców (kimkolwiek by oni byli) naprawdę jedyną możliwością dostania się do Gibraltaru? Tego rodzaju szczegółowych pytań można — i należałoby — postawić znacznie więcej, gdyż to właśnie szczegóły decydują o powodzeniu takich przedsięwzięć.

Jeden z pilotów RAF musiał współpracować z zamachowcami.

Wydaje się, że lot Majskiego do Moskwy odegrał jakąś rolę w zamachu na Sikorskiego. Na podstawie obecnie dostępnych informacji można jednak przypuszczać, że była to rola pomocnicza, być może polegająca wyłącznie na odwróceniu uwagi od zamachowców*. Jednak Stalin, choć żywił tak ludzkie, gorące uczucia, jak nienawiść i żądza zemsty, był także politykiem. Nie można więc wykluczyć, że chociaż Majski (natychmiast) i Stalin (rok później) niezdarnie insynuowali, iż Sikorskiego zgładzili Brytyjczycy, to lot Majskiego miał być również zamierzoną demonstracją, której przyszłym celem było dyskretne pokazanie światu, jak kończą ci, którzy ośmielają się wystąpić przeciw Związkowi Radzieckiemu. Cóż jest bowiem warta anonimowa zemsta? Co innego zemsta, którą można się pochwalić, i to bez obawy, że się za nią odpowie. To zemsta doskonała. Przynajmniej do czasu.

Konkludując, hipotezy postawione w poprzednich rozdziałach wciąż czekają na rozstrzygnięcie. Zamykając tę książkę, autor i czytelnicy wiedzą niewiele więcej niż w chwili, gdy pierwszy raz spoglądali na jej tytuł. Jednakże to, co on wyraża, nie powinno już budzić wątpliwości.

Pozostaje nadzieja, że ciąg dalszy nastąpi.

---

* D. Baliszewski ma w związku z tym pewne sensacyjne podejrzenia — patrz aneks 4. *Uprowadzenie?*

PODZIĘKOWANIA

Książka ta powstała w rezultacie kilkunastoletnich studiów literatury przedmiotu i dokumentów bezpośrednio lub pośrednio odnoszących się do tajemnicy śmierci generała Władysława Sikorskiego. Praca związana z jej napisaniem zajęła mi prawie rok. Na tym ostatnim etapie korzystałem z inspiracji i pomocy osób, którym pragnąłbym tutaj wyrazić wdzięczność.

Prof. dr hab. inż. Jerzy Maryniak z Politechniki Warszawskiej dzięki swoim badaniom ostatecznie przekonał mnie do tezy, że przyczyną śmierci generała Sikorskiego był zamach. Praw fizyki nie sposób oszukać, a ekspertyza profesora Maryniaka wydaje się niepodważalna. Przekazał on mi komplet swoich raczej trudno dostępnych materiałów opisujących założenia i wyniki ekspertyzy, a także omówił ze mną szczegółowe problemy techniczne.

Doktor Piotr M. Majewski z Instytutu Historycznego Uniwersytetu Warszawskiego był niezwykle pomocny, gdy poszukiwałem źródeł, a dzięki jego uwagom wiele kwestii zawartych w tej książce zostało potraktowanych ze szczególną starannością. Jego wkładem do *Zamachu* jest także skontaktowanie mnie z prof. dr. hab. Jaroslavem Valentą z Czeskiej Akademii Nauk. Świętej pamięci profesor Valenta, który zmarł wiosną 2004 roku, był nieprzejednanym zwolennikiem tezy wypadku, niemniej dyskusje z nim były dla mnie wyjątkowo inspirujące, być może właśnie dzięki starciu dwóch przeciwstawnych koncepcji, a udostępnione przezeń źródła okazały się jednymi z najważniejszych. Część z nich, cytowanych w tej książce jako Papiery Valenty, doktor Majewski uzyskał już po śmierci Valenty i przekazał mnie.

Pan Grzegorz Dziamski z Domu Wydawniczego REBIS zaangażował się w opracowanie tej książki w stopniu większym, niż wynikałoby z obowiązków redaktora. Będąc historykiem, starał się wytropić wszelkie niedociągnięcia merytoryczne, między innymi nalegając na bardziej szczegółowe, a zarazem przystępne, rozwinięcie niektórych twierdzeń lub wątków, które potraktowałem zbyt skrótowo, ponieważ wydawały mi się oczywiste same przez się. Dzięki panu Dziamskiemu zawarte w książce wywody zyskały na klarowności.

Last but not least, wyrazy szczególnej wdzięczności pragnę skierować do pana Zbigniewa Kańskiego, właściciela i dyrektora Agencji Literackiej Graal. Jak wiele innych, również ta książka ma swoją historię. Pierwotnie jej temat był zamierzony na duży artykuł, ale chyba wszyscy piszący wiedzą, jak trudno jest opublikować duży artykuł, czyli coś większego niż tak zwany zwykły artykuł, a mniejszego niż książka. Postanowiłem zatem napisać niewielką, zwięzłą książkę, przedstawiającą wyłącznie argumenty ściśle i bezpośrednio odnoszące się do tezy zamachu. Pan Kański, któremu powierzyłem poszukiwania wydawcy, stwierdził, że przedstawiony mu tekst jest raczej dokumentacją do książki, która dopiero powinna być napisana, wydana i z zainteresowaniem czytana, niż gotowym dziełem. „Więcej, szerzej i bardziej literacko" — brzmiała jego dyspozycja, która zmusiła mnie do większego wysiłku. W rezultacie pana Kańskiego uważam za ojca chrzestnego tej książki. Niemniej wszelkie jej niedostatki należy przypisywać wyłącznie mnie.

Tadeusz A. Kisielewski

Ekspertyza profesora Jerzego Maryniaka

A. Katastrofa wg kpt. E. M. Prchala [— wersja] przyjęta przez komisję

Samolot po prawidłowym oderwaniu się od ziemi wznosi się na wysokość 100 m, po przejściu do lotu poziomego następuje blokada steru wysokości w neutrum. Silniki pracują na mocy startowej. Wyniki obliczeń trajektorii lotu (Ryc. 10) wykazują [jednak], że blokada steru w neutrum na wysokościach 10 m, 50 m, 100 m* nadal powoduje wznoszenie samolotu z prędkością V_w (Ryc. 11) przy dodatnim zadarciu samolotu o kąt położenia θ — Ryc. 12. Stąd wynika, że zeznania kpt. E. M. Prchala nie opisywały właściwego stanu lotu. [podkr. T.A.K.].

---

* Jak już zaznaczyłem, wykonanie obliczeń dla trzech wysokości neutralizuje zastrzeżenie mjr. inż. T. H. Algernona Llewellyna, który powiedział Davidowi Irvingowi, że liberator w ciągu 16 sekund mógł osiągnąć wysokość najwyżej 100 stóp (30 m) — T. A. K.

B. Symulacja blokady steru wysokości w położeniu neutrum $\gamma_H=0^0$ przy kącie toru na wznoszeniu $\gamma=10^0$, silniki wyłączone 1 sekundę po blokadzie.

Wyniki symulacji przedstawiają zmiany toru lotu (Ryc. 13) dla blokad na wysokościach 10 m, 50 m i 100 m oraz zmianę kąta pochylenia samolotu δ (Ryc. 14) dla tych warunków blokad. Widoczne jest, że w każdym z tych przypadków samolot po początkowym dalszym wznoszeniu zaczyna opadać stromo, osiągając w końcowej fazie przed uderzeniem w wodę kąt pochylenia $\theta \cong -15^0$, co spowodowałoby zniszczenie samolotu w momencie uderzenia, dużą prędkość opadania V_w.

Punkt upadku przy blokadzie na 100 m leżałby poza miejscem rzeczywistej katastrofy. Przypadek sprzeczny z zeznaniami świadków o pracujących silnikach.

C. Przypadek lotu z różnymi awariami przy początkowym kącie wznoszenia $\gamma=10^0$

- na pracujących silnikach przy wychyleniu steru $\delta_H = 10^0$ następuje blokada w neutrum $\delta_H = 0^0$ — samolot początkowo opada, a następnie zaczyna się wznosić (Ryc. 15) ze zmianą prędkości wznoszenia V_w (Ryc. 16) i kąta pochylenia θ (Ryc. 17).
- na pracujących silnikach przy wychyleniu steru wysokości i jego blokadzie na kącie $\delta_H = 10^0$ — samolot zaczyna pikować do wody po bardzo stromym torze (Ryc. 15) z dużą prędkością opadania V_w (Ryc. 16) i na dużym kącie pochylenia θ (Ryc. 17).

- na pracujących silnikach przy wychyleniu steru wysokości i jego blokadzie na kącie $\delta_H = 5^0$ (Ryc. 15-17) — przebieg zmian podobny jak w przypadku poprzednim, nieco łagodniejsze zmiany.

- na pracujących silnikach, wychylenie steru wysokości $\delta_H = 10^0$, następnie blokada $\delta_H = 0^0$ i wyłączenie silników — tor lotu jest zbliżony do lotu przedstawionego przez świadków, lecz sprzeczny z powodu pracy silników; wszyscy świadkowie stwierdzali, że praca silników ustała na moment przed zderzeniem z wodą.

Z powyższych symulacji awarii przedstawionych przez pilota kpt. lot. E. M. Prchala wynika, że mogła zaistnieć taka sytuacja, aby mając trzy punkty toru: [punkt] oderwania od pasa, wodowanie, [osiągniętą] wysokość — można było uzyskać trajektorię lotu, która zaistniała. Blokady sterów rozważone w różnych fazach lotu dały odpowiedź negatywną. Jedynie możliwy lot jest przedstawiony w „NIT" 1/2003 [...] (Ryc. 4, 7, 8, 9).

D. Samolot sterowany świadomie przez pilota od momentu startu do wodowania na morzu („NIT" 1/2003 [...]).

Następuje prawidłowy rozbieg i wznoszenie samolotu, następnie pilot przechodzi do lotu poziomego, osiągając prędkość [wznoszenia] ~ 10 m/s (Ryc. 10), ale w tym czasie następuje zmniejszenie prędkości wznoszenia do $V_w \cong -3,5$ m/s i samolot zniża lot. Pilot wyrównuje świadomie lot samolotu nad powierzchnią morza, kontynuując lot na małej wysokości, następnie wyłącza silniki i prawidłowo woduje na powierzchni morza. Samolot utrzymuje się na powierzchni morza ~ 8 minut, a następnie tonie nosem w dół, obracając się na plecy, i w tej pozycji został sfotografowany na dnie morza.

Z przedstawionej analizy wynika, że samolot był sprawny przez cały okres lotu, sterowany świadomie przez pilota do momentu wodowania.

Źródło: Jerzy Maryniak, *Śmierć generała Władysława Sikorskiego — katastrofa czy sabotaż?*, „NIT", nr 2/2003, s. 24–26.

Porównanie amerykańskich i brytyjskich procedur archiwalnych

Brytyjska obsesja utajniania wszystkiego, co tylko możliwe, jest o tyle zabawna, że w United States National Archives (odpowiednik brytyjskiego PRO) całkowicie swobodnie można się zapoznać z delikatnej natury dokumentami brytyjskimi, znajdującymi się tam w obfitości, które są niedostępne dla historyków pukających do drzwi archiwów londyńskich ministerstw i innych agencji rządowych. Co więcej, jeżeli jakiegoś dokumentu, amerykańskiego, brytyjskiego lub jakiegokolwiek innego pochodzenia, nie ma jeszcze w National Archives, to od dysponującej nim instytucji rządowej można domagać się jego okazania na podstawie Freedom of Information Act (FOIA — Ustawa o wolności informacji).

W latach dziewięćdziesiątych praktyka dotycząca ujawniania archiwaliów uległa pewnym zmianom. W Wielkiej Brytanii Waldgrave Initiative on Open Government (Inicjatywa na rzecz Otwartego Rządu) z 1992 roku doprowadziła do tego, że dopuszczono niezależnych historyków do przeglądania (a także podejmowania decyzji co do udostępnienia) materiałów wywiadowczych z lat czterdziestych. Zdarzały się też pozytywne odpowiedzi na specyficzne życzenia historyków dotyczące wglądu do zamkniętych akt, w wyniku czego znaczna część „Never-Never Landu" jest obecnie otwarta dla gości. Z kolei w Stanach Zjednoczonych problemy wynikłe z powoływania się na FOIA uczyniły ten archiwalny „Wonderland" mniej produktywnym. Amerykański system rutynowego odtajniania archiwaliów jest co prawda mądry i szczodry, ale system odpowiadania na nietypowe życzenia historyków, wymagające odtajnienia wciąż zamkniętych teczek, nie jest tak łaskawy. FOIA wszedł w życie za prezydentury Jimmy'ego Cartera (1977–1981). Założenie było takie, że dokumenty powinny być odtajniane na żądanie, a trudem dowiedzenia, iż powinny one jednak pozostać niedostępne, należy obarczyć ministerstwo. Jednak zaznaczył się rozdźwięk między tą zasadą a praktyką. W 1982 roku wprowadzono szerokie obszary wyjątków od FOIA. W takich wypadkach aplikantom pozostawała długotrwała i kosztowna droga sądowa. Ponadto archiwa zostały zasypane lawiną niepoważnych wniosków (w 1991 roku ponad połowa z nich dotyczyła UFO, a największym pojedynczym — choć poważnym — aplikantem była ambasada radziecka), co spowodowało ich częściowy paraliż. Na skutek niedostatku personelu i pieniędzy National Archives i Departament Stanu zostały wyprzedzone przez brytyjski Foreign Office w publikowaniu zbiorów dokumentów dyplomatycznych i wojskowych z lat pięćdziesiątych i późniejszych, o czym każdy historyk i politolog może się przekonać podczas kwerendy bibliotecznej. Trudno się oprzeć wrażeniu, że trudności dotykające National Archives zostały przynajmniej w pewnym stopniu celowo wywołane przez politykę kolejnych amerykańskich rządów, inspirowanych w tej materii przez tajne służby.

W Wielkiej Brytanii organem koordynującym działalność służb wywiadowczych oraz oceniającym i rozprowadzającym efekty tej działalności (raporty) jest Joint Intelligence Committee (JIC — Połączony Komitet Wywiadowczy)*, składający się z szefów służb, któremu przewodniczy wysoki urzędnik Foreign Office, zwykle dyrektor Service Liason Department (Departament Łącznikowy z Tajnymi Służbami). JIC jest wspomagany przez swój sztab (Joint Intelligence Staff), który pomaga przygotowywać raporty dla rządu**, oraz sztab planistyczny

---

* JIC powstał w 1936 r. z inicjatywy sir Maurice'a Hankeya. Od czerwca 1939 r. do 1945 r. szefem JIC był William Cavendish-Bentinck.

** Rząd amerykański, a w tym zwłaszcza National Security Council (NSC — Rada Bezpieczeństwa Narodowego) otrzymuje raporty wywiadowcze od swoich licznych agencji wywiadowczych, natomiast rządowi brytyjskiemu koordynator wywiadów przekazuje tylko jedną, ostateczną wersję interpretacji danych, wcześniej uzgodnioną między poszczególnymi agencjami. Jak mówi Michael Herman, wieloletni pracownik MI5, a obecnie analityk, historyk i wykładowca, ten brytyjski obyczaj wynika z przekonania, że „rola wywiadu polega na sporządzeniu i przedstawieniu jednolitej oceny, w której wszystkie możliwości zostały już wzięte pod uwagę. Ministrowie nie mają się kłócić na temat informacji, ale na temat tego, co należy zrobić" (wywiad dla „Polityki", nr 29, 2003, s. 46). Wypada dodać, że stosowanie takiej procedury wymaga szczególnie dużego obiektywizmu i doświadczenia twórców końcowego raportu.

W grudniu 2004 r. obie izby amerykańskiego Kongresu uchwaliły ustawę reformującą funkcjonowanie amerykańskich agencji wywiadowczych. Do tej pory dyrektor CIA był jednocześnie koordynatorem wszystkich agencji. Siłą rzeczy prowadziło to do sporów ambicjonalnych, a te z kolei do rywalizacji o pozycję i prestiż, co najczęściej powodowało problemy z wymianą informacji, oczywiście z reguły tych najważniejszych, których uzyskanie buduje pozycję agencji. Brak efektywnej koordynacji doprowadził do klęski amerykańskich służb wywiadowczych (łącznie z FBI) 11 września 2001 r. — wiele z nich posiadało cząstkowe informacje związane z nadciągającym zamachem terrorystycznym al Kaidy, lecz

(Joint Planning Staff). Taka organizacja służb wywiadowczych jest uznawana za wzorcową, a to dzięki sukcesom, które odniosła, w przeciwieństwie do służb zdecentralizowanych, które albo słabo ze sobą współpracowały w czasie wojny (jak służby amerykańskie*), albo wręcz były na siebie wzajemnie „napuszczane" (casus służb w Trzeciej Rzeszy).

Centralna rola JIC sprawia, że jego zasoby archiwalne są wyjątkowo cenne. Do połowy lat dziewięćdziesiątych ujawniono prawie wszystkie dokumenty i protokoły posiedzeń (*documents and minutes*) obejmujące okres do 1941 roku. Jednak duża ich część była już znana dzięki pięciotomowej oficjalnej historii brytyjskiego wywiadu podczas drugiej wojny światowej, a ponadto wiadomo, że około połowy dokumentów (lecz nie stenogramów) JIC sprzed 1945 roku i przynajmniej trzydzieści powojennych jest dostępnych gdzie indziej, rozproszonych w innych kategoriach archiwalnych PRO w Kew. To samo doty-

---

nie było nikogo, kto miałby dostęp do wszystkich tych sygnałów i mógłby je powiązać, a w konsekwencji — zapobiec zamachom. Dlatego nowa ustawa Kongresu utworzyła stanowisko dyrektora wywiadu, który będzie nadzorował działalność wszystkich amerykańskich agencji wywiadowczych i decydował o ich budżetach. (Dotyczy to również wywiadów wojskowych, chociaż w mniejszym zakresie niż cywilnych.) Jednak stanowisko dyrektora wywiadu nie będzie identyczne jak funkcja przewodniczącego brytyjskiego JIC. Przede wszystkim nie jest całkowicie jasne, czy zdoła on powstrzymać potop informacji i analiz produkowanych niezależnie przez każdą agencję i zalewający Radę Bezpieczeństwa Narodowego oraz doprowadzić — na wzór brytyjski — do wypracowywania przez wszystkie agencje jednego, wspólnego raportu w danej sprawie. Trudno nie zauważyć, że w takim wypadku zakres obowiązków i ranga Rady Bezpieczeństwa Narodowego zmalałyby.

* Według ściśle tajnego raportu Departamentu Stanu z 1948 r., 22 różne amerykańskie służby wywiadowcze przesłuchiwały po drugiej wojnie światowej uciekinierów z okupowanych Niemiec. Wszystkie rywalizowały między sobą o tych samych agentów, zwykle przestępców wojennych, pragnąc wykorzystać ich w zimnej wojnie z komunizmem.

czy archiwów SOE, ponieważ wiele jej materiałów znajduje się w PRO i w Waszyngtonie. To wszystko obniża wartość opublikowanych materiałów JIC dotyczących lat 1936–1941 i wywołuje sceptycyzm, czy akta z okresu 1942–1945, jeśli zostaną kiedyś opublikowane, okażą się wiele warte.

Opublikowanie dokumentów JIC dowodzi, że sensacyjne opisy historycznych wydarzeń lub złośliwe interpretacje działań polityków nie są konsekwencją wczesnego ujawnienia akt wywiadowczych, ale przetrzymywania ich pod kluczem. Skłania to bowiem do zadawania pytań w rodzaju: jeśli akta te nie zawierają „brudnych tajemnic", to dlaczego są ukrywane? A to z kolei prowadzi do konstruowania spiskowych wersji najnowszej historii.

Wielka Brytania ujawnia archiwa JIC, SOE i streszczenia doniesień wywiadu elektronicznego (Dir/C) w przybliżeniu po pięćdziesięciu latach; Amerykanie robią to po czterdziestu latach w odniesieniu do akt niskiego rzędu i po siedemdziesięciu pięciu, gdy chodzi o pozostałe dokumenty. W Wielkiej Brytanii do połowy lat dziewięćdziesiątych nie zaczęła się nawet jeszcze dyskusja nad ujawnieniem wojennych materiałów MI6, podczas gdy Amerykanie opublikowali już prawie całość akt swojego wywiadu elektronicznego i Office of Strategic Services do 1947 roku (natomiast amerykańskie National Intelligence Estimates, zajmujące się właśnie opiniowaniem dokumentów przeznaczonych do ujawnienia, już w pierwszej połowie lat dziewięćdziesiątych odtajniły akta dotyczące ZSRR do 1984 roku). Co niezmiernie ważne, w rezultacie tylko czterdziestoletniej karencji amerykańscy historycy mają możliwość porównania dokumentów z relacjami osób, które pośrednio lub bezpośrednio je tworzyły. Badacze zajmujący się służbami brytyjskimi rzadko mają taką okazję, gdyż pięćdziesięcioletnia (co najmniej) karencja powoduje, że niewielu świadków historii dożywa chwili opublikowania akt, a „tajniki i techniczna natura niektórych działań tajnych służb" sprawiają, że „Pełne znaczenie niektórych z tych dokumentów niekoniecznie będzie oczywiste dla przyszłych historyków".

Kolejna różnica między Stanami Zjednoczonymi a Wielką Brytanią w udostępnianiu archiwaliów dotyczy instytucji, które wytworzyły te dokumenty. W Wielkiej Brytanii dyskusja nad ujawnianiem akt skupia się na MI5, SIS i GCHQ, natomiast w Stanach Zjednoczonych w grę wchodzą także dokumenty wywiadów sił lądowych, marynarki i lotnictwa. W Wielkiej Brytanii takie dokumenty dotyczące okresu powojennego są niedostępne.

Dochodzi do śmiesznych sytuacji. Amerykanie opublikowali na przykład akta United States European Command (EUCOM — Dowództwo Amerykańskich Sił Okupacyjnych w Europie) i Far Eastern Command (FECOM — Dowództwo Amerykańskich Sił Okupacyjnych na Dalekim Wschodzie), łącznie z teczkami personalnymi (*registry files*) ich regionalnych kwater wywiadowczych, podczas gdy Brytyjczycy wciąż utajniają wiele dokumentów dotyczących okupacji Niemiec, Austrii i państw dalekowschodnich. W latach osiemdziesiątych CIA opublikowała akta prowadzonej przez Brytyjczyków Shanghai Municipal Police, zawierające między innymi teczki Sun Jat-sena i Ho Chi Minha. Gdy w 1945 roku brytyjska Special Counter Intelligence Unit (Specjalna Jednostka Kontrwywiadowcza) zdobyła akta niemieckiej służby bezpieczeństwa, w których można się było zapoznać z naturą i technikami Rote Kapelle (Czerwona Orkiestra), czyli radzieckiej siatki wywiadowczej w Europie w latach trzydziestych i czterdziestych, Brytyjczycy udostępnili te akta Amerykanom. CIA opublikowała je już dawno, a w Wielkiej Brytanii w połowie lat dziewięćdziesiątych ciągle były one utajnione. Pewne nadzieje na łatwiejszy dostęp do utajnionych do tej pory brytyjskich archiwaliów można by wiązać z tym, że Brytyjczycy przystąpili do „czyszczenia" dokumentów, czyli zaczerniania lub zaklejania szczególnie wrażliwych ich fragmentów (głównie nazwisk i źródeł pochodzenia informacji wywiadowczych), i publikują je w takiej okrojonej wersji. Jednak jest to procedura czasochłonna i nie przyspiesza przenosin dokumentów do Public Record Office.

Na podstawie: *Never-Never Land and Wonderland? British and American Policy on Intelligence Archives*, Contemporary Record, Vol. 8, No. 1 (Summer 1994), ss. 132–150, za: www.cia.gov/csi/studies/95unclass/Aldrich.html

Służby specjalne aliantów i Trzeciej Rzeszy

A. Związek Radziecki

NKWD, Narodnyj komissariat wnutriennich dieł, czyli Ludowy Komisariat (Ministerstwo) Spraw Wewnętrznych, w różnych okresach grupował między innymi milicję (policję), służbę bezpieczeństwa, zarząd obozów pracy (GUŁag — Gławnoje uprawlenije łagieriej), wojska wewnętrzne, wojska ochrony pogranicza i inne jednostki.

Pierwszą radziecką tajną służbą była Czeka, powołana jeszcze w 1917 roku Wszechrosyjska Nadzwyczajna Komisja do Walki z Kontrrewolucją i Sabotażem (Wsjerossijskaja czriezwyczajnaja komissija po bor'bie s kontrrewolucijej i sabotażom), której organizatorem i szefem był polski szlachcic, Feliks Dzierżyński (zmarły w 1926 roku). W roku 1922 Czeka została przekształcona w GPU (Gławnoje politiczieskoje uprawlenije — Główny Zarząd Polityczny), podległe NKWD Rosyjskiej Socjalistycznej Federacyjnej Republiki Radzieckiej. Rok później GPU przemianowano na OGPU (Objedinionnoje GPU — Zjednoczone

GPU), podporządkowane Radzie Komisarzy Ludowych (rządowi) ZSRR. W 1934 roku, po śmierci następcy Dzierżyńskiego,
Wiaczesława Mienżynskiego, OGPU włączono w skład nowo
powstałego NKWD ZSRR (NKWD Rosyjskiej SFRR zlikwi-
dowano do 1946 roku), jako GUGB (Gławnoje uprawlienije
gosudarstwiennoj biezopastnosti — Główny Zarząd Bezpieczeństwa Państwowego). W NKWD ZSRR znalazł się również
kontrwywiad, wywiad i oddział prowadzący zagraniczne operacje specjalne (Inostrannyj otdieł), czyli zajmujący się skryto-
bójstwami „wrogów ZSRR", a szczególnie osobistych wrogów
sekretarza generalnego partii komunistycznej, Józefa Stalina.

Odpowiednikiem oddziału zagranicznych operacji specjalnych NKWD był na przykład w CIA (Central Intelligence
Agency — Centralna Agencja Wywiadowcza Stanów Zjednoczonych*) wydział Covert Operations (Tajnych Operacji).
Zasadnicza różnica między nimi polegała na tym, że o ile Inostrannyj otdieł głównie zajmował się zabójstwami (między innymi w 1940 roku zamordował w Meksyku Lwa Trockiego,
w 1941 roku w Waszyngtonie byłego agenta radzieckiego wywiadu wojskowego GRU Waltera Kriwickiego, prawdopodobnie kilku świadków i innych osób pośrednio zaangażowanych
w zbrodnię katyńską, narodowego przywódcy ukraińskiego
Stepana Bandery w 1959 roku w Monachium), o tyle zadanie Covert Operations polegało prawie wyłącznie na nielegal-

---

* CIA powstała formalnie na podstawie National Security Act z 18 września
1947 r. Jej poprzednikami były kolejno: The Office of Coordinator of Information
(COI — Urząd Koordynatora Informacji), powołane do życia 11 lipca 1941 r.; po-
wstałe na bazie COI w czerwcu 1942 r. Office of Strategic Services (OSS — Urząd
Służb Strategicznych), rozwiązane dyrektywą prezydenta Harry'ego Trumana z 20
sierpnia 1945 r.; Central Intelligence Group (CIG — Centralna Grupa Wywiadowcza), działająca od końca 1945 r. do czasu powołania CIA.

nym obalaniu nieprzyjaznych Stanom Zjednoczonym obcych rządów, poprzez uzbrajanie jego miejscowych przeciwników, udzielanie im pomocy logistycznej i finansowej, a czasem również dowodzenie nimi. Jednym z wyjątków były kilkakrotne nieudane próby zamordowania Fidela Castro. Radzieckie tajne służby rzekomo zaprzestały fizycznej likwidacji wrogów Moskwy po ujawnieniu, że to one były odpowiedzialne za śmierć Bandery, jednak wiele poszlak wskazuje na to, że chętnie służyły pomocą zaprzyjaźnionym wywiadom (na przykład dostarczyły śmiercionośnej trucizny, rycyny, bułgarskiej służbie bezpieczeństwa, która we wrześniu 1978 roku zabiła w Londynie dysydenta Gieorgi Markowa*), a następnie zaczęły się nimi wyręczać,

---

* Markow zginął na skutek ukłucia zawierającą rycynę końcówką parasola; była to metoda wymyślona przez KGB. Po upadku reżimu Todora Żiwkowa w budynku MSW w Sofii znaleziono pewną liczbę takich parasoli. Władze bułgarskie wciąż odmawiają dostępu do archiwów wywiadu sprzed 1989 r. W 1990 r. część tego archiwum została zniszczona, za co w 1992 r. skazano na karę więzienia byłego szefa wywiadu, Władimira Todorowa. Były wiceminister spraw wewnętrznych Stojan Sawow, podejrzany o wydanie rozkazu zabicia Markowa, popełnił samobójstwo, zanim rozpoczął się jego proces. W 1993 r. na skutek sygnału otrzymanego z Londynu Duńczycy aresztowali Francesca Guillino, obywatela duńskiego pochodzenia włoskiego, podejrzewanego przez Scotland Yard o dokonanie zamachu na Markowa. W latach 70. Guillino, oficjalnie handlarz antykami, został pochwycony w Bułgarii na przemycie narkotyków i następnie zwerbowany przez bułgarską służbę bezpieczeństwa. W odpowiedzi na zapytanie Duńczyków Bułgarzy oświadczyli, że nie mają żadnych materiałów dotyczących Guillina, który został zwolniony z aresztu, a niedługo potem sprzedał swój dom w Danii i zniknął.

Bułgarski dziennikarz Christo Christow, który przez 6 lat zajmował się sprawą Markowa i wiosną 2005 r. ujawnił wyniki swojego śledztwa w serii artykułów w dzienniku „Dniewnik" oraz w książce Operacja „Włóczęga" („Włóczęga" był to kryptonim Markowa, nadany mu przez bułgarskie tajne służby), twierdzi, że w dniu zamachu, czyli 7 września 1978 r., Guillino był jedynym bułgarskim agentem przebywającym na terytorium Wielkiej Brytanii (opuścił Wielką Brytanię dzień po zamachu) oraz że po aresztowaniu go w Danii przyznał się do szpiegowania na rzecz Bułgarii, lecz zaprzeczył, jakoby dokonał zamachu. Christow wystą-

zlecając im wykonanie własnych zadań (jak choćby zamach na Jana Pawła II w 1981 roku). Możliwe jednak, że w nielicznych przypadkach radzieckie służby wciąż wolały rozwiązywać swoje problemy we własnym zakresie. Na przykład niektórzy badacze skłaniają się ku podejrzeniu, że to agenci byłego KGB zamordowali w 1992 roku Piotra Jaroszewicza, w latach 1970–1980 premiera, od lat wojny uważanego za radzieckiego agenta, który w pisanych przez siebie wspomnieniach prawdopodobnie postanowił ujawnić jakieś kompromitujące Moskwę fakty. Skłonność NKWD i jego kolejnych mutacji organizacyjnych do fizycznej likwidacji przeciwników nie była tajemnicą dla osób zaangażowanych w politykę. W lipcu 2005 roku Duński Instytut Studiów Międzynarodowych ogłosił wyniki swoich badań, z których wynika, że Aksel Larsen, w 1958 roku wydalony z Duńskiej Partii Komunistycznej „za poglądy niezgodne z linią Moskwy", a następnie założyciel i przewodniczący Socjalistycznej Partii Ludowej, był agentem CIA właśnie od 1958 roku do śmierci w 1972 roku. Według gazety „Jyllands-Posten" biograf Larsena, Kurt Jakobs, sądzi, że Larsen podjął współpracę z CIA z obawy przed KGB, traktując to „jako polisę ubezpieczeniową, gdyż miał świadomość, że zabicie człowieka współpracującego z CIA mogłoby doprowadzić do tarć między Waszyngto-

---

pił do sądu o pozwolenie na wgląd do teczki Guillina. Latem 2005 r. sprawa nie była jeszcze rozstrzygnięta. „Obecny szef bułgarskich służb bezpieczeństwa, Kircho Kirchow, twierdzi, że w materiałach [bułgarskich] służb nie ma żadnych dowodów w sprawie Markowa" („Gazeta Wyborcza", 17 czerwca 2005, s. 15).

Christow ma nadzieję, że jego książka spowoduje, iż Wielka Brytania wystąpi do Bułgarii o wydanie dokumentów dotyczących zabójstwa Markowa. Jednak może to być płonna nadzieja, skoro władze brytyjskie zachowują się w podobnych sprawach — na przykład w sprawie Sikorskiego — tak samo jak bułgarskie (vide rozdz. 7. *Zmowa milczenia*).

nem a Moskwą. Potwierdzeniem takiego motywu może być kolekcja wycinków prasowych o akcjach sowieckich agentów na zachodzie Europy, którą Larsen kompletował w latach 60." (za „Gazetą Wyborczą" z 13 lipca 2005, s. 9). Chociaż wiara Larsena w zbawczy parasol ochronny CIA może się wydawać nieco przesadna, to jego obawę przed karą, jaką mógł ponieść z rąk funkcjonariuszy lub agentów KGB jako komunistyczny renegat, należy uznać za całkowicie usprawiedliwioną.

3 lutego 1941 roku specjalne sekcje NKWD odpowiedzialne za kontrwywiad wojskowy przeniesiono do Armii Czerwonej i Floty Czerwonej. GUGB również zostało wyprowadzone ze struktur NKWD i przemianowane na NKGB (Narodnyj komissariat gosudarstwiennoj biezopastnosti — Ludowy Komisariat Bezpieczeństwa Państwowego), czyli zyskało rangę odrębnego ministerstwa. 20 lipca 1941 roku NKWD i NKGB znów połączono, a w styczniu 1942 roku także kontrwywiad powrócił do NKWD. Ten kontredans może się wydawać dziwaczny, niezrozumiały i chaotyczny, ale obie zmiany były przemyślane i uzasadnione. Podczas pokoju partia komunistyczna pragnęła mieć wszystkie części aparatu przemocy pod swoją bezpośrednią kontrolą. Podczas wojny obronnej, toczonej od 1941 roku z armią niemiecką, głównie na własnym terytorium, partia także scentralizowała aparat przemocy. Natomiast jego decentralizację, przeprowadzoną w lutym 1941 roku, należy uważać za jeszcze jedno potwierdzenie tezy, po raz pierwszy wysuniętej przez Wiktora Suworowa (Władimira B. Riezuna) w jego książce *Lodołamacz* (wyd. polskie: Editions Spotkania, Warszawa 1992) i oczywiście początkowo wyszydzonej przez tak zwanych poważnych historyków, że Stalin przygotowywał się do uderzenia wyprzedzającego na Niemcy (prawdopodobnie

tydzień lub dwa po 22 czerwca). Podczas wojny agresywnej, prowadzonej na terytorium przeciwnika, kontrwywiad wojskowy był bowiem potrzebny radzieckim dowódcom w polu, aby dostarczać im materiałów służących podejmowaniu decyzji i chronić własne oddziały przed dywersją. Partia zgodziła się z tym i oddała kontrwywiad wojskowy.

W kwietniu 1943 roku, po zwycięskiej dla ZSRR bitwie pod Stalingradem, gdy było już niemal pewne (a całkowicie pewne po letniej bitwie pod Kurskiem), że Armia Czerwona ruszy do generalnej ofensywy przeciw Niemcom, kontrwywiad wojskowy znów przeniesiono do Armii Czerwonej i Floty Czerwonej, nadając mu nazwę Smiersz (Smiert' szpionom), a NKGB ponownie oddzielono od NKWD.

W 1946 roku wszystkie komisariaty ludowe przemianowano na ministerstwa, w związku z czym NKWD zyskał nazwę Ministerstwa Spraw Wewnętrznych (MWD — Ministerstwo wnutriennich dieł). NKGB zaś stał się Ministerstwem Bezpieczeństwa Państwowego, MGB.

W roku 1953 MWD i MGB znów połączono, a w 1954 roku ostatecznie je rozdzielono, przy czym MGB otrzymało nazwę KGB (Komitiet gosudarstwiennoj biezopastnosti — Komitet Bezpieczeństwa Państwowego). Jego pierwszym przewodniczącym został generał Iwan Sierow, organizator deportacji Polaków w głąb ZSRR w latach 1939–1941 i w 1945 roku, który w marcu 1945 roku podstępnie uwięził i uprowadził do Moskwy szesnastu członków polskich legalnych władz uznających zwierzchność emigracyjnego rządu w Londynie, a w 1956 roku krwawo stłumił powstanie w Budapeszcie.

11 września roku 1991, kilkanaście dni po upadku puczu przeciwko prezydentowi ZSRR Michaiłowi Gorbaczowowi, KGB zo-

stał rozwiązany. Na jego miejsce utworzono między innymi Służbę Wywiadu Zagranicznego i Federalną Służbę Bezpieczeństwa.

Historia rosyjskich służb bezpieczeństwa sięga XVI wieku, kiedy to — w 1565 roku — car Iwan IV Groźny utworzył odrębny dwór i wojsko, dublując już istniejące instytucje, i oddał im we władanie ogromne, wydzielone z reszty kraju terytoria. Te nowe instytucje i ich dobra nazwano opryczniną (pierwotnie słowo to oznaczało udziały dóbr ziemskich dla wdów po książętach moskiewskich). W węższym znaczeniu nazwa „opryczyna" zaczęła być odnoszona do nowej carskiej służby bezpieczeństwa, która w ramach właściwej opryczniny rozwinęła się na bazie istniejących od czasów wielkiego księcia Iwana III Srogiego prikazów, będących czymś w rodzaju ministerstw. Zadaniem opryczniny była fizyczna likwidacja opozycyjnych wobec cara bojarów, ale zasięg terroru wymknął się spod kontroli i przekształcił w ludobójstwo. Zginęły tysiące chłopów, mieszczan i duchownych. Czystki i deportacje doprowadziły do takiego osłabienia Rosji, że w 1571 roku Tatarzy krymscy zdołali najechać samą Moskwę i spalić ją (z wyjątkiem Kremla), po czym wzięli w niewolę tysiące jeńców. W 1572 roku car nakazał rozwiązać opryczninę, a jej komendanta, Malutę Skuratowa (jego zięciem był przyszły car Borys Godunow), skazał na śmierć. Wielu innych oprycznikow również ukarano śmiercią. (Stalin, dla którego Iwan Groźny był wzorem władcy, tak samo postąpił z kolejnymi szefami NKWD — Henrykiem Jagodą i Nikołajem Jeżowem, którzy w latach trzydziestych XX wieku na jego rozkaz rozpętali terror czystek skierowanych przeciw rzeczywistym i wyimaginowanym oponentom władzy radzieckiej. Stalinowskie czystki w siłach zbrojnych ułatwiły armiom hitlerowskim pochód na Moskwę, podobnie jak ślepy terror opryczniny otworzył drogę najazdowi

Tatarów.) W okresie panowania Piotra I Wielkiego przestępstwami przeciw państwu zajmował się początkowo Prikaz Preobrażenski, kierowany przez księcia Fiodora Romodanowskiego, a następnie Tajna Kancelaria. W 1731 roku, podczas panowania cesarzowej Anny, jej faworyt Ernest Biron (Bühren) zreorganizował Tajną Kancelarię, wprowadzając przy tym rozległy system wewnętrznego szpiegostwa i donosicielstwa. Za Katarzyny II Tajną Kancelarię przemianowano na Tajną Ekspedycję. Wnuk Katarzyny, Aleksander I, od razu na początku swego panowania zlikwidował Tajną Ekspedycję, zakazał stosowania tortur w śledztwie i w miejsce utworzonych przez Piotra I kolegiów powołał osiem ministerstw, w tym spraw wewnętrznych, a także sprawiedliwości (w roku 1802). Nowy car, Mikołaj I, powrócił do dawnych wzorów i udoskonalił je: od 1826 roku centralnym organem tajnej policji stał się III Oddział Kancelarii Osobistej Jego Cesarskiej Mości. Do najważniejszych zadań III Oddziału należało inwigilowanie osób politycznie podejrzanych, gromadzenie informacji o przebywających w Rosji cudzoziemcach i ich kontaktach z Rosjanami oraz obserwowanie działalności sekt religijnych (a także, między innymi, zwalczanie fałszerstw pieniądza; jako ciekawostkę można podać, że do niedawna amerykańska Secret Service, będąca odpowiednikiem polskiego Biura Ochrony Rządu, miała tylko dwa zadania: ochronę prezydenta Stanów Zjednoczonych i ochronę amerykańskiego dolara przed fałszerzami). Szefem III Oddziału został generał Aleksander Beckendorff, podobnie jak Biron niemiecki szlachcic z prowincji nadbałtyckich, stanowiących od XVI do XVIII wieku lenno państwa polsko-litewskiego. III Oddział nie miał placówek prowincjonalnych, jego zadania poza stolicą (Petersburgiem) wykonywał Korpus Żandarmerii (żandarmi prowadzili śledztwa i przesłuchania) oraz tajni agenci (zajmowali się czynnościami operacyjnymi). O istnieniu III Oddziału nie wolno było wspominać w prasie. Po nieudanym zamachu na Aleksandra II w lutym 1880 roku nastąpiła pewna liberalizacja i w sierpniu III Oddział został zlikwidowany, chociaż jego agenci znaleźli zatrudnienie w Departamencie Policji MSW. Następny zamach, w marcu 1881 roku, był już udany. Nowy car, Aleksander III, wydał w sierpniu 1881 roku dekret zatwierdzający uchwałę Rady Ministrów „O środkach mających służyć ochronie porządku państwowego i ładu społecznego". Dekret miał obowiązywać przez trzy lata, lecz pozostał w mocy do rewolucji lutowej 1917 roku. Na jego podstawie powołano oddziały ochrony porządku państwowego (potocznie ochranę) — najpierw w Petersburgu, Moskwie i Warszawie, a następnie w innych miastach imperium. Ochrana, do której przeszło wielu agentów zlikwidowanego rok wcześniej III Oddziału, zajmowała się inwigilacją podejrzanych osób, opłacaniem donosicieli i prowokatorów, przenikaniem do antyreżimowych organizacji, wydawaniem druków fałszywek w imieniu tych organizacji (między innymi *Protokołów mędrców Syjonu*). 4 (17) marca 1917 roku Rząd Tymczasowy wydał dekret rozwiązujący Oddzielny Korpus Żandarmów (nazwa obowiązująca od 1836 roku) i ochranę. Wielu jej tajnych agentów znalazło miejsce w bolszewickiej policji politycznej, a być może niektórzy przeniknęli nawet do komunistycznych organów władzy politycznej (sam Stalin tak łatwo uwalniał się z carskich więzień, że niektórzy bolszewicy podejrzewali go o współpracę z ochraną, jednak podejrzenie to nigdy nie zostało poparte dowodami).

Na podstawie, m.in.: Ludwik Bazylow, *Historia Rosji*, Ossolineum, Wrocław––Warszawa–Kraków–Gdańsk 1975.

B. Trzecia Rzesza

Pierwszym szefem Gestapo (Geheime Staatspolizei — Tajna Policja Państwowa), policji politycznej w hitlerowskich Niemczech, był Hermann Göring. W 1936 roku Gestapo i Kripo (Kriminal Polizei — Policja Kryminalna) zostały połączone w Sipo (Sicherheitspolizei — Policja Bezpieczeństwa), które z kolei podporządkowano SD (Sicherheitsdienst — Służba Bezpieczeństwa SS), której szefem był wówczas Reinhard Heydrich. W 1939 roku utworzono RSHA (Reichssicherheitshauptamt — Główny Urząd Bezpieczeństwa Rzeszy) i Sipo — wraz z wchodzącym w jego skład Gestapo — stało się jego IV departamentem. Praktycznie szef Gestapo, którym od 1936 roku był Heinrich Müller, miał nad sobą tylko trzech zwierzchników: Hitlera, Reichsführera Heinricha Himmlera oraz szefa RSHA Reinharda Heydricha, a po jego śmierci Ernsta Kaltenbrunnera, ale tego ostatniego lekceważył.

Odpowiednikami wymienionych osób byli w ZSRR odpowiednio: Stalin, Ławrientij P. Beria, nadzorujący z ramienia partii komunistycznej cały aparat bezpieczeństwa (a w okresie 1938–luty 1941 i lipiec 1941–1943 szef NKWD), oraz Wsiewołod N. Mierkułow, szef NKGB/MGB od lutego do lipca 1941 roku i ponownie od 1943 do 1946 roku. W kolacji wydanej przez Stalina 8 lutego 1945 roku podczas konferencji jałtańskiej uczestniczył Beria. Widząc go po raz pierwszy (i ostatni), prezydent Franklin Delano Roosevelt zapytał: „Co to za gentleman siedzący naprzeciw posła [Andrieja] Gromyki?" Stalin wyjaśnił: „Aaa! To nasz Himmler. To Beria"*.

---

* Department of State, *Foreign Relations of the United States. Diplomatic Papers. The Conferences at Malta and Yalta 1945*, GPO, Washington 1955, s. 797.

C. Niewygodni świadkowie

Relację rosyjskich wieśniaków i wypływające z niej wnioski potwierdza też to, że pośrednio wyjaśnia ona przyczynę zamordowania przez Niemców (?) jednego z przedwojennych premierów polskich, Leona Kozłowskiego. Maciej Kozłowski, autor cytowanego artykułu, jest synem młodszego brata byłego premiera i właśnie z uwagi na to pokrewieństwo próbował wyjaśnić przyczynę śmierci stryja.

Leon Kozłowski był uważany za germanofila. Zwolniony z radzieckiego więzienia, w 1941 roku przeszedł przez linię frontu na stronę niemiecką. Są powody, by przypuszczać, że proponował władzom niemieckim utworzenie polskiego rządu, który zawarłby z Trzecią Rzeszą antybolszewickie przymierze zbrojne. Niemcy odrzucili jednak jego ofertę. Były premier był jedną z licznych osób, które zawieźli oni do Katynia, żeby pokazać im mogiły i znajdujące się w nich zwłoki. Po powrocie uchylał się od komentarzy, gdyż mogłyby one przynieść propagandową korzyść Niemcom, chociaż udzielił jednego wywiadu radiowego. Stale był trzymany w areszcie domowym w berlińskim hotelu. W tym samym hotelu mieszkał internowany profesor Józef Zwierzycki, przed wojną naczelny geolog Holenderskich Indii Wschodnich (Indonezji), a następnie zastępca dyrektora Instytutu Geologicznego w Warszawie, którego wiedzę Niemcy chcieli wykorzystać w poszukiwaniach złóż ropy naftowej. Leon Kozłowski opowiedział Zwierzyckiemu, że radzieccy chłopi donieśli, iż w Katyniu w maju 1940 roku przebywali niemieccy obserwatorzy, a Zwierzycki, któremu udało się umknąć z Berlina, w 1948 roku opowiedział o tym swoim czterem studentom z Uniwersytetu Wrocławskiego. Jeden z nich, doktor Leszek

Sawicki, po latach przekazał te informacje profesorowi Maciejowi Kozłowskiemu.

Leon Kozłowski „zakończył życie w nie do końca wyjaśnionych okolicznościach w Berlinie, w maju 1944 r." Ten fakt był dotąd niezrozumiały. Dlaczego Niemcy (jeżeli to oni byli winni śmierci Kozłowskiego) mieliby zabijać „kandydata na polskiego Quislinga"*, na dodatek świadka ekshumacji zwłok polskich oficerów przekonanego o winie NKWD? Otóż mieli po temu powód: Leon Kozłowski wiedział, że Niemcy od samego początku znali prawdę o Katyniu, a ujawnili ją dopiero wtedy, gdy stało się to im potrzebne.

Od kwietnia 1943 roku pracowała w Katyniu zaproszona przez Niemców trzynastoosobowa międzynarodowa komisja lekarzy, w tym wybitnych specjalistów w dziedzinie medycyny sądowej, która potwierdziła niemiecką wersję zbrodni. Kilku członków tej komisji znalazło się następnie na terenach wyzwolonych przez Armię Czerwoną. Zostali oni zmuszeni do odwołania swojej poprzedniej opinii, a jeden z nich, doktor Marko Antonow Markow z Bułgarii, gdzie oskarżono go, że jest „wrogiem ludu", został przywieziony do Norymbergi i jego rola ograniczyła się do potwierdzania sugestii radzieckiego prokuratora, co w końcu zdenerwowało sędziego Lawrence'a. Ci spośród byłych członków komisji, którzy doczekali się wyzwolenia przez wojska aliantów zachodnich, nigdy nie zmienili zdania, a niektórzy zeznawali nawet przed komisją Kongresu Stanów Zjednoczonych.

---

* Vidkun Quisling (1887–1945) był w latach 1942–1945 premierem norweskiego rządu kolaborującego z hitlerowcami. W 1945 r. został skazany na śmierć za zdradę stanu, a jego nazwisko stało się synonimem kolaboranta.

Był jeszcze jeden człowiek, który nigdy nie zmienił zdania. Iwan Kriwoziercow, chłop z okolic Katynia, z zawodu kowal, znajdował się wśród tych Rosjan, których zeznania pozwoliły Niemcom zlokalizować mogiły katyńskie i ustalić czas dokonania masowego mordu. Pierwszy wskazał groby siedemdziesięciotrzyletni kołchoźnik Parfienij Kozłow*. Rok później został aresztowany przez NKWD, odwołał swoje zeznania, a następnie zaginął. Kriwoziercow był rozumniejszy — jeszcze latem 1943 roku wraz z matką i małą siostrzenicą uciekł przed zbliżającą się Armią Czerwoną. W czerwcu 1945 roku zgłosił się do polskich władz wojskowych w Niemczech i złożył zeznania. Według pisarza i publicysty Józefa Mackiewicza brytyjskie władze okupacyjne nie wykazały zainteresowania jego wiedzą, natomiast Janusz K. Zawodny twierdzi, że brytyjski wywiad przesłuchał go (wersja Mackiewicza jest udokumentowana). Zaproponował Amerykanom, że będzie świadczył w procesie norymberskim, lecz oni, zamiast przyjąć jego ofertę, zagrozili mu wydaniem władzom radzieckim. Następnie wyjechał do Włoch, gdzie w Anconie złożył pełną relację (jako *obscure and anonymous witness*) Mackiewiczowi, któremu posłużyła ona za kanwę książki *The Katyn Wood Murders*, opublikowanej 29 czerwca 1951 roku. Jesienią 1946 roku Kriwoziercow przeniósł się do Wielkiej Brytanii i z obawy, by nie wytropili go radzieccy agenci, zmienił nazwisko na Michał Łoboda. Stale towarzyszył mu serdeczny przyjaciel, marynarz Jan Chomiuk (Rosjanin?). Obaj przebywali najpierw w obozie dipisów (uchodźców wojennych) West Chiltington w hrabstwie Sussex,

---

* Lub Parafian Kisielew (Czesław Madajczyk, *Dramat katyński*, Książka i Wiedza, Warszawa 1989, s. 8).

a następnie w obozie Stowell Park Hostel w hrabstwie Glouce-
ster. Żyjący w ubóstwie Kriwoziercow, prosty rosyjski chłop,
wyobrażał sobie, że na sprzedaży swojej tajemnicy „amerykańskim agentom" mógłby się wzbogacić. Zwierzał się z tego pomysłu Chomiukowi, w okolicznych barach przechwalał się, że
posiadł ważną tajemnicę. W październiku 1947 roku przeniesiono go do obozu Easton-in-Gordano w hrabstwie Somerset.
Wkrótce potem przepadł jak kamień w wodę, a o przyczynie
jego zniknięcia zaczęły krążyć różne plotki. Chomiuk, który
zamieszkał w Bristolu, także się zdematerializował. Przyczynę śmierci Kriwoziercowa poznał Mackiewicz dopiero w marcu
1952 roku, dzięki pośrednictwu i interwencji jednego z członków brytyjskiego parlamentu: „30 października 1947 r. ciało
jego [Kriwoziercowa] znaleziono w jednym z sadów. Badania
przeprowadzone 3 listopada 1947 r. w komisariacie policji
w Flax Bourton, Somerset, stwierdziły, że zmarły popełnił samobójstwo przez powieszenie". Według Zawodnego „Wielu
Polaków i Anglików, którzy znali Kriwoziercowa, nie chciało
dać wiary tej oficjalnej wersji"*. Także Czesław Madajczyk zwraca uwagę na „dziwne okoliczności" śmierci Kriwoziercowa.

Natomiast krakowski prokurator doktor Roman Martini
zmienił zdanie nieoczekiwanie dla siebie samego. Doświad-
czywszy okupacji niemieckiej, był święcie przekonany, że zbrodni katyńskiej są winni Niemcy. Z tym nastawieniem rozpoczął
śledztwo, które — jak się spodziewał — miało udokumentować
wersję radziecką. Jednak w stolicy Białorusi znalazł raport kie-
rownika mińskiego zarządu NKWD, Tartakowa, datowany 10
czerwca 1940 roku, z którego jasno wynikało, że jeńcy ze Sta-

---

* J. K. Zawodny, op.cit., s. 103.

robielska i Ostaszkowa — w przeciwieństwie do tych z Kozielska — nie zostali skierowani w okolice Katynia, zatem zarówno niemieckie, jak i radzieckie szacunki podające liczbę zwłok
znalezionych w Katyniu były zawyżone. Z tego z kolei logicznie
wynikało, że prócz lasu katyńskiego na terenie ZSRR muszą
być jeszcze inne miejsca, w których zostali zabici polscy jeńcy.
To odkrycie zachwiało wiarą Martiniego w prawdomówność
Sowietów. Ktoś jednak przewidział tę metamorfozę. Późnym
wieczorem 10 marca 1946 roku do mieszkania doktora Martiniego w Krakowie przyszło dwoje młodych ludzi, siedem-
nastoletnia Jolanta Słapianka oraz dwudziestoletni Stanisław
Lubicz-Wróblewski, i zamordowało prokuratora. Oboje zostali
schwytani, aresztowani i oskarżeni o zabójstwo, ale przed pro-
cesem w tajemniczy sposób zniknęli z więzienia*.

---

* J. K. Zawodny wyraził wątpliwość, czy ta historia jest autentyczna. Nie łączył
on raportu Tartakowa z Martinim, sądząc, że dokument ten został odnaleziony
dopiero w 1957 r. w Republice Federalnej Niemiec, a wcześniej został sfałszowany
przez Niemców. Dopiero Leszek Martini, syn prokuratora, ujawnił w 1989 r.,
że to jego ojciec znalazł ów dokument w Mińsku tuż po wojnie (L. Martini,
Prawda o Katyniu w świetle dokumentu, „Tygodnik Powszechny", nr 27, 1989).
Raport ów znajdował się pierwotnie w archiwum mińskiego oddziału NKWD.
Część tego archiwum przejęli Niemcy w 1941 r. i znalazło się ono w mińskim
oddziale Gestapo. Z kolei archiwum mińskiego Gestapo zostało przejęte przez
Armię Czerwoną jesienią 1943 r. Do zbadania tego archiwum został dopuszczony
prokurator Martini.
    Profesor Janusz Kurtyka poświęcił nieco uwagi osobie Stanisława Wróblewskie-
go, zabójcy prokuratora. Wróblewski, żołnierz Armii Krajowej w 1944 r., w 1945 r.
wstąpił do Milicji Obywatelskiej, pod koniec tegoż roku został zwerbowany
do podziemnej antykomunistycznej organizacji Wolność i Niezawisłość (WiN),
kontynuatorki Armii Krajowej. Kurtyka przypuszcza, że werbunek był pozor-
ny, a cała komórka WiN, do której należał Wróblewski, została „założona" przez
Urząd Bezpieczeństwa Publicznego (policję polityczną), sądzi też, że UB specjalnie
nadało rozgłos uczestnictwu Wróblewskiego w zamachu, aby uwiarygodnić go
w środowiskach opozycyjnych wobec komunistów. W więzieniu Wróblewski zo-

Bardzo wątpliwe, by śmierć Kriwoziercowa i Martiniego (a być może też tajemnicze zaginięcie Chomiuka, wcześniej zaś Kozłowa vel Kisielewa) była komuś bardziej na rękę niż funkcjonariuszom NKWD.

D. Tajemnica Janiny Lewandowskiej

Janina Lewandowska, córka Józefa Dowbora-Muśnickiego, generała armii carskiej, a następnie niepodległej Polski, była jedyną kobietą wśród Polaków rozstrzelanych w Katyniu. Nosiła mundur pilota, na opublikowanych po wojnie polskich listach katyńskich przy jej nazwisku widnieje stopień podporucznika. Ponieważ jednak w polskim lotnictwie nie służyły kobiety, Lewandowska nie mogła być polskim oficerem. Niemcy nie umieli sobie wytłumaczyć, dlaczego znaleźli jej ciało wśród zwłok oficerów, uznali więc, że gdyby opublikowali jej nazwisko na listach, podważyliby swoje twierdzenia, że ofiarą NKWD padli polscy oficerowie (zapewne obawiali się zarzutu, że przebrali ko-

stał umieszczony w celi z nieczynnym przewodem kominowym zasłoniętym dyktą, którym uciekł. Wstąpił do antykomunistycznego oddziału partyzanckiego, wziął udział w kilku jego akcjach, a prawdopodobnie jego zadaniem było całkowite rozpracowanie oddziału i „podprowadzenie go na strzał" bezpieki. „I zaczął myśleć. Był dla UB chwilowo cennym agentem, ale jednocześnie został wmieszany w wydarzenia, które świadków mieć nie powinny. Zapewne zdawał sobie sprawę, że zetknięcie ze sprawą Katynia jest śmiercionośne i że nie przeżyje likwidacji oddziału", w którym był wtyczką bezpieki. Uciekł zatem do zachodniej Polski, „gdzie usiłował organizować podziemie — tylko w tych środowiskach był wtedy bezpieczny. Został ujęty w Legnicy w grudniu 1946 r. Sądzono go w Krakowie z oskarżenia o zabójstwo Martiniego, bandytyzm i działalność przeciwko państwu. Wyrok mógł być tylko jeden: kara śmierci" (J. Kurtyka, *Katyń — Jeszcze jeden dokument*, „Tygodnik Powszechny", nr 30, 1989). Historia Wróblewskiego warta jest zapamiętania w kontekście rozważań dotyczących losów niektórych rzekomych lub domniemanych uczestników zamachu na gen. Sikorskiego (vide rozdz. 5 i 6).

bietę w mundur, a od tego byłby już tylko krok do oskarżenia, że podobnie postąpili ze wszystkimi zastrzelonymi). Zagadka ta została jednak w końcu wyjaśniona. Janina Lewandowska miała licencję pilota sportowego. Po wybuchu wojny postanowiła stawić się do dyspozycji władz wojskowych. Wraz z kolegami z aeroklubu dołączyła do 3. Pułku Lotniczego, który wycofywał się właśnie z zachodniej Polski na południowy wschód. Podczas tego odwrotu otrzymała o wiele na nią za duży oficerski mundur lotniczy. Po wkroczeniu Armii Czerwonej na terytorium Polski koledzy Lewandowskiej z aeroklubu zdecydowali, że ewakuują się na Węgry, od połowy marca 1939 roku graniczące z Polską. Ona sama postanowiła jednak zostać przy 3. Pułku. 22 września jednostkę tę wzięły do niewoli wojska radzieckie. Lewandowska ciągle miała na sobie ów za duży mundur lotnika, co przesądziło o jej losie. Prawdopodobnie nieformalny polski przywódca obozu w Kozielsku, generał dywizji Henryk Minkiewicz, mianował ją podporucznikiem pilotem, być może sądząc, że dzięki temu NKWD będzie ją traktował na równi z innymi wojskowymi. Rzeczywiście tak się stało. Zginęła tuż przed swoimi trzydziestymi drugimi urodzinami, które przypadały 22 kwietnia 1940 roku.

Kierujący ekshumacją w Katyniu profesor Gerhard Buhtz przewiózł do swojego Zakładu Medycyny Sądowej Uniwersytetu Wrocławskiego pewną liczbę czaszek ofiar. W 1944 roku Buhtz zginął na Ukrainie, a w 1945 roku czaszki odnalazł i ukrył profesor Bolesław Popielski, który wraz z wieloma innymi lwowskimi uczonymi przeniósł się do Wrocławia. Czaszki były oznaczone symbolami „V+liczba" lub „B+liczba"; prawdopodobnie były to inicjały porucznika Vossa i profesora Buhtza. Do dziś zachowało się siedem czaszek. Czaszka oznaczona symbolem V13 należy do kobiety. 18 maja 2005 roku antropolodzy profesor Tadeusz Krupiński i profesor Zbigniew Rajchel ustalili metodą superprojekcji (nałożenie na siebie zdjęć twarzy żyjącej osoby i jej — częściowo zrekonstruowanej w tym przypadku — czaszki), że pokrywają się najważniejsze punkty antropometryczne. W ten sposób z pewnością wynoszącą ponad dziewięćdziesiąt procent ustalono, że czaszka należy do Janiny Lewandowskiej. Stuprocentową pewność mogłoby dać badanie kodu DNA, jednak DNA czaszki Lewandowskiej jest tak zniszczone, że obecne metody nie pozwalają na wyodrębnienie pełnego zapisu i porównanie go z DNA jej rodziców.

Czaszka Janiny Lewandowskiej zostanie pogrzebana 4 listopada 2005 r. w jej rodzinnym Lusowie koło Poznania.

Na podstawie: Wanda Dybalska, *Janka poszła na wojnę*, „Gazeta Wyborcza", 7 maja 2005 — „Wysokie Obcasy", nr 18; W. Dybalska, *Znaleźliśmy Jankę, ofiarę Katynia!*, „Gazeta Wyborcza", 20 maja 2005, s. 2.

E. Wielka Brytania — MI9

Military Intelligence (Section) 9 — Wywiad Wojskowy (Wydział) 9 — zajmowała się tajnymi operacjami pod przykryciem (*Undercover operations*). Pomagała alianckim żołnierzom w ucieczkach z niewoli (na przykład sławna sprawa jeńców z Oflagu IVC w zamku Colditz) lub też udzielała pomocy tym, którzy w wyniku niepomyślnego biegu zdarzeń znaleźli się na terytoriach okupowanych przez Niemcy.

F. Wielka Brytania — MI5

Military Intelligence (Section) 5 — brytyjska służba bezpieczeństwa (kontrwywiad). Powstała w 1909 roku jako część Secret Service Bureau (Biuro Tajnej Służby), pod kierownictwem kapitana marynarki wojennej (odpowiednik polskiego komandora) sir Vernona Kella (odtąd każdy szef MI5 był znany jako „K", natomiast MI5 nazywana jest nieformalnie „Box" lub „Five"). W 1916 roku przyjęła nazwę MI5, a w 1931 roku Security Service (Służba Bezpieczeństwa). Półoficjalnie znana od 1989 roku (Security Service Act), a oficjalnie od 1996 (przyjęcie poprawek do Security Service Act). Od października roku 2002 dyrektorem MI5 jest Eliza Manningham-Buller. W 2004 roku zmarła w wieku 93 lat jej matka, wicehrabina Dowager Dilhorne, która podczas drugiej wojny światowej trenowała gołębie pocztowe, dostarczające do jej domu pod Londynem meldunki od brytyjskich agentów i od ruchu oporu na terenach okupowanych przez Niemcy). W latach 1991–1996 szefem Security Service również była kobieta — dame Stella Rimington. Nawiasem mówiąc, pierwszym dyrektorem MI5 nie noszącym tytułu szlacheckiego był w latach 1996–2002 Stephen Lander.

G. Wielka Brytania — SOE

SOE (Special Operations Executive — Zarząd Operacji Specjalnych) — powstało z inicjatywy Winstona Churchilla i Hugh Daltona w lipcu 1940 roku, na bazie personelu Sekcji D (Destruction) MI6 (wywiadu), MI R (Research Section of the War Office — Wydział Badawczy Ministerstwa Wojny) i Electra House (Wydział Propagandy Ministerstwa Spraw Zagranicznych). W skład SOE weszła zatem grupa oficerów wywiadu, jednak większość agentów stanowili ochotnicy cywilni, charakteryzujący się przede wszystkim odwagą i pomysłowością, wolni od rutyny (stąd nieoficjalna nazwa Baker Street

Irregulars — od adresu SOE: 64 Baker Street) i znający teren, na którym przychodziło im działać. Podstawowym zadaniem SOE była bowiem praca wywiadowcza i sabotaż na terenach okupowanych przez Niemcy, w tym współpraca z miejscowymi partyzantkami. Z uwagi na ściśle tajny charakter swojej działalności, SOE często była zakonspirowana pod kryptonimem MI8. Innym kryptonimem było Inter-Services Research Bureau (ISRB). Sukcesy SOE, którego szefem był od września 1943 roku pułkownik Colin Gubbins, powodowały ciągłe konflikty z „regularnym" wywiadem, MI6, który ponadto uważał SOE za „organizację niedżentelmeńską" (*ungentlemanly organisation*). SOE zakończyło formalnie swoją działalność w 1946 roku. (Za prekursora SOE można w pewnym sensie uznać Biuro Arabskie armii brytyjskiej, powołane w Kairze w początkowym okresie pierwszej wojny światowej. Brytyjczycy i Francuzi doszli wówczas do wniosku, że zdołają pokonać Turcję i podporządkować sobie Bliski Wschód jedynie przy pomocy Arabów. W tym celu utworzyli nowy, „cichy front", na którym wykorzystywali oręż tajnej dyplomacji, wywiadu i dywersji. Ważną rolę w jego działaniach miało odegrać Biuro Arabskie, utworzone przez sir Marka Sykesa. W skład personelu biura — oprócz zawodowych wojskowych — zgodnie z brytyjską tradycją weszli członkowie angielskiej elity intelektualno-towarzyskiej, głównie archeolodzy i orientaliści, między innymi Thomas Edward Lawrence, późniejszy Lawrence z Arabii, Leonard Woolley, odkrywca biblijnego Ur, Saint John Philby, ojciec Kima, sławnego po latach szpiega radzieckiego, oraz Gertruda Bell, w nieodległej przyszłości „niekoronowana królowa Iraku". Z uwagi na społeczny profil Biura Arabskiego nie można było mu przynajmniej zarzucić, że jest organizacją niedżentelmeńską.)

Twierdzi się, że około osiemdziesięciu pięciu procent dokumentacji SOE przepadło, głównie na skutek pożaru, który strawił jego londyńskie archiwum pod koniec 1945 roku,
a także w wyniku zamierzonego niszczenia akt podczas wojny, gdy zachodziła obawa, że mogą one wpaść w ręce Niemców (tak na przykład zniszczono archiwum SOE w Aleksandrii podczas ofensywy Afrika Korps generała Erwina Rommla). Przepadek dokumentacji SOE stanowi wielką stratę dla
historyków zajmujących się działalnością antyhitlerowskie-
go ruchu oporu w okupowanej Europie (chociaż trzeba dodać, że SOE działało również w Azji), natomiast umożliwił on
MI6 przypisanie sobie wielu osiągnięć zarówno SOE, jak
i podziemnych wywiadów europejskich, z których najwięk-
szymi sukcesami mógł się poszczycić wywiad Armii Krajowej.

Krystyna Skarbek (pseudonimy Mucha, Christine Granville — na Zachodzie jest znana głównie pod tym drugim),
wicemiss polskiego konkursu piękności w 1932 roku, była
jedną z bohaterek SOE. Działała między innymi na Węgrzech,
w Polsce, w Jugosławii i w Kairze. W 1944 roku została prze-
rzucona do Francji, gdzie używała pseudonimu Jacqueline
(Pauline) Armand. Tam dokonała wyczynu, który przeszedł
do legendy. Gdy 13 sierpnia 1944 roku Gestapo aresztowało
w Digne agentów SOE, Brytyjczyka Xana Fieldinga i Belga
Francisa Cammaertsa, oraz francuskiego oficera Christiana So-
rensena, Krystyna Skarbek udała się do miejscowego szefa Gestapo, przedstawiła się jako siostrzenica ówczesnego generała
Bernarda Montgomery'ego i zagroziła Niemcowi, że jeśli nie
zwolni agentów, to po wojnie zostanie powieszony. Blef po-
skutkował, a w 1954 roku Fielding zadedykował „Christinie

Granville" swoją książkę*. Odznaczona Krzyżem Jerzego i Orderem Imperium Brytyjskiego (a także Croix de Guerre), nie zasłużyła jednak po wojnie na brytyjskie obywatelstwo, ponieważ nie mieszkała przez pięć lat na terytorium Imperium. Zwolniono ją z SOE za jednomiesięczną odprawą. Pracowała między innymi jako telefonistka, sprzedawczyni u Harrodsa i stewardesa na statkach pasażerskich. Urodzona 1 maja 1915 roku, zmarła tragicznie 17 czerwca roku 1952, dwa dni wcześniej ugodzona nożem przez wielokrotnie odrzucanego wielbiciela, szefa stewardów na brytyjskim statku.

Interesujące, że tak samo została zamordowana w Londynie Teresa Łubieńska, poprzednio należąca do tajnej (i wciąż dosyć tajemniczej) polskiej organizacji wywiadowczo-sabotażowej „Muszkieterzy", założonej w listopadzie 1939 roku przez kapitana inżyniera Stefana Witkowskiego i zwalczanej przez legalne polskie władze podziemne. (Stanisław Strumph Wojtkiewicz sądzi, że ksiądz prałat Zygmunt Kaczyński mógł zdeponować u Łubieńskiej polskie dokumenty dotyczące śledztwa w sprawie katastrofy gibraltarskiej.) Krystyna Skarbek, która podczas krótkiego pobytu w okupowanej Polsce w 1940 roku miała

---

* Alexander Wallace Fielding, *Hide and Seek: the Story of a War-Time Agent*, Secker&Warburg, London 1954. F. Cammaerts, syn belgijskiego poety, napisał przedmowę do książki Madeleine Masson *Christina: a Search for Christina Granville*, Hamish Hamilton, London 1975. W 2004 r. niewielka kanadyjska wytwórnia filmowa Queen Fine Arts kupiła od dziewięćdziesięciodwuletniej Masson prawa do sfilmowania jej książki. Spekulowano, że zafascynowany K. Skarbek Ian Fleming uczynił ją pierwowzorem Vesper Lynd, podwójnej agentki z *Casino Royale*, swojej pierwszej książki (1953) o przygodach Jamesa Bonda. Te spekulacje przejściowo rzuciły cień na wojenną kartę K. Skarbek, dopóki była agentka SOE, Vera Atkins, nie wydała oświadczenia, że Skarbek jest poza wszelkimi podejrzeniami. Atkins miała podczas wojny dostęp do akt personalnych SOE i dobrze znała K. Skarbek.

kontakt z tą organizacją, na skutek czego przez krótki czas była podejrzewana o nielojalność wobec legalnych władz, ostrzegła też po wojnie Klementynę Mańkowską, byłą członkinię „Muszkieterów", aby ze względu na swoje bezpieczeństwo jak najszybciej opuściła Wielką Brytanię*. Niektórzy podejrzewają, że pośrednią przyczyną śmierci Krystyny Skarbek nie była jej uroda, jednak trudno sądzić, by jej skazany na śmierć morderca do końca ukrywał tożsamość ludzi, którzy zlecili mu zabójstwo, gdyby rzeczywiście byli tacy ludzie.

---

* Clémentine Mankowska, *Espionne malgré moi*, Editions du Rocher, Monaco 1994 (biografia z przedmową Michela Poniatowskiego); przedmowę do wydania niemieckiego napisał Ferdinand von Bismarck; wyd. polskie: *Moja misja wojenna. Bez trwogi i nienawiści* (z przedmową prof. Jerzego Topolskiego i Andrzeja Szczypiorskiego), Wyd. Kopia, Warszawa 2003. Urodzona w 1910 r. Mańkowska (z domu Czarnkowska-Golejewska) za swoje zasługi otrzymała posiadłość ziemską od władz wyspy Noirmautier. Zmarła w Sermoise koło Nevers 4 stycznia 2003 r. Jej syn Krzysztof Mańkowski mówi: „Przez wiele lat staraliśmy się, żeby wydobyć od wywiadu brytyjskiego raport działalności mamy. Odmówili nam. W końcu przez prywatne kontakty udało nam się zdobyć środkową jego część, czyli opis akcji prowadzonych przez mamę" (http://koscian.naszemiasto.pl/lektura_na_weekend/specjalna_artykuł/20499 — Magazyn 22.10.2004). K. Mańkowska na polecenie kpt. Witkowskiego, który sam był niezależnym od polskich władz agentem brytyjskim, rozpoczęła współpracę z Abwehrą (po wojnie ustaliła na podstawie fotografii, że przed przerzuceniem do Wielkiej Brytanii najprawdopodobniej instruował ją w Paryżu sam admirał Wilhelm Canaris, występujący jako kpt. von Bonin), a następnie została agentką SOE. Prawdopodobnie właśnie z archiwum SOE otrzymała kopię swojego raportu, co świadczyłoby, że ważna część tego archiwum się zachowała. Drugi optymistyczny wniosek może brzmieć tak, że nie należy tracić nadziei na wydostanie z tajnych brytyjskich archiwów cennych dokumentów historycznych — jest to tylko kwestia metody i uporu.

H. Metody działania tajnych służb ZSRR i Rosji

Uważa się, że każda tajna służba charakteryzuje się sobie tylko właściwymi metodami działania, wyrażającymi się w pozornie drobnych szczegółach, odróżniających ją jednak od wszystkich innych, podobnych jej służb, niby swego rodzaju linie papilarne czy kod DNA. Jedna z tych specyficznych cech to motyw podejmowania nielegalnych tajnych akcji, których celem jest fizyczne wyeliminowanie przeciwnika politycznego.

Przypadek Sikorskiego nie jest szczególnie wyjątkowy, jeśli chodzi o pozbycie się koncyliacyjnie nastawionego, lecz pryncypialnego, a przez to niewygodnego, przeciwnika politycznego. Na przykład w marcu 2005 roku rosyjskie służby znalazły i zabiły prezydenta Czeczenii Asłana Maschadowa. Chociaż cieszył się on politycznym poparciem jedynie części Czeczenów, był w swoim kraju powszechnie szanowany i uznawany za niekwestionowanego przywódcę narodu, a przy tym tylko on dążył do rozwiązania konfliktu czeczeńsko-rosyjskiego w sposób pokojowy, uwzględniając jednak podstawowe interesy Czeczenii. Jego konkurenci już dawniej wybrali drogę terrorystycznej walki z Rosją, przez co postawili się na marginesie wspólnoty międzynarodowej i pozbawili się znaczącego jej wsparcia, co wzmocniło pozycję polityczną Rosji w wojnie z Czeczenią. W rezultacie śmierci Maschadowa Rosja zwiększyła więc swoje szanse całkowitego i bezwarunkowego podporządkowania sobie Czeczenii.

Są też liczne, chociaż ciągle niewystarczająco udokumentowane ślady, że niedoszłą ofiarą spisku Kremla mogła też paść inna — poza Sikorskim — wybitna polska osobistość, a przy tym szef państwa: papież Jan Paweł II, ciężko ranny w zamachu

z garet kanadyjskich, i wogóle zochodu papież J. Paweł II wcale nie być ciężko ranny.

na placu Świętego Piotra 13 maja 1981 roku. Warto przy tym pamiętać o międzynarodowym charakterze wykonawczej fazy zamachu na papieża (poszlaki wskazują na to, że uczestniczyli w tej fazie Bułgarzy, Niemcy z NRD oraz Turek Mehmet Ali Agca) i porównać ten schemat z rozważaniami w rozdziałach piątym i szóstym, dotyczących wykonawczej fazy zamachu na Sikorskiego. Dziwaczne zachowanie Agcy i towarzyszące mu równie dziwaczne, emfatyczne i często niezborne wypowiedzi niekoniecznie powinny być interpretowane wyłącznie jako objawy i dowody emocjonalnej nierównowagi zamachowca. Agca jest człowiekiem inteligentnym i analiza przynajmniej niektórych jego wystąpień tego rodzaju wskazuje, że wśród absurdalnych, a czasem wręcz komicznych enuncjacji umieszcza on również frazy mogące być zamierzoną przez niego sugestią, że poszlaki wiodące do centrum spisku, a uznane przez włoskie sądy za niewystarczające, żeby uznać je za dowody, są prawdziwe. Oczywiście nie powinno to podważać prawomocności włoskich wyroków, ale powinno stanowić inspirację do dalszych, intensywnych działań, które doprowadziłyby do przekształcenia poszlak w nie budzące wątpliwości dowody.

Być może zatrudniając jako egzekutora Agcę, członka skrajnie prawicowej tureckiej organizacji „Szare Wilki", dobrze spenetrowanej przez różne służby specjalne, jego mocodawcy inspirowali się zamachem na prezydenta Johna F. Kennedy'ego. Organizatorzy zamachu w Dallas w 1963 roku również poszukiwali człowieka, który nie był z nimi bezpośrednio powiązany, i znaleźli go w Lee Harveyu Oswaldzie. Agcę i Oswalda łączy to, że obaj nadawali się na kozły ofiarne jako rzekomi samotni strzelcy, czyli nie działający na niczyje zlecenie, różni zaś ich (oprócz tego, że Oswald nie żyje) to, że prawdopodobnie

Oswald w ogóle nie strzelał do Kennedy'ego (gdyby zaś strzelał, to trafienie prezydenta z tak dużej odległości przez tak miernego strzelca i z tak nieprecyzyjnej broni jak mannlicher-carcano graniczyłoby z cudem). Amerykańska mistyfikacja była więc bardziej wyrafinowana i konsekwentna.

I. Wielka Brytania — MI6

MI6, Military Intelligence (Section) 6 — brytyjski wywiad. Powstał w 1909 roku jako Sekcja Zagraniczna Secret Service Bureau (Biuro Tajnej Służby), inaczej MI1c, pod dowództwem komandora porucznika sir Mansfielda Smitha-Cumminga (odtąd każdy szef MI6 był znany jako „C"; samo MI6 zaś jest nazywane przez swoich pracowników The Firm, a przez inne agencje — The Friends), później awansowanego do stopnia komandora. W 1911 roku wywiad przyjął nazwę MI6, a do 1922 roku stał się osobną służbą zwaną SIS (Secret Intelligence Service — Tajna Służba Wywiadowcza). W 1994 roku parlament uchwalił The Intelligence Services Act (ustawę o służbach wywiadowczych) i odtąd MI6/SIS jest instytucją istniejącą oficjalnie, chociaż brytyjski wywiad działa ponad czterysta lat, od czasów królowej Elżbiety I, gdy podwaliny Secret Service położył sir Francis Walsingham, były ambasador Anglii we Francji, a następnie sekretarz stanu (funkcja łącząca kompetencje dzisiejszego ministra spraw zagranicznych oraz szefa MI5 i MI6). Twierdzi się, że MI6 miało tylko dwóch wielkich szefów: swojego założyciela, Cumminga (który zmarł w 1923 roku we własnym gabinecie), i sir Dicka White'a (1956–1968), poprzednio dyrektora MI5 (1953–1956), a następnie szefa Joint Intelligence Committee

(JIC — Połączony Komitet Wywiadowczy, sprawujący nadzór nad wszystkimi agencjami wywiadowczymi Wielkiej Brytanii i koordynujący ich działalność). Pierwszym dyrektorem MI6 nie noszącym tytułu szlacheckiego jest John Scarlet (od maja 2004 roku), poprzednio przewodniczący JIC.

J. Infiltracja polskiego podziemia przez NKWD

Do najbardziej dziś znanych radzieckich agentów należeli Włodzimierz Lechowicz i Alfred Jaroszewicz. Już przed wojną, będąc pracownikami polskiego kontrwywiadu, szpiegowali oni na rzecz Moskwy. W czasie wojny zostali wcieleni do Gwardii Ludowej przez jednego z jej dowódców, Mariana Spychalskiego, który zrobił to na polecenie NKWD. W tym samym czasie Lechowicz otrzymał od Spychalskiego rozkaz wejścia do Delegatury Rządu (emigracyjnego) na Kraj, co udało mu się bez trudu, jako że w kręgach legalnych polskich władz był znany jako przedwojenny pracownik kontrwywiadu, a więc osoba godna zaufania. W 1948 roku, po odnalezieniu w Gdańsku archiwum tejże służby, którego polskie władze nie zdążyły zniszczyć ani ewakuować w 1939 roku, a Niemcy wywieźć w roku 1945, Lechowicz (ówczesny wiceminister Ziem Odzyskanych) i Jaroszewicz zostali aresztowani i poddani śledztwu w opanowanym przez radzieckich doradców Ministerstwie Bezpieczeństwa Publicznego. Zarzucono im właśnie to, że byli pracownikami przedwojennego kontrwywiadu, nie bacząc i nie przyjmując do wiadomości, że obaj byli tam agentami Kremla. Historycy uważają, że ta absurdalna sprawa miała uderzyć w Mariana Spychalskiego, I wiceministra obrony w latach 1945–1948 (i rzeczywiście, w maju 1950 roku został aresztowany; więziono go do marca 1956 roku, w tym przez pierwsze cztery lata bezprawnie, z formalnego punktu widzenia, po czym został uwolniony na mocy amnestii*), a za pośrednictwem Spychalskiego w samego Władysława Gomułkę, byłego I sekretarza Komitetu Centralnego Polskiej Partii Robotniczej. Tak też się stało, nie można jednak wykluczyć, że na moskiewskiej Łubiance zamierzano równocześnie pozbyć się własnych agentów, którzy wiedzieli zbyt dużo o tajnych operacjach Kremla. Sprawa ta wymaga dalszych badań.

K. „Piątka z Cambridge" i inni

25 maja 1951 roku uciekli do Związku Radzieckiego Guy Burgess, pracownik brytyjskiej ambasady w Waszyngtonie, i Donald Duart Maclean, urzędnik Wydziału Amerykańskiego Foreign Office, a poprzednio, od 1944 roku, pierwszy sekretarz ambasady brytyjskiej w Waszyngtonie. W październiku 1950 roku przed grożącym im aresztowaniem ostrzegł ich Kim Philby, od 1949 roku oficer łącznikowy brytyjskich tajnych służb przy CIA i FBI w Waszyngtonie, który sam również znalazł się teraz w kręgu podejrzeń. (Burgess i Maclean przekazywali Moskwie — a więc pośrednio i Pekinowi — plany amerykańskich operacji wojskowych podczas wojny koreańskiej, a wcześniej amerykańskie tajemnice nuklearne.) Chociaż Philby'emu niczego nie udowodniono bezspornie (a jeszcze rok wcześniej

---

* Notabene jego bratem był Józef Spychalski, przedwojenny oficer, więzień NKWD, w marcu 1942 roku wysłany przez polski rząd w Londynie do kraju, gdzie po pewnym czasie objął funkcję komendanta Okręgu Krakowskiego AK; w 1944 roku aresztowany przez Gestapo, zginął w obozie koncentracyjnym).

rozważano jego kandydaturę na stanowisko dyrektora generalnego MI6), został zmuszony do rezygnacji z pracy w brytyjskich
tajnych służbach (CIA nigdy nie wierzyła w jego niewinność
i miała na to dowody), lecz kontynuował działalność wywiadowczą jako wolny strzelec, pod przykryciem dziennikarza (już
w latach 1935–1939 pracował w redakcji „London Times",
a do SIS wstąpił dopiero w 1940 roku). W 1955 roku prasa
nazwała go trzecim człowiekiem (należącym do „piątki z Cambridge"), ale dopiero sześć lat później Anatolij Golicyn, oficer
radzieckiego wywiadu, który przeszedł na stronę brytyjską (co
jednak nigdy nie było całkowicie pewne), dostarczył dowody
jego zdrady. Chociaż perspektywa jego aresztowania wydawała
się wątpliwa, Philby w styczniu 1963 roku uciekł z Bejrutu do
Moskwy. W Moskwie poślubił żonę swego przyjaciela (o ile ko-
gokolwiek uważał za przyjaciela) Macleana, który wraz z Bur-
gessem znalazł się w ZSRR dwanaście lat wcześniej.

Do początku lat osiemdziesiątych radzieckie tajne służby
podejrzewały, że Philby (być może właśnie dlatego, że nie wie-
rzyły, iż zostałby pociągnięty do odpowiedzialności za swoją
działalność) może być agentem nasłanym przez MI6. Dopiero
po mniej więcej dwudziestu latach jego pobytu w Moskwie
podejrzenie to upadło i Philby podjął wykłady dla radzieckich
adeptów zawodu szpiega. Już po tym, jak zmarł w 1988 roku,
ujawniono, że wiele jego meldunków z lat czterdziestych radzieccy analitycy uznali za „tak dobre, że aż nieprawdziwe", na
skutek czego użyteczność Philby'ego dla Kremla była dość ograniczona. Oto jeden z paradoksów pracy wywiadu. Utrzymując
się w tej schizofrenicznej konwencji, można by jednak równie
dobrze podejrzewać, że właśnie to deprecjonowanie wartości
informacji przekazywanych przez Philby'ego i samej jego osoby

miało służyć ukryciu tajnych operacji radzieckiego wywiadu przeprowadzonych w latach czterdziestych dzięki Philby'emu, a być może nawet z jego udziałem.

W 1979 roku dziennikarz śledczy Andrew Boyle w książce *Climate of Treason* oskarżył Anthony'ego Blunta, poważanego historyka sztuki i od 1953 roku kustosza Królewskich Zbiorów Obrazów, o przynależność do „piątki z Cambridge". W październiku 1979 roku premier Margaret Thatcher oświadczyła w Izbie Gmin, że Blunt już piętnaście lat wcześniej zeznał, iż był radzieckim szpiegiem, lecz otrzymał od prokuratora generalnego immunitet w zamian za przekazanie pełnych informacji o działalności swojej i swoich wspólników. Blunt oskarżył wówczas o zdradę Petera Ashby'ego, Johna Cairncrossa, Leo Longa i Briana Symona. Pozostawienie Blunta na wolności pozwoliło MI6 przez wiele lat dezinformować, za jego pośrednictwem, radziecki wywiad.

W roku 1952, podczas rozpoczętego rok wcześniej szeroko zakrojonego śledztwa, John Cairncross wyznał, że przekazywał tajne informacje Burgessowi, zarazem jednak upierał się, iż nie wiedział, że był on radzieckim szpiegiem. Dopiero w 1964 roku, wsypany przez Blunta, Cairncross przyznał się do szpiegostwa na rzecz ZSRR (co ujawniono publicznie w 1990 roku). W zamian za pełne zeznanie przyrzeczono mu bezkarność. Usunięty z tajnych służb Cairncross aż do emerytury pracował w United Nations Food and Agriculture Organization (FAO) w Rzymie. W 1967 roku powrócił do Wielkiej Brytanii, a później zamieszkał na francuskiej Rivierze, skąd wrócił do kraju na krótko przed śmiercią w 1995 roku.

Trudno jednak oprzeć się wrażeniu, że Blunta potraktowano tak łagodnie, aby uchronić dwór przed wciągnięciem w skandal szpiegowski, a z kolei zdradzonego przez Blunta Cairncrossa prokurator nie mógł potraktować gorzej niż samego Blunta.

W 1949 roku anonimowy informator oskarżył o szpiego-
wanie dla Moskwy Guya Liddella, przyjaciela Burgessa i Goronwy'ego Reesa. Uznano to za radziecką dezinformację wywiadowczą, niemniej odtąd Liddell stale napotykał przeszkody
w swojej karierze zawodowej. W 1952 roku przeszedł na eme-
ryturę. Z kolei Goronwy Rees w 1951 roku potwierdził, że
wiedział o szpiegowskiej działalności Burgessa, a w roku 1979,
spowiadając się na łożu śmierci, oskarżył o szpiegostwo Liddella
i wyznał, że sam również był radzieckim szpiegiem.

Za „piątego człowieka" został uznany Nathaniel Mayer Victor (trzeci) baron Rothschild. Wykazał to, cztery lata po jego
śmierci, Roland Perry, autor książki *The Fifth Man* (Pan Books,
London 1994). Amerykanie już czterdzieści cztery lata wcześniej, od początku 1950 roku, mieli pewność, że Rothschild jest
radzieckim szpiegiem.

Anatolij Golicyn rzucił też podejrzenie na Johna Vassalla,
mało znaczącego agenta, co MI5 uznało za próbę odwrócenia
uwagi od najważniejszych radzieckich szpiegów, oraz na Harolda Wilsona, laburzystowskiego premiera w latach 1964–1970
i 1974–1976. To ostatnie podejrzenie jest przynajmniej o tyle
wątpliwe, że Wilson, absolwent Oxfordu i pracownik naukowy
London School of Economics and Political Sciences, a następnie swej macierzystej uczelni, formalnie nie miał nic wspólnego z „piątką z Cambridge", co oczywiście nie znaczy, że KGB
werbował szpiegów wyłącznie w Cambridge.

Przez wiele lat ciężkie podejrzenia wisiały również nad sir Ro-
gerem Hollisem, dyrektorem MI5 w latach 1956–1965, oskarżonym przez Arthura Martina, szefa sekcji radzieckiej MI5,
oficera Petera Wrighta, który go przesłuchiwał, oraz publicystę
Chapmana Pinchera. Ostatnio ukazały się w prasie informacje,

według których oskarżenia wysuwane przeciw Hollisowi ostatecznie okazały się bezpodstawne.

Przyjmuje się dość powszechnie, że „piątkę z Cambridge" stanowili Burgess, Maclean, Philby, Blunt i Cairncross, jednak „Ring of Five" jest wyłącznie publicystycznym skrótem symbolizującym o wiele liczniejszą radziecką siatkę wywiadowczą ulokowaną w brytyjskich sferach politycznych wywodzących się z elitarnych uniwersytetów. Nieznana jest (przynajmniej publicznie) nie tylko liczba brytyjskich podwójnych agentów, lecz również ich afiliacja — kolejno GPU/OGPU/NKWD/KGB (cywilna policja polityczna, kontrwywiad i wywiad) czy też GRU (Gławnoje Razwiedywatielnoje Uprawlenije — Główny Zarząd Wywiadowczy, radziecki wywiad wojskowy). Jeszcze w 1939 roku Walter Kriwicki, wysoki oficer GRU, który — obawiając się, że zostanie jedną z ofiar stalinowskich czystek — niedługo przedtem uciekł do Kanady, zeznał podczas przesłuchania w Londynie, że w Wielkiej Brytanii pracuje sześćdziesięciu jeden radzieckich szpiegów. Kriwicki nie znał ich nazwisk, lecz opisy dwóch osób pasowały do Philby'ego i Macleana. Dicka White'a i Guya Liddella, którzy przesłuchiwali radzieckiego zbiega, jego zeznania nie przekonały i nie poszli wskazanymi przez niego tropami.

Po powrocie do Stanów Zjednoczonych Kriwicki napisał wspomnienia (*Byłem agentem Stalina*, Magnum, Warszawa 2003). 10 lutego 1941 roku znaleziono go martwego w waszyngtońskim Bellevue Hotel. Pierwotna wersja samobójstwa nie mogła się ostać, gdyż jednym z przesłuchujących go w 1939 roku śledczych MI5 był Liddell, radziecki szpieg, który z pewnością przekazał do Moskwy informację o miejscu pobytu Kriwickiego.

Inną kategorię radzieckich agentów niż „piątka z Cambridge" stanowili Brytyjczycy, którzy postanowili prowadzić prywatną

politykę zagraniczną. Należał do nich między innymi James Mac-
Gibbon (1912–2000). Chociaż od 1934 roku był on członkiem
Komunistycznej Partii Wielkiej Brytanii, o czym wiedział kontrwywiad, któremu zresztą przyznał się do tego podczas przesłuchania w maju 1940 roku, to z racji swojej doskonałej znajomości
języka niemieckiego został zaangażowany do pracy w Ministerstwie Wojny, w Map Roomie. Tam wcześniej zapytano go, czy
jest „za nami" czy „za Stalinem". „Za nami" — odparł MacGibbon. „Przybij piątkę, stary" („*Shake on it, old one*") — tymi słowy
zakończył „przesłuchanie" oficer War Ministry, sądząc, że właśnie
otrzymał słowo dżentelmena. Po ataku Niemiec na Związek Radziecki MacGibbon uznał, że rząd Jego Królewskiej Mości zbyt
słabo wspiera wysiłek zbrojny ZSRR. Od 1942 do 1944 roku,
pracując w Londynie i w Waszyngtonie, z własnej inicjatywy
informował ambasady radzieckie w tych dwóch stolicach nie
tylko o ruchach wojsk niemieckich na froncie wschodnim, ale
i o ich zamiarach. W ten sposób nie tylko zdradził Moskwie, że
Brytyjczycy złamali niemieckie szyfry, ale i być może (co jednak
nie zostało ustalone) pomógł radzieckim kryptografom złamać
te szyfry (mogli oni porównywać niezrozumiałe dla nich depesze
niemieckie z informacjami przekazywanymi na podstawie tych
depesz przez MacGibbona). Co więcej, MacGibbon — pracując
w komórce MI3* zajmującej się przygotowaniami do inwazji
aliantów na kontynent — informował Moskwę także o przygoto-

---

* MI3 — Military Intelligence (Section) 3. Na rzecz MI3 pracowały prawie
wszystkie pozostałe departamenty wywiadu. MI3 zajmowało się bowiem wywiadem operacyjnym i zbierało, a także interpretowało wszelkie informacje dotyczące
sił zbrojnych innych państw i ich zamiarów. MI3a pilnie przyglądało się Irako-
wi, Iranowi i Bliskiemu Wschodowi, MI3b — Włochom, MI3c — ZSRR. Sekcja
niemiecka była tak ważna i rozbudowana, że przekształcono ją w niezależne MI14.

waniach do Operacji „Overlord" (lądowanie w Normandii). Pod koniec wojny uznał, że Stalin zakończy zwycięsko wojnę już bez jego pomocy, i zerwał kontakty z radzieckim wywiadem. Jednak po powrocie z Waszyngtonu do Londynu był nękany telefonami przez mężczyznę z ambasady radzieckiej, który domagał się kontynuowania współpracy. Molestowanie ustało, gdy MacGibbon poprosił o interwencję Komunistyczną Partię Wielkiej Brytanii. Tak MacGibbon stał się jednym z nielicznych, którym udało się zadać kłam zasadzie radzieckich tajnych służb: *U nas bywszych szpionow niet.* Notabene nie jest to zasada wyłącznie radzieckich tajnych służb.

W 1950 roku niespodziewanie dla siebie MacGibbon został wezwany na przesłuchanie przez MI5. Przesłuchiwał go William Skardon, który właśnie doprowadził Klausa Fuchsa do tego, że przyznał się do szpiegostwa*. MacGibbonowi udało się jednak lepiej niż Fuchsowi — został zdjęty z listy podejrzanych o szpiegostwo. Dopiero po ponad trzydziestu latach MacGibbon złożył szczere wyznanie dziennikarzowi Magnusowi Linklaterowi, zastrzegając, że może być ono opublikowane, dopiero gdy umrze on sam i jego żona, Jean. Zmarł w 2000 roku, a je-

---

* Klaus Fuchs, urodzony w 1910 r. w Niemczech, fizyk, uciekł w 1933 r. do Wielkiej Brytanii. Internowany w 1939 r. jako obywatel wrogiego państwa, został jednak wkrótce zwolniony, a w 1942 r. naturalizowany. Rok później wyjechał do Stanów Zjednoczonych, gdzie pracował nad bombą atomową. Chociaż nigdy nie ukrywał swoich komunistycznych sympatii, Brytyjczycy dali mu dostęp do największych tajemnic i zapewnili Amerykanów, że Fuchs jest poza wszelkimi podejrzeniami. W sierpniu 1949 r. FBI dowiedziało się z rozszyfrowanej depeszy radzieckiej z czasów wojny, że Fuchs szpieguje dla Moskwy. Był on już wtedy, po powrocie do Wielkiej Brytanii, szefem wydziału fizyki teoretycznej uniwersytetu w Harwell. W lutym 1950 r. przyznał się do szpiegostwa i został skazany na 14 lat więzienia. Zwolniony w 1959 r., wyjechał do Niemieckiej Republiki Demokratycznej, gdzie podjął pracę fizyka nuklearnego. Zmarł w 1988 r.

go żona dwa lata później. MacGibbon zostawił ponadto dwunastostronicowe pisemne przyznanie się do szpiegostwa na rzecz Kremla („Times Online", 30 i 31 października 2004, kilka tekstów Magnusa Linklatera i Michaela Evansa). W ten sposób dołączył do bardzo licznego grona radzieckich agentów, którym MI5 albo nie potrafiło udowodnić zdrady, albo nie chciało tego zrobić, albo po udowodnieniu nie posunęło się do wyciągnięcia konsekwencji.

Aneks 4

Uprowadzenie?

Dariusz Baliszewski nie tak dawno przedstawił pewną teoretyczną konstrukcję, którą sam zawahał się nazwać choćby hipotezą:

> Oficjalnie uznano, że ciało Zofii Leśniowskiej, podobnie jak kilka innych, na zawsze zaginęło, uniesione silnymi prądami. Kiedy jednak dzisiaj, po latach, raz jeszcze przyjrzeć się faktom, nasuwa się przypuszczenie, że [...] córka generała być może wcale nie zginęła wraz z ojcem na Gibraltarze. [...] Porucznik Bailey był pewien, że zespół jego nurków nie odnalazł ciała córki Sikorskiego. „Była to w pewnym stopniu tajemnica — dodał. — Można postawić pytanie, czy córka Sikorskiego w ogóle była w samolocie". Jego zdaniem, nie. Jeśli jednak Zofii Leśniowskiej nie było w samolocie, to co się z nią stało? Kilka dni po katastrofie gibraltarskiej Tadeusz Zażuliński, polski poseł w Kairze, został poproszony o przybycie do hotelu Mena House. W tym właśnie hotelu mieszkała ekipa generała Sikorskiego. Jeden z pokoi zajmowała Zofia Leśniowska. W tym hotelu, lecz w zupełnie innym

pokoju, służba hotelowa znalazła pod dywanem bransoletkę z kości słoniowej z dużą złotą klamrą. Ktoś zapamiętał, że taką samą nosiła córka Sikorskiego, i zawiadomił polskie poselstwo. Zażuliński od razu rozpoznał tę bransoletkę. Była imieninowym prezentem dla Zosi od kilku polskich oficerów. Doskonale pamiętał moment jej wręczenia, gdyż ta niezwykła bransoletka dawała się założyć na rękę dopiero po dłuższym namoczeniu w wodzie, a założona nie pozwalała się już zdjąć. [...] Kiedy teraz poseł Zażuliński trzymał w ręce tę samą (miała wygrawerowaną dedykację) bransoletkę, nie było mu do śmiechu. Po pierwsze, Zosia, jak wiedział, zginęła w katastrofie w Gibraltarze, a po drugie, doskonale pamiętał, że gdy ją żegnał 3 lipca na lotnisku kairskim, miała tę „niezdejmowalną" bransoletkę na ręce. Jak więc, na Boga, bransoletka mogła sama wrócić do Kairu i kto i dlaczego ukrył ją pod hotelowym dywanem? Zażuliński przekazał bransoletkę wraz z całą tą niezwykłą historią udającemu się do Londynu Tadeuszowi Romerowi, nowo mianowanemu polskiemu ministrowi do spraw Wschodu. Obaj próbowali rozwikłać jej zagadkę, ale żadne rozsądne wyjaśnienie nie przychodziło im do głowy. Być może rozważali także i tę ewentualność, że Zosia żyje i że to ona umieściła bransoletkę pod dywanem jako znak istnienia i rozpaczliwe wołanie o ratunek. Ale jak i po co miałaby się znaleźć w Kairze? Jedynym samolotem, który w tych dniach przyleciał do Kairu z Gibraltaru, był samolot udającego się z Londynu do Moskwy ambasadora Iwana Majskiego, ale ten, jeśli wierzyć dokumentom, opuścił Gibraltar 4 lipca w południe, kilka godzin przed wypadkiem samolotu Sikorskiego. Zosia z tajemniczą bransoletką na ręce została sfotografowana w ogrodach pałacyku gubernatora. Co więcej, jak podają źródła, ambasador Majski nie wiedział, że na Gibraltarze przebywa gen. Sikorski i jego córka. W 1946 r. na łamach „Dziennika Polskiego i Dziennika Żołnierza" została opublikowana relacja Renalta Capesa, oficera z wieży kontroli lotów w Gibraltarze, która pozwala zakwestionować fakty zapisane w dokumentach: „Teraz na morze wyszły łodzie i zaczęły krążyć wokół miejsca, w którym zniknął samolot. Stopniowo do wieży kontrolnej zaczęły napływać wieści. Wyciągnięto z morza pilota żywego, ale silnie poranionego... wkrótce jednak przyszła tragiczna wiadomość, że wielkiego generała znaleziono pływającego po powierzchni, martwego... Kilka minut potem przyszła wiadomość, że start następnej maszyny jest odwołany. Okazało się, że następną «bardzo ważną osobistością» miał być ambasador Majski"(!). Teoretycznie więc Zosia Leśniowska, jeśli przeżyła, mogła się znaleźć na pokładzie samolotu Majskiego, a tym samym dwa dni później w Kairze, by tu, w drodze do Moskwy, pozostawić ostatni, dramatyczny znak życia. Na podstawie podobnych poszlak żaden historyk nie zbuduje jednak nawet cienia hipotezy o współudziale Moskwy w tragedii gibraltarskiej. I jeśli nawet historia ta zawiera elementy prawdy czy prawdopodobieństwa, to musi pozostać tragiczną fantazją.*

W Wikipedii, źródle często niezbyt wiarygodnym, można zaś przeczytać, że

Ponieważ pięć ciał nigdy nie zostało odnalezionych, a ciał kilku członków otoczenia Sikorskiego nie zidentyfikowano

---

* D. Baliszewski, *Bransoletka Zofii*, „Wprost", nr 1152/1153, 31 grudnia 2004.

z całkowitą pewnością [? — *positively*], niektórzy twórcy teorii spiskowych zakładają, że mogli oni przeżyć i zostać upro-
wadzeni do Związku Radzieckiego. Wśród domniemanych
uprowadzonych ofiar była córka Sikorskiego, Zofia Leśniowska, o której donoszono w 1945 r., że została rozpoznana
w sowieckim gułagu przez członka elitarnych polskich ko-
mandosów (Cichociemni), Tadeusza Kobylińskiego. Według
artykułu Jana Kozłowskiego, Kobyliński usiłował w 1945 lub
1946 r. zebrać członków Armii Krajowej na misję ratowania
Leśniowskiej, lecz został schwytany na granicy przez radzieckich agentów i nigdy już o nim nie usłyszano.*

W cytowanym tekście są błędy: Jan Kozłowski nie jest autorem artykułu, lecz pisemnej relacji, przesłanej Dariuszowi Bali-
szewskiemu i zamieszczonej przez niego we „Wprost” nr 1157
z 6 lutego 2005 roku; Tadeusz Kobyliński nie został schwytany przez radzieckich agentów, ale podobno jednak dotarł do
podmoskiewskiego obozu, w którym ujrzał z daleka Zofię Le-
śniowską (sugerowałoby to, że wcześniej widział ją ktoś inny,
kto poinformował o tym polskie podziemie, a ono spróbowało
ją odbić); Kobyliński wrócił do kraju, skąd następnie uciekł
i 23 listopada 1945 roku dołączył do polskich oddziałów stacjonujących w Anconie. „Po wojnie służył w wojsku brytyjskim.
Zmarł na atak serca w 1961 r. w wieku 47 lat”, podaje to samo
źródło.

Najbardziej zastanawia, dlaczego przygody Tadeusza Kobylińskiego (z wyjątkiem opisu początku jego wyprawy do ZSRR,
autorstwa Jana Kozłowskiego) znane są wyłącznie ze wspomnień

---

* http://en.wikipedia.org/wiki/Wladyslaw_Sikorski

jego przyjaciół, a nie postanowił on oficjalnie rozgłosić swojego odkrycia dotyczącego domniemanego losu Zofii Leśniowskiej. Na przykład nic nie wiadomo, by złożył on w tej sprawie raport generałowi Andersowi.

W sprawie katastrofy gibraltarskiej każda informacja może okazać się cenna, żadnej nie powinno się odrzucać a priori, zatem pogłoski o uwięzieniu Zofii Leśniowskiej należy po prostu przyjąć do wiadomości, wystrzegając się snucia nieuzasadnionych hipotez. Można jedynie przypomnieć, że pogłoski te żywo przypominają historię szwedzkiego dyplomaty Raoula Wallenberga, którego uwięzienie w Budapeszcie zimą 1945 roku przez Smiersz i zgon w radzieckiej niewoli potwierdził oficjalnie Michaił Gorbaczow (chociaż można mieć wątpliwości odnośnie do przyczyny i daty śmierci Wallenberga, podanych przez stronę radziecką). Ponadto zajmując się wypadkami inspirowanymi lub dokonanymi przez tajne służby, lepiej unikać szafowania lekceważącym terminem „spiskowe teorie dziejów", chyba że uznamy, iż działalność tych służb z natury rzeczy polega na spiskowaniu, co jednak wydaje się przesadą.

Jeden z dobitnych przykładów i dowodów wpływu tajnych służb na bieg historii opisuje Grzegorz Nowik w książce *Zanim złamano „Enigmę"... Polski radiowywiad podczas wojny z bolszewicką Rosją 1918–1920*, wydanej w sierpniu 2005 roku. Jej autor dotarł do materiałów archiwalnych polskiego wywiadu, z których wynika między innymi, że dzięki złamaniu przez polskich kryptografów bolszewickich szyfrów Józef Piłsudski w i e d z i a ł, że rosyjskie propozycje pokojowe z 28 stycznia 1920 roku były jedynie zasłoną dymną, która miała ukryć rosyjskie przygotowania do inwazji na Polskę, a plan polskiej kontrofensywy znad Wieprza w sierpniu 1920 roku, przygotowany przez Piłsudskiego i generała Tadeusza Rozwadowskiego, nie był rozpaczliwą próbą odwrócenia nadciągającej klęski, lecz został sporządzony dzięki dokładnej znajomości dyslokacji bolszewickich oddziałów i zamierzeń ich dowódców. Po opublikowaniu tych materiałów wywiadowczych znaczną część dotychczasowych hipotez i domniemań historyków dotyczących stosunków polsko-rosyjskich w latach 1919–1920, opartych w przeważającej mierze na krajowych i międzynarodowych dokumentach politycznych, będzie trzeba unieważnić lub odwrotnie — uznać za udowodnione źródłowo.

Bez ryzyka popełnienia błędu można powiedzieć, że wiele ważnych lub nawet najważniejszych faktów z historii powszechnej pozostaje nieznanych lub zostało niewłaściwie zinterpretowanych, ponieważ źródła wywiadowcze są jeszcze utajnione, a być może nie poznamy ich nigdy. Nie powinno to jednak stanowić przeszkody w próbach ich rekonstrukcji.

ANEKS 5

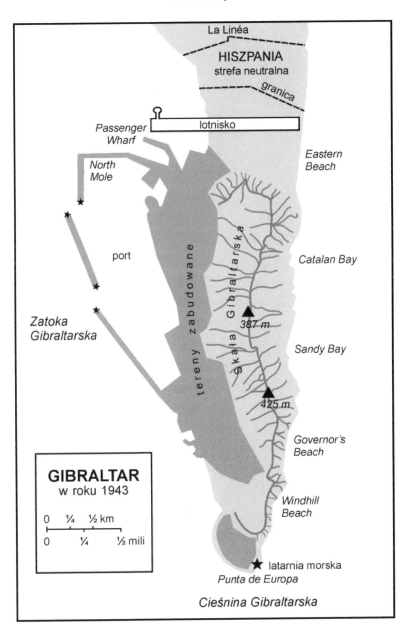

La Linéa

HISZPANIA
strefa neutralna

granica

lotnisko

Passenger
Wharf

North
Mole

Eastern
Beach

port

Catalan Bay

tereny zabudowane

Skała Gibraltarska

387 m

Zatoka
Gibraltarska

Sandy Bay

425 m

Governor's
Beach

GIBRALTAR
w roku 1943

0   ¼   ½ km

0   ¼   ½ mili

Windhill
Beach

★ latarnia morska

Punta de Europa

Cieśnina Gibraltarska

Indeks nazwisk

Handwritten top margin:

Pg. 12 Piłudki przyjmuje 1926 władzę w Polsce
1928 rok gen. Sikorski miał 47 lat = 58 lat w 1939
61 lat w 1943 Gibra[ltar]
Piłsudki born 1867 roku
− 61
1882 born

Handwritten notes (lower half):

Str. 14 Mianowanie nowego rządu we Francji
29 września 1939
Str. 15 10 Maja 1940 r Niemcy atakują Francję, która kapituluje
25 czerwca 1940.
Str 19-20 Niezgoda w rządzie (polskim) w Londynie
1941 sierpień tworzenie wojska Polskiego w Rosji
Gen. Sikorski w Moskwie. gen. Anders obejmuje
dowództwo w Rosji wojska polskiego
St. 22 Ewakuacja żołnierzy i cywili z Rosji 115,742
7840 żołnierzy, 37.272 cywili w marcu i sierp. 1942 r.
Stalin o Andersie "że jest głupi jak kawaleryjski koń"
St. 24-25- Katyń i inne mienia officerów
St. 30 - Powstanie Warszawskie i wojsko polskie i ich śmierć
St 32 - Likwidacja getta warszawskiego 19 kwiecień 1943 r.
St. 29 Powstanie Warszawskie 1 Sierpnia 1944 r.
St 35 - 25-26 Kwiecień 1941 Sowiety zrywają dyplomatyczne
stosunki z rządem Londyńskim Polskim.
St. 42-43 Sprawa w Norymberg - po wojnie
St. 45 Podróż Sikorskiego na Środkowy Wschód
St. 37. Rosvwel 25 Maja 1943 r. 4 Lipca 1943 wieczorem
o Katyniu samolot spada do morza w gibraltarze
St. 47 - Opis wypadku samolotowego
St. 54 - wolant - swany sterownicą (w samochodzie kierownica)
w położeniu neutralnym leci samolot poziomo
Obniżyć wysokość odpycha wolant od siebie
Zwiększyć wysokość przyciąga wolant do siebie.
Pg 61 gen. Sikorski pochowany 16 Lipca 1943 r. w Newark
Str. 93 5 zamachów na gen. Sikorskiego
w samolocie aktywna świeca rozbrojona

st. 114 Zamach na De Gaulle'a
st. 119 gen Sikorski i gen Sosnkowski
st. 120 Teheran, Churchill, Roosevelt, Stalin XI-XII 1943
Jałta luty 1945   st. 121. Mikołajczyk premiera
po gen Sikorskim / We Francji w 1940 - było 83 tys.
wojska polskiego, udało się tym 27 tys. ewakuować do W. Bryt.
st. 130. awanse oficerów przeciwników gen. Sikorskiego
Wydanie Niemcom Stefana Roweckiego "Grota" 30 kwiet. 1943,
wydali go polscy agenci wywiadu sowieckiego.
st. 133 Kto mógł zabić Sikorskiego 5 domysłów.
st. 140 (Abwehra) Niemieccy oficerowie współpracują
st. 141 z angielskim wywiadem szefem był sir Hugh Sinclair
następnie był steward graham Menzies   (1939 zmarł
Zamachy na Hitlera (17)
st. 166 - załoga samolotu 6 osób.   +6 ang
st. 168 Ilość pasażerów w samolocie (22)/16)
- 169 Inna liczba od 20-24 osób a nie 11 osób
st. 193 - Książki o Churchillu, by D. Irving
st. 196 Strata Rosjanów w II-ej Wojnie Świat
st. 217 Edward Markiewicz awans od (27 mil.
od podpor. pomin. do brytyjskiego brygadiera 6 stopni wyży-
st. 238. Pułkownik Ultnik ostrego się sprawą Sikorskiego - nie zajmował
239 - Philby agent sowiecki 1963 zostaje ich obywatel
Jerzy Marymiak - wynalazca odkryć mordów
st. 241 "Soldaten" sztuka wydana, napisane
przez niemieckiego Rolfa Hochhuth
Odtajenie raportu Burke'a Trenda i książkę
Carlsona Thompsona
st. 243 - Jaroslav Valenta — historyk Czech
Whitehall ulica Londyńskiego Ministersh
st. 246 - List gen. Sikorskiego do Papieża
dokumenty w archiwach Vatykańskich
tajne rozmowy z Rosją ?

st. 247 „Człowieka stamtąd" - informacja

st. 252 Lot Gibraltar - Cair 12 godz - Majski Rosji
ambasador, Wspomnienia ambasadora

st. 259 Ekspertyza prof. Jerego Maryniaka

st. 266 Rewalizacja agentów po II-ej Wojnie Światowej

st. 272 Covert Operation - CO organizacja w CIA obalająca
obce rządy nieprzyjaznych Stanom Zjednoczonym.

Zabicie parasolem z trucizną Dżergi Markowa w Londynie

st. 275 15 polaków uwięzionych do Rosji 1945 r.   Iwan
Deportacje do Rosji, 1939 - 1941 - organizator deportacji Sierow

st. 276 Najazd Tatarów na Moskwę 1571

prof. Maryniak przeprowadził kompiutorową
symulacje lotu liberatora Sikorskiego.

Prof. Van Vliet jr. o Katyniu (amerykanin)
38
st. 139   Premier Polski 1940 - 1943 gen. Władysław
Sikorski
Minister Spraw Wewnętrznych Stanisław Mikołajczyk
Karol Popiel - Minister bez teki.
(Wiceminister Spraw wojskowych Izydor Modelski
(Minister Spraw Wojskowych Gen. Marian Kukiel

(grota) pseudonek
↓ Stefan Rowecki dowódca Armii Krajowej
aresztowany przez Niemców w czerwcu 1943.